D1284472

la sociologie par les textes

Claude Ducharme

la sociologie par les textes

anthologie accompagnant la sociologie générale de Guy Rocher, tome 1: l'action sociale

Hurtubise / HMH

EDITIONS HURTUBISE HMH, LTÉE
380 OUEST, RUE CRAIG
MONTRÉAL, QUÉ., CANADA. H2Y 1J9

ISBN 0 - 7758 - 0039 - 2

Dépôt légal / 4ème trimestre 1975
Bibliothèque Nationale du Québec

Table des matières

LISTE ALPHABÉTIQUE DES AUTEURS

Adams, Martha,
Bergson, Henri,
Bourdieu, Pierre,
Carisse, Colette,
Charrière, Henri,
Cliche, Robert,
Corneille, Pierre,
de Brébeuf, Jean,
Dumont, Fernand,
Engels, Friedrich,
Fabre, Michel,
Ferron, Madeleine,
Fortin, Gérald,
Frère Untel,
Friedman, George,
Garrigue, Philippe,
Girod, Roger,
Jain, Geneviève,
Konïg, René,
Lazure, Jacques,
Letellier, Marie,
Loew, Jacques,
Marx, Karl,
Mauss, Marcel,
Mead, Margaret,
Memmi, Albert,
Morin, Edgar,
Normandeau, André,
Paquet, Louis-Adolphe,
Passeron, Jean-Claude,
Redfield, Robert,
Rousseau, Jean-Jacques,
Sévigny, Robert,
Tremblay, Marc-Adélard,
Trudel, Marcel.

Remerciements

Nous désirons remercier les maisons d'édition suivantes pour leur collaboration :

La Librairie A. Colin, *Paris,*
Les Éditions du Seuil, *Paris,*
Les Éditions Payot, *Paris,*
Les Presses de l'Université Laval, *Québec,*
Robert Laffont, *Paris,*
Les Presses de l'Université de Montréal, *Montréal,*
Les Presses universitaires de France, *Paris,*
La Société historique du Canada, *Ottawa,*
Les Presses de l'Université du Québec, *Montréal,*
Les Éditions de Minuit, *Paris,*
Les Éditions de l'Homme, *Montréal,*
Les Éditions du Cerf, *Paris,*
La Librairie Marcel Rivière, *Paris,*
Les Éditions Parti-Pris, *Montréal,*
Les Éditions de l'Action nationale, *Montréal,*
Les Éditions sociales, *Paris,*
J. J. Pauvert, *Paris,*
Les Éditions Plon, *Paris,*
Les Éditions Gallimard, *Paris,*
Les Éditions du Jour, *Montréal,*
Les Éditions Hurtubise / HMH, *Montréal*

Introduction

Tout auteur de manuel se croit dans l'obligation d'exposer en introduction les raisons qui l'ont amené à mettre son ouvrage en chantier. Dans ce cas-ci, il n'y en a qu'une : la nécessité. On n'enseigne la sociologie que depuis peu de temps chez nous au niveau pré-universitaire, aussi les instruments pédagogiques sont-ils rarissimes. M. Guy Rocher avait déjà comblé la lacune d'un manuel théorique, (*) mais restait le besoin d'un outil plus empirique, si tant est que la démarche scientifique soit inductive et exige un va-et-vient continuel entre la réalité et la théorie.

On se surprendra peut-être de voir se côtoyer ici le sociologue, l'essayiste, la prostituée, l'historien et le prêtre-ouvrier. Tout ça ne fait pas très sérieux, dira-t-on. Qu'on se rappelle alors le but de ce volume, qui est de montrer comment se vit la société aux différents niveaux d'analyse que le sociologue peut y déceler, de mettre sous les yeux de l'étudiant — et de tout lecteur — la vie sociale en acte. Bref, c'est une intention pédagogique qui a présidé à la construction de ce recueil ; il fallait alors pour en rencontrer les objectifs faire preuve d'éclectisme.

En effet, la réalité sociale de chacun risque fort de se limiter à son expérience personnelle, par rapport à laquelle il n'a pas toujours pris ses distances. Ajouter à l'expérience quotidienne et provoquer un recul par rapport au monde immédiat ont été les deux canons qui ont dirigé le choix des textes de teneurs et de provenances diverses. Il n'est pas question de substituer ces textes à des travaux pratiques exécutés dans le proche entourage ou à des observations nées de la curiosité, de l'intérêt ou de l'engagement envers la chose sociale. Ils pourraient, au contraire, y introduire, croyons-nous. Puisqu'on ne peut conduire la classe chez les Esquimaux, amenons les Esquimaux en classe par le texte, comme on pourrait aussi le faire par le cinéma documentaire.

Ce recueil de textes veut être «du terrain», mais du terrain structuré, organisé, pour des raisons didactiques. Depuis leur naissance, il y a six ans, les programmes collégiaux de sociologie, d'abord très classiques, se sont peu à peu modelés sur les rares instruments disponibles, en particulier sur l'ouvrage de M. Guy Rocher, d'où la parenté voulue de l'organisation de notre manuel avec celle du sien. Il s'agit d'un manuel complémentaire. On pourra, par exemple, s'en servir pour remettre en question les affirmations de la théorie, pour tenter d'infirmer ou de confirmer des énoncés théoriques réduits, pour les besoins de la cause, à l'état d'hypothèses.

(*) *Introduction à la sociologie générale,* Montréal, HMH, 1968-9.

L'action sociale que l'on vit quotidiennement peut à première vue sembler donner raison à la théorie, mais la comparaison avec ce qui se vit dans d'autres sociétés, sur un point ou sur un autre, risque d'attirer l'attention sur des aspects méconnus et aiguiser l'esprit critique. Il en est de même pour les normes, qu'on ne voit plus tellement elles sont devenues « naturelles », « normales ». En ce qui a trait aux rôles, notre monde dit de l'organisation est plus souvent conscient des conflits de rôles que de la complémentarité entre les rôles.

Est-ce suffisant de diagnostiquer un conflit de valeurs ou une manipulation de symboles ? Qu'est-ce que cela entraîne au plan de l'action collective ? Qu'est-ce que cela entrave ? Qu'est-ce que cela rend possible ? Une société comme la nôtre ne peut actuellement se permettre de se contenter de constater.

Bien malin qui tracera avec certitude les contours précis d'une société ou d'une culture ; et plus malin encore qui réussira dans le cas d'une sous-culture ou d'un sous-groupe qui, comme une classe sociale, possède une intention de totalité. L'analyse des idéologies pourra cependant apporter une certaine aide, croyons-nous.

D'une façon ou d'une autre, les membres d'une société sont intégrés à cette société par l'assimilation de sa culture, de ses valeurs, de ses normes. Mais comment se fait cette assimilation, quels en sont les mécanismes ? Comment se réalise la socialisation ? Quelle latitude laisse-t-elle aux individus ? Et la déviance, si elle n'était qu'une forme de conformité...

Par cette méthodologie sociologique de remise en question et de recherche, nous espérons qu'il sera possible à l'étudiant — et au lecteur — de développer une façon plus rigoureuse d'aborder les phénomènes sociaux, d'acquérir une connaissance plus scientifique de la dynamique sociale, une conscience des aspects symboliques et culturels de sa vie quotidienne et de la manière dont les sociétés fonctionnent et se transforment et, par voie de conséquence, d'acquérir une plus grande maîtrise sur des phénomènes dont il peut facilement se sentir le jouet aliéné.

Qu'on nous permette de remercier ici Mademoiselle Michelle Léger, professeur de sociologie au Collège Bois-de-Boulogne, pour ses intuitions fécondes qui ne sont pas étrangères au choix des textes de ce recueil. Qu'on nous permette aussi de souhaiter que cet ouvrage soit utile à ceux à qui nous nous faisons un plaisir de le présenter, nos confrères dans l'enseignement et nos étudiants.

Claude DUCHARME

La Société de Paris dépeinte par un étranger

(Lettre de Saint-Preux à Julie.)

J'entre avec une secrète horreur dans ce vaste désert du monde. Ce chaos ne m'offre qu'une solitude affreuse où règne un morne silence. Mon âme à la presse cherche à s'y répandre, et se trouve partout resserrée. Je ne suis jamais moins seul que quand je suis seul, disait un ancien : moi, je ne suis seul que dans la foule, où je ne puis être ni à toi ni aux autres. Mon coeur voudrait parler, il sent qu'il n'est point écouté ; il voudrait répondre, on ne lui dit rien qui puisse aller jusqu'à lui. Je n'entends point la langue du pays, et personne ici n'entend la mienne.

Ce n'est pas qu'on ne me fasse beaucoup d'accueil, d'amitiés, de prévenances, et que mille soins officieux n'y semblent voler au-devant de moi : mais c'est précisément de quoi je me plains. Le moyen d'être aussitôt l'ami de quelqu'un qu'on n'a jamais vu ? L'honnête intérêt de l'humanité, l'épanchement simple et touchant d'une âme franche, ont un langage bien différent des fausses démonstrations de la politesse et des dehors trompeurs que l'usage du monde exige. J'ai grand'peur que celui qui, dès la première vue, me traite comme un ami de vingt ans, ne me traitât, au bout de vingt ans, comme un inconnu, si j'avais quelque important service à lui demander ; et quand je vois des hommes si dissipés prendre un intérêt si tendre à tant de gens, je présumerais volontiers qu'ils n'en prennent à personne.

Il y a pourtant de la réalité à tout cela ; car le Français est naturellement bon, ouvert, hospitalier, bienfaisant : mais il a aussi mille manières de parler qu'il ne faut pas prendre à la lettre, mille offres apparentes qui ne sont faites que pour être refusées, mille espèces de pièges que la politesse tend à la bonne foi rustique. Je n'entendis jamais tant dire : Comptez sur moi dans l'occasion, disposez de mon crédit, de ma bourse, de ma maison, de mon équipage. Si tout cela était sincère et pris au mot, il n'y aurait pas de peuple moins attaché à la propriété ; la communauté des biens serait ici presque établie : le plus riche offrant sans cesse, et le plus pauvre acceptant toujours, tout se mettrait naturellement de niveau, et Sparte même eût eu des partages moins égaux qu'ils ne seraient à Paris. Au lieu de cela, c'est peut-être la ville du monde où les fortunes sont le plus inégales, et où règnent à la fois la plus somptueuse opulence et la plus déplorable misère. Il n'en faut pas davantage pour comprendre ce que signifient cette apparente commisération qui semble toujours aller au-devant des besoins d'autrui, et cette facile tendresse de coeur qui contracte en un moment des amitiés éternelles.

Au lieu de tous ces sentiments suspects et de cette confiance trompeuse, veux-je chercher des lumières et de l'instruction ? c'en est ici l'aimable source ; et l'on est d'abord enchanté du savoir et de la raison qu'on trouve dans les entretiens non seulement des savants et des gens de lettres, mais des hommes de tous les états, et même des femmes : le ton de la conversation y est coulant et naturel ; il n'est ni pesant ni frivole ; il est savant sans pédanterie, gai sans tumulte, poli sans affectation, galant sans fadeur, badin sans équivoque. Ce ne sont ni des dissertations ni des épigrammes ; on y raisonne sans argumenter ; on y plaisante sans jeux de mots ; on y associe avec art l'esprit et la raison, les maximes et les saillies, la satire aiguë, l'adroite flatterie, et la morale austère. On y parle de tout pour que chacun ait quelque chose à dire ; on n'approfondit point les questions de peur d'ennuyer, on les propose comme en passant, on les traite avec rapidité ; la précision mène à l'élégance ; chacun dit son avis et l'appuie en peu de mots ; nul n'attaque avec chaleur celui d'autrui, nul ne défend opiniâtrement le sien ; on discute pour s'éclairer, on s'arrête avant la dispute, chacun s'instruit, chacun s'amuse ; tous s'en vont contents, et le sage même peut rapporter de ces entretiens des sujets dignes d'être médités en silence.

Mais au fond, que penses-tu qu'on apprenne dans ces conversations si charmantes ? à juger sainement des choses du monde ? à bien user de la société ? à connaître au moins les gens avec qui l'on vit ? Rien de tout cela, ma Julie ; on y apprend à plaider avec art la cause du mensonge ; à ébranler à force de philosophie tous les principes de la vertu, à colorer de sophismes subtils ses passions et ses préjugés, et à donner à l'erreur un certain tour à la mode selon les maximes du jour. Il n'est point nécessaire de connaître le caractère des gens, mais seulement leurs intérêts, pour deviner à peu près ce qu'ils diront de chaque chose. Quand un homme parle, c'est pour ainsi dire son habit et non pas lui qui a un sentiment ; et il en changera sans façon tout aussi souvent que d'état. Donnez-lui tour à tour une longue perruque, un habit d'ordonnance, et une croix pectorale, vous l'entendrez successivement prêcher avec le même zèle les lois, le despotisme et l'inquisition. Il y a une raison commune pour la robe, une autre pour la finance, une autre pour l'épée. Chacune prouve très bien que les deux autres sont mauvaises, conséquence facile à tirer pour les trois. Ainsi nul ne dit jamais ce qu'il pense, mais ce qu'il lui convient de faire penser à autrui ; et le zèle apparent de la vérité n'est jamais en eux que le masque de l'intérêt.

Vous croiriez que les gens isolés qui vivent dans l'indépendance ont au moins un esprit à eux : point du tout ; autres machines qui ne pensent point, et qu'on fait penser par ressorts. On n'a qu'à s'informer de leurs sociétés, de leurs coteries, de leurs amis, des femmes qu'ils voient, des auteurs qu'ils connaissent ; là-dessus on peut d'avance établir leur sentiment futur sur un livre prêt à paraître et qu'ils n'ont point lu ; sur une pièce prête à jouer et qu'ils n'ont point vue, sur tel ou tel auteur qu'ils ne connaissent point, sur tel ou tel système dont ils n'ont aucune idée ; et comme la pendule ne se monte ordinairement que pour vingt-quatre heures, tous ces gens-là s'en vont chaque soir apprendre dans leurs sociétés ce qu'ils penseront le lendemain.

Il y a ainsi un petit nombre d'hommes et de femmes qui pensent pour tous les autres, et pour lesquels tous les autres parlent et agissent ; et comme chacun songe à son intérêt, personne au bien commun, et que les intérêts particuliers sont toujours opposés entre eux, c'est un choc perpétuel de brigues et de cabales, un flux et reflux de préjugés, d'opinions contraires, où les plus échauffés, animés par les autres, ne savent presque jamais de quoi il est question. Chaque coterie a ses règles, ses jugements, ses principes qui ne sont point admis ailleurs. L'honnête homme d'une maison est un fripon dans la maison voisine : le bon, le mauvais, le beau, le laid, la vérité, la vertu, n'ont qu'une existence locale et circonscrite. Quiconque aime à se répandre et fréquente plusieurs sociétés doit être plus flexible qu'Alcibiade, changer de principes comme d'assemblées, modifier son esprit pour ainsi dire à chaque pas, et mesurer ses maximes à la toise : il faut qu'à chaque visite il quitte en entrant son âme, s'il en a une ; qu'il en prenne une autre aux couleurs de la maison, comme un laquais prend un habit de livrée ; qu'il la pose de même en sortant et reprenne, s'il veut, la sienne jusqu'à nouvel échange.

Il y a plus ; c'est que chacun se met sans cesse en contradiction avec lui-même, sans qu'on s'avise de le trouver mauvais. On a des principes pour la conversation et d'autres pour la pratique ; leur opposition ne scandalise personne, et l'on est convenu qu'ils ne se ressembleraient point entre eux : on n'exige pas même d'un auteur, surtout d'un moraliste, qu'il parle comme ses livres, ni qu'il agisse comme il parle ; ses écrits, ses discours, sa conduite, sont trois choses toutes différentes, qu'il n'est point obligé de concilier. En un mot, tout est absurde, et rien ne choque, parce qu'on y est accoutumé ; et il y a même à cette inconséquence une sorte de bon air dont bien des gens se font honneur. En effet, quoique tous prêchent avec zèle les maximes de leur profession, tous se piquent d'avoir le ton d'une autre. Le robin prend l'air cavalier ; le financier fait le seigneur ; l'évêque a le propos galant ; l'homme de cour parle de philosophie ; l'homme d'Etat de bel esprit : il n'y a pas jusqu'au simple artisan qui, ne pouvant prendre un autre ton que le sien, se met en noir les dimanches pour avoir l'air d'un homme de palais. Les militaires seuls, dédaignant tous les autres états, gardent sans façon le ton du leur, et sont insupportables de bonne foi. Ce n'est pas que M. de Murali n'eût raison quand il donnait la préférence à leur société ; mais ce qui était vrai de son temps ne l'est plus aujourd'hui. Le progrès de la littérature a changé en mieux le ton général ; les militaires seuls n'en ont point voulu changer ; et le leur, qui était le meilleur auparavant, est enfin devenu le pire.

Ainsi les hommes à qui l'on parle ne sont point ceux avec qui l'on converse ; leurs sentiments ne partent point de leur coeur, leurs lumières ne sont point dans leur esprit, leurs discours ne représentent point leurs pensées ; on n'aperçoit d'eux que leur figure, et l'on est dans une assemblée à peu près comme devant un tableau mouvant où le spectateur paisible est le seul être mû par lui-même.

Telle est l'idée que je me suis formée de la grande société sur celle que j'ai vue à Paris ; cette idée est peut-être plus relative à ma situation particulière qu'au véritable état des choses, et se réformera sans doute sur de nouvelles lumières. En attendant, juge si j'ai raison d'appeler cette foule un désert, et de m'effrayer d'une situation où je ne trouve qu'une vaine apparence de sentiments et de vérité, qui change à chaque instant et se détruit elle-même, où je n'aperçois que larves et fantômes qui frappent l'oeil un moment et disparaissent aussitôt qu'on les veut saisir. Jusques ici j'ai vu beaucoup de masques : quand verrai-je des visages d'hommes ? (*Nouvelle Héloïse,* II, XIV.)

Jean-Jacques Rousseau, *La Nouvelle Héloïse,* II, XIV, *Pages choisies des grands écrivains — Jean-Jacques Rousseau,* Introd. de S. Rocheblave, Paris, Lib. A. Colin, 103 boul. Saint-Michel, 1926, p. 161-166.

L'expression obligatoire des sentiments *

Cette communication se rattache au travail de M. G. Dumas sur les *Larmes* [1], et à la note que je lui ai envoyée à ce propos. Je lui faisais observer l'extrême généralité de cet emploi obligatoire et moral des larmes. Elles servent en particulier comme moyen de salutation. On trouve cet usage, en effet, très répandu dans ce qu'on est convenu d'appeler les populations primitives, surtout en Australie, en Polynésie ; il a été étudié en Amérique du Nord et du Sud par M. Friederici, qui a proposé de l'appeler le *Tränengruss*, le salut par les larmes [2].

Je me propose de vous montrer par l'étude du rituel oral des cultes funéraires australiens que, dans un groupe considérable de populations, suffisamment homogènes, et suffisamment primitives, au sens propre du terme, les indications que M. Dumas et moi avons données pour les larmes, valent pour de nombreuses autres expressions de sentiments. Ce ne sont pas seulement les pleurs, mais toutes sortes d'expressions orales des sentiments qui sont essentiellement, non pas des phénomènes exclusivement psychologiques, ou physiologiques, mais des phénomènes sociaux, marqués éminemment du signe de la non-spontanéité, et de l'obligation la plus parfaite. Nous resterons si vous le voulez bien sur le terrain du rituel oral funéraire, qui comprend des cris, des discours, des chants. Mais nous pourrions étendre notre recherche à toutes sortes d'autres rites, manuels en particulier, dans les mêmes cultes funéraires et chez

---

* « L'expression obligatoire des sentiments (rituels oraux funéraires australiens) », *Journal de psychologie*, 18, 1921.

1. *Journal de psychologie*, 1920 ; cf. « Le rire », *Journal de psychologie*, 1921, p. 47 « Le langage du rire. »

2. *Der Tränengruss der Indianer*, Leipzig, 1907, Cf. Durkheim, *Année sociologique*, 11, p. 469.

les mêmes Australiens. Quelques indications, en terminant, suffiront d'ailleurs pour permettre de suivre la question dans un domaine plus large. Elle a d'ailleurs été déjà étudiée par nos regrettés Robert Hertz[3] et Emile Durkheim[4] à propos des mêmes cultes funéraires que l'un tenta d'expliquer, et dont l'autre se servait pour montrer le caractère collectif du rituel piaculaire. Durkheim a même posé, par opposition à M. F.-B. Jevons[5], la règle que le deuil n'est pas l'expression spontanée d'émotions individuelles. Nous allons reprendre cette démonstration avec quelques détails, et à propos des rites oraux.

Les rites oraux funéraires en Australie se composent :

1. de cris et hurlements, souvent mélodiques et rythmés ;
2. de voceros souvent chantés ;
3. de véritables séances de spiritisme ;
4. de conversations avec la mort.

Négligeons pour un instant les deux dernières catégories. Cette négligence est sans inconvénient. Ces débuts du culte des morts proprement dit sont des faits fort évolués, et assez peu typiques. D'autre part leur caractère collectif est extraordinairement marqué ; ce sont des cérémonies publiques, bien réglées, faisant partie du rituel de la vendetta et de la détermination des responsabilités[6]. Ainsi, chez les tribus de la rivière Tully[7], tout ce rituel prend place dans des danses funéraires chantées d'un long développement. Le mort y assiste, en personne, par son cadavre desséché qui est l'objet d'une sorte de primitive nécropsie. Et c'est toute une audience considérable, tout le camp, voire toute la partie de la tribu rassemblée qui chante indéfiniment, pour rythmer les danses :

Yakai ! ngga wingir,
Winge ngenu na chaimban,
Kunapanditi warre marigo.

Traduction : « Je me demande où il [*le koi*, le mauvais esprit] t'a rencontré, nous allons extraire tes viscères et voir. » En particulier, c'est sur cet air et sur un pas de danse, que quatre magiciens mènent un vieillard reconnaître — et

3. « Représentation collective de la mort », *Année sociologique*, X, p. 18 s.

4. *Formes élémentaires de la vie religieuse*, p. 567 s.

5. *Introduction to the History of Religion*, p. 46 s. — Sir J. G. Frazer, *The Belief in Immortality and the Worship of the Dead*, 1913, p. 147, voit bien que ces rites sont réglés par la coutume, mais leur donne une explication purement animiste, intellectualiste en somme.

6. Cf. Fauconnet, *La Responsabilité*, 1920, p. 236 s.

7. W. Roth, *Bulletin* (*Queensland Ethnography*) 9, p. 390, 391. Cf. « Superstition, Magic, and Medicine », *Bulletin* 3, p. 26 n° 99, s.

extraire du cadavre — l'objet enchanté qui causa la mort. Ces rituels indéfiniment répétés, jusqu'à divination, se terminent par d'autres séries de danses, dont une de la veuve qui, faisant un pas à droite et un à gauche, et agitant des branchages, chasse le *koi* du cadavre de son mari [8]. Cependant le reste de l'audience assure le mort que la vengeance sera exercée. Ceci n'est qu'un exemple. Qu'il nous suffise, pour conclure sur ces rites extrêmement développés, d'indiquer qu'ils aboutissent à des pratiques extrêmement intéressantes pour le sociologue comme pour le psychologue. Dans un très grand nombre de tribus du centre et du sud, du nord et du nord-est australien, le mort ne se contente pas de donner une réponse illusoire à ce conclave tribal qui l'interroge : c'est physiquement, réellement que la collectivité qui l'évoque l'entend répondre [9] ; d'autres fois c'est une véritable expérience que nous appelons volontiers dans notre enseignement, celle du pendule collectif : le cadavre porté sur les épaules des devins ou des futurs vengeurs du sang, répond à leurs questions en les entraînant dans la direction du meurtrier. On le voit très suffisamment par ces exemples, ces rites oraux compliqués et évolués ne nous montrent en jeu que des sentiments, des idées collectives, et ont même l'extrême avantage de nous faire saisir le groupe, la collectivité en action, en interaction si l'on veut.

Les rites plus simples sur lesquels nous allons nous étendre un peu plus, cris et chants, n'ont pas tout à fait un caractère aussi public et social, cependant ils manquent au plus haut degré de tout caractère d'individuelle expression d'un sentiment ressenti de façon purement individuelle. La question même de leur spontanéité est depuis longtemps tranchée par les observateurs ; à tel point même que c'est presque devenu chez eux un cliché ethnographique. Ils ne tarissent pas de récits sur la façon dont, au milieu des occupations triviales, des conversations banales, tout d'un coup, à heures, ou dates, ou occasions fixes, le groupe, surtout celui des femmes, se prend à hurler, à crier, à chanter, à invectiver l'ennemi et le malin, à conjurer l'âme du mort ; et puis après cette explosion de chagrin et de colère, le camp, sauf peut-être quelques porteurs du deuil plus spécialement désignés, rentre dans le train-train de sa vie.

En premier lieu ces cris et ces chants se prononcent en groupe. Ce sont en général non pas des individus qui les poussent individuellement, mais le camp. Le nombre de faits à citer est sans nombre. Prenons-en un, un peu grossi, par sa régularité même. Le « cri pour le mort » est un usage très généralisé au Queensland Est méridional. Il dure aussi longtemps que l'intervalle entre le

---

8. Le mot *Koi* désigne soit un esprit, soit l'ensemble des esprits malfaisants, y compris les magiciens hommes et les démons.

9. Ex. une très jolie description d'une de ces séances dans l'ouest de Victoria. Dawson, *Aborigines of South Austr.*, p. 663 ; Yuin (Nouvelles-Galles du Sud-Est). Howitt, *South Eastern Tribes,* 422, pour ne citer que d'anciens faits anciennement attestés.

premier et le deuxième enterrement. Des heures et des temps précis lui sont assignés. Pendant dix minutes environ au lever et au coucher du soleil, tout camp ayant un mort à pleurer hurlait, pleurait et se lamentait. Il y avait même, dans ces tribus, lorsque des camps se rencontraient un vrai concours de cris et de larmes qui pouvait s'étendre à des congrégations considérables, lors des foires, cueillette de la noix (*bunya*), ou initiations.

Mais ce ne sont pas seulement les temps et conditions de l'expression collective des sentiments qui sont fixés, ce sont aussi les agents de cette expression. Ceux-ci ne hurlent et ne crient pas seulement pour traduire leur peur ou leur colère, ou leur chagrin, mais parce qu'ils sont chargés, obligés de le faire. D'abord ce ne sont nullement les parentés de fait, si proches que nous les concevions, père et fils par exemple, ce sont les parentés de droit qui gouvernent la manifestation du deuil. Si la parenté est en descendance utérine, le père ou le fils ne participent pas bien fort au deuil l'un de l'autre. Nous avons même de ce fait une preuve curieuse : chez les Warramunga, tribu du centre à descendance surtout masculine, la famille utérine se reconstitue spécialement pour le rituel funéraire. Un autre cas remarquable est que ce sont même souvent les cognats, les simples alliés qui sont obligés, souvent à l'occasion même de simples échanges de délégués ou à l'occasion d'héritages, de manifester le plus de chagrin [10].

Ce qui achève de démontrer cette nature purement obligatoire de l'expression du chagrin, de la colère et de la peur, c'est qu'elle n'est pas commune même à tous ces parents. Non seulement ce ne sont que des individus déterminés qui pleurent, et hurlent et chantent, mais ils appartiennent le plus souvent, en droit et en fait, à un seul sexe. A l'opposé des cultes religieux *stricto sensu*, réservés, en Australie, aux hommes, les cultes funéraires y sont dévolus presque entièrement aux femmes [11]. Les auteurs sont unanimes sur ce point et le fait est

---

10. Beaux-frères hurlant quand ils reçoivent les biens du défunt (Warramunga), Spencer et Gillen, *Northern Tribes*, p. 522. Cf. Spencer, *Tribes of Northern Territory*, p. 147, pour un cas remarquable de prestations rituelles et économiques intertribales à l'occasion des morts, chez les Kakadu du Nord australien. Le chagrin manifesté est devenu une pure affaire économique et juridique.

11. Il est ici inutile d'expliquer pourquoi les femmes sont ainsi les agents essentiels du rituel funéraire. Ces questions sont d'ordre exclusivement sociologique, probablement cette division du travail religieux est-elle due à plusieurs facteurs. Cependant pour la clarté de notre exposé, et pour faire comprendre l'importance inouïe de ces sentiments d'origine sociale, indiquons-en quelques-uns : 1. la femme est un être *minoris resistentiae*, et que l'on charge et qui se charge de rites pénibles, comme l'étranger (cf. Durkheim, *Formes élémentaires*, p. 572) ; elle est d'ailleurs normalement elle-même une étrangère, elle est chargée de brimades qu'autrefois le groupe infligeait à tous ses membres (voir rites collectifs de l'agonie, Warramunga R. Hertz, « Représentation coll.... », p. 184 : cf. Strehlow, *Aranda Stämme*, etc., IV, II, p. 18, p. 25, où ce ne sont déjà plus que les femmes qui se mettent en tas sur le mort) ;

attesté pour toute l'Australie. Inutile de citer des références sans nombre d'un fait parfaitement décrit et attesté. Mais même parmi les femmes, ce ne sont pas toutes celles qui entretiennent des relations de fait, filles, soeurs en descendance masculine, etc., ce sont des femmes déterminées par certaines relations de droit qui jouent ce rôle au plein sens du mot [12]. Nous savons que ce sont d'ordinaire *les* mères [13] (ne pas oublier que nous sommes ici dans un pays de parenté par groupe), les soeurs [14], et surtout la veuve du défunt [15]. La plupart du temps ces pleurs, cris et chants accompagnent les macérations souvent fort cruelles que ces femmes ou l'une d'elles, ou quelques-unes d'entre elles s'infligent, et dont nous savons qu'elles sont infligées précisément pour entretenir la douleur et les cris.

Mais ce sont non seulement les femmes et certaines femmes qui crient et chantent ainsi, c'est une certaine quantité de cris dont elles ont à s'acquitter. Taplin nous dit qu'il y avait une « quantité conventionnelle de pleurs et cris », chez les Narrinyerri.

Remarquons que cette conventionnalité et cette régularité n'excluent nullement la sincérité. Pas plus que dans nos propres usages funéraires. Tout ceci est à la fois social, obligatoire, et cependant violent et naturel ; recherche et expression de la douleur vont ensemble. Nous allons voir tout à l'heure pourquoi.

Auparavant une autre preuve de la nature sociale de ces cris et de ces sentiments peut être extraite de l'étude de leur nature et de leur contenu.

En premier lieu, si inarticulés que soient cris et hurlements, ils sont toujours, à quelque degré musicaux, rythmés le plus souvent, chantés à l'unisson par les femmes. Stéréotypie, rythme, unisson, toutes choses à la fois physiologiques et sociologiques. Cela peut rester fort primitif, un hurlement mélodique, rythmé et modulé. C'est donc, au moins dans le centre, l'est et l'ouest australien, une

---

2. la femme est un être plus spécialement en relations avec les puissances malignes ; ses menstrues, sa magie, ses fautes, la rendent dangereuse. Elle est tenue à quelque degré pour responsable de la mort de son mari. On trouvera le texte d'un curieux récit de femme australienne dans Roth, « Structure of the Kokoyimidir Language (Cap Bedford) », *Bulletin* 3, p. 24 cf. *Bulletin* 9, p. 341, traduction infidèle p. 374. Cf. Spencer et Gillen, *Native Tribes,* p. 504. 3. dans la plupart des tribus, il est précisément interdit à l'homme, au guerrier de crier sous aucun prétexte, en particulier de douleur, et surtout en cas de tortures rituelles.

12. Les listes de ces femmes ne sont données complètes que par les plus récents et les meilleurs des ethnographes : voir Spencer et Gillen, *Native Tribes,* p. 506, 507 ; *Northern Tribes,* p. 520 ; *Tribes of Northern Territory,* p. 255. (Mères, femmes d'une classe matrimoniale déterminée.) Strehlow, *Aranda Stämme,* IV, II, cf. p. 25 (Loritja).

13. Ceci ressort des textes de la note précédente.

14. Ex. Grey, *Journals of Discovery,* II, p. 316, les vieilles femmes chantent « notre frère cadet », etc. (W. Austr.).

15. La veuve chante et pleure pendant des mois chez les Tharumba ; de même chez les Euahlayi ; chez les Bunuroug de la Yurra, la fameuse tribu de Melbourne, un « dirge » était chanté par la femme pendant les dix jours de deuil.

longue éjaculation esthétique et consacrée, sociale par conséquent par ces deux caractères au moins. Cela peut aussi aller assez loin et évoluer : ces cris rythmiques peuvent devenir des refrains, des interjections du genre eschylien, coupant et rythmant des chants plus développés. D'autres fois ils forment des choeurs alternés, quelquefois les hommes avec des femmes. Mais même quand ils ne sont pas chantés, par le fait qu'ils sont poussés ensemble, ces cris ont une signification tout autre que celle d'une pure interjection sans portée. Ils ont leur efficacité. Ainsi nous savons maintenant que le cri de *bàubàu*, poussé sur deux notes graves, que poussent à l'unisson les pleureuses des Arunta et du Loritja, a une valeur d'*αποτροπαισυ*, de conjuration traduirait-on inexactement, d'expulsion du malifice plus précisément.

Restent les chants ; ils sont de même nature. Inutile de remarquer qu'ils sont rythmés, chantés — ils ne seraient pas ce qu'ils sont s'ils ne l'étaient —, et par conséquent fortement moulés dans une forme collective. Mais leur contenu l'est également. Les Australiens, ou plutôt les Australiennes ont leurs « voceratrices », pleureuses et imprécantes, chantant le deuil, la mort, injuriant et maudissant et enchantant l'ennemi cause de la mort, toujours magique. Nous avons de nombreux textes de leurs chants. Les uns sont fort primitifs, à peine dépassent-ils l'exclamation, l'affirmation, l'interrogation : « Où est mon neveu le seul que j'ai. » Voilà un type assez répandu. « Pourquoi m'as-tu abandonné là ? » — puis la femme ajoute : « Mon époux [ou mon fils] est mort ! » On voit ici les deux thèmes : une sorte d'interrogation, et une affirmation simple. Cette littérature n'a guère dépassé ces deux limites, l'appel au mort ou du mort, d'une part, le récit concernant le mort d'autre part. Même les plus beaux et les plus longs voceros dont nous ayons le texte se laissent réduire à cette conversation et à cette sorte d'enfantine épopée. Rien d'élégiaque et de lyrique ; une touche de sentiment à peine, une fois, dans une description du pays des morts. Cependant ce sont en général de simples injures, ordurières, des imprécations vulgaires contre les magiciens, ou des façons de décliner la responsabilité du groupe. En somme le sentiment n'est pas exclu, mais la description des faits et les thèmes rituels juridiques l'emportent, même dans les chants les plus développés.

Deux mots pour conclure, d'un point de vue psychologique, ou si l'on veut, d'interpsychologie.

Nous venons de le démontrer : une catégorie considérable d'expressions orales de sentiments et d'émotions n'a rien que de collectif, dans un nombre très grand de populations, répandues sur tout un continent. Disons tout de suite que ce caractère collectif ne nuit en rien à l'intensité des sentiments, bien au contraire. Rappelons les tas sur le mort que forment les Warramunga, les Kaitish, les Arunta.

Mais toutes ces expressions collectives, simultanées, à valeur morale et à force obligatoire des sentiments de l'individu et du groupe, ce sont plus que de simples manifestations, ce sont des signes, des expressions comprises, bref, un langage. Ces cris, ce sont comme des phrases et des mots. Il faut dire, mais s'il faut les dire c'est parce que tout le groupe les comprend.

On fait donc plus que de manifester ses sentiments, on les manifeste aux autres, puisqu'il faut les leur manifester. On se les manifeste à soi en les exprimant aux autres et pour le compte des autres.

C'est essentiellement une symbolique.

Ici nous rejoignons les très belles et très curieuses théories que M. Head, M. Mourgue, et les psychologues les plus avertis nous proposent des fonctions naturellement symboliques de l'esprit.

Et nous avons un terrain, des faits, sur lesquels psychologues, physiologues, et sociologues peuvent et doivent se rencontrer.

Marcel Mauss, Texte intitulé : *L'expression obligatoire des sentiments,* tiré des Oeuvres de Marcel Mauss et reproduit dans *Essais de sociologie,* Paris, Seuil, Coll. Points, no 19, p. 81-88.

Acteurs et Spectateurs *

Si l'imitation a son importance pour la mode, il existe une autre relation fondamentale de la société qui en a davantage encore, bien qu'on n'en ait pris conscience que récemment. Quand nous disons que l'on ne saurait séparer la distinction et l'acceptation des signes de la distinction, nous pouvons définir ce rapport par une image bien plus concrète : celui qui existe entre des acteurs et leurs spectateurs ; nous avions d'ailleurs déjà noté à quel point la vue intervient dans le phénomène « mode ». Ainsi, pour être distingué, il faut se faire remarquer par des actes considérés comme dignes d'admiration ; parfois, celui qui désire être distingué tente même de suggérer systématiquement cette admiration au public. Or, lorsque l'on s'efforce de se faire admirer, on ne peut éviter d'inspirer à ceux qui vous admirent le désir d'être, eux aussi, distingués pour les mêmes raisons. Dès que, spectateur, l'on a applaudi, on souhaite devenir acteur et être applaudi à son tour. A ce propos, le sociologue allemand Alfred Vierkandt a parlé d'une « inversion des rôles entre les acteurs et les spectateurs ». Cet état de fait, ce changement toujours possible de perspective est si manifestement lié à ce que nous appelons la rivalité, qu'il n'est pas nécessaire que nous nous étendions sur ce point.

En vertu de cette inversion des rôles, on constate donc couramment que ceux qui, pour commencer, rendaient hommage à l'individu qui s'était distingué, cherchent ensuite à se distinguer de la même manière et, dans cette intention, s'emparent des mêmes signes visibles que lui. Cela nous prouve une fois de plus que l'imitation (si l'on veut parler d'imitation dans les cas de ce genre)

König, René, *Sociologie de la mode*, Paris, Petite Bibliothèque Payot, #135, 1969, pp. 93-100.

ne fonctionne qu'en milieu fermé, où l'alternance des rôles est possible. Nous retrouvons ici la notion de réciprocité, qui nous avait déjà frappés à propos du cadeau et de la rivalité. Dans le cas qui nous intéresse, l'alternance constante des acteurs et des spectateurs aboutit à ceci que, peu à peu, un quelconque signe de distinction se répand dans tout le groupe intéressé. Puisque ces phénomènes entrent dans le cadre d'une rivalité intégrale, il n'y a aucune raison pour que ce mouvement prenne fin.

Les spectateurs de cette forme de rivalité que l'on appelle mode ont un double rôle à jouer ; tout d'abord, ils excitent l'ardeur des acteurs proprement dits, ce qui pousse la rivalité à son degré extrême ; mais ils remplissent également une fonction plus spécifique : ils veillent, pour ainsi dire, sur l'observation des règles du jeu, afin que le niveau soit respecté. On peut donc dire qu'il existe un rapport extrêmement étroit entre les spectateurs, d'une part, et l'usage, la convention, l'étiquette, bref le canon des convenances, d'autre part. Les spectateurs incarnent pour ainsi dire l'opinion publique, mais en portant un jugement sur les autres (acteurs), ils se lient eux-mêmes ; à chaque instant, en effet, le rapport entre acteurs et spectateurs peut être retourné.

Ici apparaît une réalité capitale, dont nous n'avons pas encore parlé. Au cours de ce perpétuel échange de rôles entre acteurs et spectateurs, on aboutit rapidement à ceci que chacun a bénéficié d'une distinction donnée, ce qui signifie pratiquement que personne ne se distingue plus. Du fait de cette situation, impliquée par la nature même des choses, on peut dire que *la mode s'annule elle-même en permanence*. Pour commencer, elle est un moyen de se distinguer ; par suite de l'acceptation de ses valeurs, acceptation sans laquelle elle ne saurait subsister, par suite également de la rivalité qu'engendre cette acceptation, du fait de l'alternance des rôles et de l'ambition des acteurs, elle cesse ensuite de constituer un signe particulier, elle tombe, pourrait-on dire, dans le domaine public.

Dans la moyenne des cas, les choses se passent alors ainsi : à la fin du processus dont nous venons de parler, la mode disparaît aussi brusquement qu'elle était apparue. D'où le reproche de superficialité qu'on a pu lui adresser, en partie à tort, d'ailleurs. Derrière cette façade, en effet, se cache comme un désir de suicide qui ronge la mode et qui se réalise au moment où elle a enfin atteint son apogée, où elle a conquis le grand public. D'où le voile de mélancolie dont se pare toute mode. Elle est là pour embellir la vie quotidienne et exalter la beauté ; mais son destin consiste à s'effacer, en vertu de ses propres lois, sous sa propre responsabilité, après une maturation hâtive. Cette loi de la vie des modes entraîne, bien entendu, des conséquences économiques capitales ; en effet, le cimetière de toutes les modes passées n'est autre chose que la masse des « invendus ». Le commerce doit donc veiller à ce que ces encombrants articles « partent » le plus vite possible, avant d'être carrément invendables. C'est là l'une des fonctions des « soldes » (il y en a d'autres). Il peut également arriver que l'on doive arrêter la production de certains articles particulièrement sujets aux fluctuations de la mode, au moment où ces articles ont atteint le marché concret, et par conséquent leur public.

Lorsque la mode s'est accomplie, autrement dit est devenue totalement elle-même et par là est parvenue à ses fins, la curiosité recommence aussitôt à faire son oeuvre, tendant à faire surgir une mode nouvelle. Le cycle reprend donc, selon des variantes innombrables, et il n'y a aucune raison pour qu'il cesse. La nouveauté n'implique pas forcément un changement radical de style ; souvent, elle se cantonne dans les accessoires et les bagatelles. Mais cette évolution des détails se poursuit inlassablement, même si, comme nous l'apprend l'histoire de la mode, les grandes coupures sont relativement rares. Il est vrai que seule l'analyse historique permet de s'en apercevoir après coup ; le plus souvent, les contemporains sont incapables de faire le départ entre la modification des détails et le changement de style. Cette incapacité est surtout le fait des snobs de tout poil, qui ont tendance à attribuer à la moindre révision le poids d'un changement de style.

Le snob est celui qui, se sentant ou se croyant regardé, pense devoir suivre toute mode, fût-ce la plus extravagante, et même y obéir de façon appuyée. Sa caractéristique la plus marquante est le sérieux avec lequel il présente la moindre variante comme une affaire d'état, et le manque de sens critique avec lequel il veut par principe être en avance sur son temps, sans se demander si le caprice de la mode auquel il se plie va s'imposer tant soit peu. En ce sens, on peut dire que le snob pousse la fonction sociale de la mode si loin qu'elle finit par se trouver en contradiction avec elle-même ! D'où la question légitime de savoir si le snobisme ne serait pas une forme subtile d'asocialité, consistant à souhaiter sans cesse l'approbation des autres, tout en rendant cette approbation impossible a priori par la façon même dont est accompli l'acte fondamental du choix (si l'on peut encore parler de choix dans ces conditions). Dans la société, le snob est l'élément malheureux par excellence : ayant érigé la mode en religion, il fait tout pour s'adapter à elle, et pourtant il tombe toujours et inévitablement « à côté », parce qu'il court en avant de l'évolution naturelle des choses. De plus, le snob trouve le moyen de chercher à entrer en contact précisément avec ceux qui ne veulent pas entendre parler de lui. Dans son incertitude, il ne lui reste plus qu'une issue : l'exagération. Le snob est ainsi littéralement contraint d'être plus à la mode que la mode elle-même, ce qui le rapproche des êtres marginaux dont nous parlions au début de ce livre. C'est pourquoi le snob n'apparaît que dans certains types bien précis de sociétés, ceux qui sont déjà passés par un processus d'individualisation poussée, puis font preuve d'une très grande mobilité en matière de mode, mobilité devenue, pour ainsi dire, le canon conventionnel de la vie quotidienne. Dans les sociétés de ce genre, le snob fait du reste figure, plus encore que partout ailleurs, de cas-limite de soumission à la mode.

Le hobby est à distinguer du snobisme, bien qu'il soit lui aussi un phénomène généralement très sensible à la mode. On sait qu'il sert surtout à affirmer la personnalité de l'individu, lorsque la vie quotidienne menace de se figer exagérément dans les conventions. Le hobby joue alors le rôle de soupape de sûreté : celui qui étouffe dans le canon intolérant des convenances acquiert ainsi, du moins dans sa retraite personnelle, l'illusion de la liberté ; ce n'est pas un hasard si le hobby a fleuri en Angleterre sous la reine Victoria. C'est pourquoi aussi le hobby peut être utilisé pour échapper aux soucis de l'existence (ce que l'on appelle l'« évasion » ou, d'un mot anglais, l'*escapism*) ; sa fonction principale est alors d'assurer la dimension personnelle de la vie, ne serait-ce que sur le plan du jeu (entendons par là : situé en dehors des nécessités économiques). Tout comme le snobisme, le hobby constitue donc un cas-limite du comportement social et de la mode.

Comme nous venons de le dire, le snob se caractérise par le fait qu'il s'adonne à l'imitation irraisonnée des nouveautés n'ayant pas encore subi l'épreuve de l'expérimentation, donc ne possédant pas encore de « cote sociale ». Pourtant, bien qu'il soit ainsi une sorte d'*outsider*, il parvient souvent à être imité à son tour par d'autres personnages instables ; nous avons alors affaire à une forme inférieure (nous disions plus haut « vicariale ») de snobisme, exactement comme, dans les classes tout à fait supérieures, le vassal imite son suzerain. Telle est, généralement, l'origine de ce que l'on appelle les « cliques ». Une clique est une variété de groupe social qui s'isole du reste de la société, autour d'un personnage central, et qui s'invente ce que l'on pourrait appeler un rite particulier ; pratiquement, ce rite ne saurait être adopté par d'autres milieux. C'est pourquoi les cliques sont toujours en marge, avec ceci de particulier que, comme dans le cas des snobs, le comportement qui les définit se constitue d'une façon entièrement asociale. Les cliques littéraires, entre autres (elles sont responsables de nombreux courants de mode), apportent souvent à cette conduite une certaine solennité emphatique ; cela ne doit pas nous faire oublier que nous ne sommes pas en face d'une valeur appartenant à l'ensemble de la société. En effet, la valeur prônée ne doit l'existence qu'au caprice d'un snob et, nous l'avons dit, elle ne peut être partagée. En d'autres termes, elle constitue un signe d'exception, auquel le reste de la société a refusé sa caution. D'où l'aspect nettement ésotérique de la plupart des cliques.

Telles seraient donc, en un certain sens, les formes-limites pures de l'imitation, dans lesquelles celle-ci perd à la fois son sens social (distinction) et sa fonction de socialisation. Les membres des cliques sont, au fond, aussi asociaux que le chef qu'ils ont choisi, en dépit de l'aspect grégaire de ces groupes (cet aspect repose, il est vrai, sur un fondement négatif, le refus des choses ordinaires : « *Odi profanum vulgus et arceo . . .* »). Ils sont donc à ranger parmi les « outsiders » de tout genre. L'une des preuves que l'on peut en apporter est que les cliques sont éphémères par définition : non seulement elles perdent rapidement le souffle, mais elles ne tardent généralement pas à succomber à leurs dissentions internes.

Ainsi, la clique est en réalité une forme bénigne d'asocialité, qui s'est donné pour un instant un faux-semblant de sociabilité. Cela n'empêche pas qu'en son sein, chacun reste à distance des autres ; en effet, jamais une étiquette exagérée, voire exaltée, n'a triomphé de la solitude. C'est pourquoi les groupuscules où l'on professe des idées extravagantes sont remplis d'individus manifestement « ratés » et ridicules ; ils en sont d'ailleurs parfois secrètement conscients, mais cela ne fait que les repousser plus en marge encore, car ils sont incapables de s'insérer normalement dans la société ordinaire.

Ces remarques étaient nécessaires pour montrer sur quelles voies sans issue on peut être poussé par l'imitation brute. Dans l'ensemble, cependant, l'imitation ne peut jouer son rôle que dans un milieu social déjà existant ; elle découle donc d'un ordre social préexistant. En elle-même, elle ne crée rien. Mais, en présence de cet ordre social, elle a pour effet principal de l'actualiser et de l'enrichir en permanence, de fonder des traditions, et finalement, des modes. Si l'on imite, en effet, c'est parce que l'ordre social a un caractère de règle ; en revanche, ces impératifs sociaux ne s'organisent pas à l'intérieur de l'imitation.

De l'ordre que les Hurons tiennent en leurs Conseils

Ie parleray icy principalement des Conseils ou Assemblées generales, les particuliers estant quasi ordonnez de mesme façon, quoy qu'auec moins d'appareil.

Ces Assemblées generales sont comme les Estats de tout le Païs, et partant il s'en fait autant et non plus que la necessité le requiert. Le lieu d'iceux est d'ordinaire le Village du principal Capitaine de tout le Païs; la Chambre de Conseil est quelque fois la Cabane du Capitaine, parée de nattes, ou ionchées de branches de Sapin, auec diuers feux, suiuant la saison de l'année. Autrefois chacun y apportoit sa busche pour mettre au feu; maintenant cela ne se pratique plus, les femmes de la Cabane supportent cette dépense; elles font les feux, et ne s'y chauffent pas, sortant dehors pour ceder la place à Messieurs les Conseillers. Quelquefois l'assemblée se fait au milieu du Village, si c'est en Esté, et quelquefois aussi en l'obscurité des forests à l'écart, quand les affaires demandent le secret; le temps est plustost de nuict que de jour; ils y passent souuent les nuicts entieres.

Le Chef du Conseil est le Capitaine qui l'assemble. Les affaires s'y decident à la pluralité des voix, où l'authorité des Chefs en attire plusieurs à leur opinion; de fait la commune façon d'opiner est de dire aux Anciens: *Aduisez-y vous autres, vous estes les Maistres.*

Les gages ordinaires de ces Messieurs sont assignez sur la force de leurs bras, sur leur diligence et bon ménage: s'ils essartent mieux que les autres, s'ils

---

Jean de Brébeuf, *Relations des Jésuites,* 1636, Ed. Côté, p. 126-128 (extraits).

chassent mieux, s'ils peschent mieux, bref s'ils sont heureux à la traitte, ils sont aussi plus riches qu'eux; sinon ils sont les plus nécessiteux, ainsi comme l'expérience le fait voir en quelques-vns.

Leurs parties casuelles sont premierement les meilleurs morceaux des festins, où on ne manque point de les inuiter. 2. Quand quelqu'yn fait quelque present ils y ont la meilleure part. 3. Quand quelqu'yn soit Citoyen, soit Estranger, veut obtenir quelque chose du Païs, la coustume est de graisser les mains des principaux Capitaines, au branle desquels tout le reste se remuë. Ie suis tres asseuré de ce que ie viens de dire : le regret que quelques particuliers ont de semblables desordres, et l'enuie mesme des autres Capitaines qui ne sont pas appellez au butin, en découurent plus qu'on ne desireroit; ils se décrient les vns les autres, et le seul soupçon de ces presents secrets émeut quelquefois de grands debats et diuisions, non pas tant pour le désir du bien public, que pour le regret de n'estre pas de la partie; et cette ialousie empesche par fois de bonnes affaires. Mais venons à l'ordre qu'ils tiennent en leurs Conseils.

Premierement le Chef ayant déja consulté en particulier auec les autres Capitaines et Anciens de son Village, et iugé que l'affaire merite vne assemblée publique, il enuoye conuier au Conseil par chaque Village autant de personnes qu'il desire; les Messagers sont ieunes hommes volontaires, ou aucunefois vn Ancien, afin que la semonce soit plus efficace, d'autant qu'on n'adiouste pas tousiours foy aux ieunes gens. Ces Messagers addressent leur commission au principal Capitaine du Village, ou bien en son absence à celuy qui le suit de plus prés en authorité, designant le iour auquel on se doit assembler. Ces semonces sont des prières, non pas des commandemens, et partant quelques-vns s'excusent tout à fait, d'autres dilayent à partir; d'où vient que ces assemblées sont quelquefois longues, car ils ne se mettent pas volontiers en chemin auec le mauuais temps, et certainement ils ont encor assez de peine de venir à beau pied par fois de dix et douze lieuës, et ce Hyuer et sur les neiges.

2. Tous estans arriuez, ils prennent seance chacun en son quartier de la Cabane, ceux d'vn mesme Village ou mesme Nation proche l'vn de l'autre, afin de consulter par ensemble; si d'auenture quelqu'vn manque, on met en question, si nonobstant son absence cette assemblée seroit legitime, et quelquefois faute d'vne ou de deux personnes toute l'assemblée se dissout et se remet à vne autre fois. Que si tous sont assemblez, ou que nonobstant ils jugent deuoir passer outre, alors on donne ouuerture au Conseil. Ce ne sont pas tousiours les Chefs du Conseil qui la font; la difficulté de parler, leur indisposition, ou mesme leur grauité les en dispense.

Apres les salutations, les remerciemens de la peine qu'ils ont prise à venir, les actions de graces renduës ie ne sçay à qui, de ce que tout le monde est arriué sans fortune, que personne n'a esté surpris des ennemis, n'est point tombé en quelque ruisseau ou Riuiere, ou ne s'est point blessé, bref de ce que tous sont arriuez heureusement, on exhorte tout le monde à deliberer meurement; en apres on propose l'affaire dont il est question, et dit on à Messieurs les Conseillers qu'ils y aduisent.

C'est alors que les Deputez de chaque Village, ou ceux d'vne mesme Nation consultent tout bas ce qu'ils doiuent répondre. Lors qu'ils ont bien consulté par ensemble, ils opinent par ordre, et s'arrestent à la pluralité des opinions, où plusieurs choses sont dignes de remarque. La premiere est en la maniere de parler, laquelle à cause de sa diuersité a vn nom different, et s'appelle *ac8entonch*; elle est commune à tous les Sauuages: ils haussent et flechissent la voix comme d'vn ton de Predicateur à l'antique, mais lentement, posément, distinctement, mesme, repetant vne mesme raison plusieurs fois. La seconde chose remarquable est, que les opinans reprennent sommairement la proposition, et toutes les raisons qu'on a alleguées auant que de dire leur aduis.

I'ay autrefois ouy dire à quelque Truchement, que ces Nations icy auoient vn langage particulier en leurs Conseils, mais i'ay experimenté le contraire. Ie sçay bien qu'ils ont quelques termes particuliers, ainsi qu'on a en toutes sortes d'arts et de sciences, comme au Palais, aux Escoles, et ailleurs; il est vray que leurs discours sont d'abord difficiles à entendre, à cause d'vne infinité de Metaphores, de plusieurs circonlocutions et autres façons figurées: par exemple, parlant de la Nation des Ours, ils diront, l'Ours a dit, a fait cela; l'Ours est fin, est meschant; les mains de l'Ours sont dangereuses. Quand ils parlent de celuy qui fait le festin des Morts, ils disent, celuy qui mange les âmes; quand ils parlent d'vne Nation, ils n'en nomment souuent que le principal Capitaine, comme parlant des Montagnets, ils diront, *Atsirond* dit: c'est le nom d'vn des Capitaines. Bref, c'est en ces lieux où ils releuent leur style, et taschent de bien dire. Quasi tous ces esprits sont naturellement d'vne assez bonne trempe, ratiocinent fort bien, et ne bronchent point en leurs discours; aussi font-ils estat de se mocquer de ceux qui bronchent; quelques vns semblent estre nés à l'eloquence.

3. Apres que quelqu'vn a opiné, le Chef du Conseil repete, ou fait repeter ce qu'il a dit: de sorte que les choses ne peuuent qu'elles ne soient bien entendües, estans tant de fois rebattuës; ce qui m'arriua fort heureusement au Conseil dont ie vous ay parlé, où ie leur fis vn present pour les encourager à prendre le chemin et la route du Ciel, car vn des Capitaines repeta fort heureusement tout ce que i'auois dit, et le dilata et amplifia mieux que ie n'auois fait, et en meilleurs termes: car en effet dans le peu de cognoissance que nous auons de cette Langue, nous ne disons pas ce que nous voulons, mais ce que nous pouuons.

4. Chacun conclud son aduis en ces termes: *Condayauendi - Ierhayde cha nonh8ic8ahachen*; c'est à dire, Voila ma pensée touchant le suiet de nostre Conseil: puis toute l'assemblée répond par vne forte respiration tirée du creux de l'estomach, *Haau!* I'ay remarqué que quand quelqu'vn a parlé au gré, ce *Haau* se tire auec beaucoup plus d'effort.

La cinquiéme chose remarquable est leur grande prudence et moderation de paroles : ie n'oserois pas dire qu'ils vsent tousiours de cette retenuë, car ie sçay que quelquefois ils se picquent ; mais cependant vous remarquez tousiours vne singuliere douceur et discretion. Ie n'ay gueres assisté en leurs Conseils, mais toutes les fois qu'ils m'y ont inuité, i'en suis sorty auec estonnement sur ce poinct.

Vn iour ie vis vn debat pour la preseance entre deux Capitaines de guerre : vn Vieillard qui espousoit le party de l'vn, dit qu'il estoit sur le bord de sa fosse, et que parauenture le lendemain son corps seroit placé dans le Cimetiere ; mais cependant qu'il diroit ingenuëment ce qu'il croyoit estre de iustice, non pour aucun interest qu'il y eust, mais pour l'amour de la verité : ce qu'il fit auec ardeur, quoy qu'assaisonnée de discretion. Et lors vn autre Ancien reprenant la parole le reprit, et luy dit fort à propos : Ne parle point maintenant de ces choses, ce n'en est pas la saison ; voila l'ennemy qui nous va assieger, il est question de nous armer, et de fortifier vnanimement nos pallissades, et non pas de disputer des rangs. Sur tout ie fus estonné de la sage conduite d'vn autre Conseil, où i'assistay, qui sembloit estre confit en humeur condescendante et belles paroles, nonobstant l'importance des affaires dont il s'agissoit.

Ce Conseil estoit l'vn des plus importans que les Hurons ayent, sçavoir de leur feste des Morts ; ils n'ont rien de plus sacré : la chose estoit fort chatouïlleuse, car il s'agissoit de faire que tout le Païs mît ses morts en vne mesme fosse, suiuant leur coustume ; et cependant il y auoit quelques Villages mutinez qui vouloient faire bande à part non sans vn regret de tout le Païs. Cependant la chose se passa auec toute la douceur et paix imaginable : à tous coups les Maistres de la Feste qui avoient assemblé le Conseil exhortoient à la douceur, disant que c'estoit vn Conseil de paix. Ils nomment ces Conseils, *Endionraondaoné,* comme si on disait Conseil égal et facile comme les plaines et rases campagnes. Quoy que dissent les opinans, les Chefs du Conseil ne faisoient que dire, Voila qui va bien. Les mutins excusoient leur diuision, disant qu'il n'en pouuoit arriuer du mal au Païs ; que par le passé il y auoit eu de semblables diuisions, qui ne l'avoient pas ruiné. Les autres adoucissoient les affaires, disans que si quelqu'vn des leurs s'égaroit du vray chemin, il ne falloit pas incontinent l'abandonner ; que les freres auoient par fois des riotes par ensemble. Bref, c'estoit chose digne d'estonnement de voir dans des coeurs aigris vne telle moderation de paroles. Voila pour leurs Conseils.

Besoins et normes de consommation

1 — L'UTILISATION DE MESURES COMPLÉMENTAIRES

A — Justification méthodologique

La structure du budget présente au chercheur une image des besoins, de leur intensité et de leur hiérarchie chez les différentes unités familiales étudiées. Cette image peut être plus ou moins complète, plus ou moins authentique : cela dépend, pour une bonne part, de la sensibilité de la mesure, c'est-à-dire de son aptitude à saisir le besoin dans sa totalité. Le chercheur sait, par expérience, que l'utilisation simultanée de deux ou trois mesures indépendantes confère aux résultats obtenus, lorsqu'ils sont convergents, un très grand degré de sûreté. En outre, l'utilisation de mesures additionnelles fait souvent apparaître de nouveaux aspects de la réalité ou des aspects auparavant déformés. C'est ainsi que nous obtenons des visions complémentaires de la réalité : en les juxtaposant, nous pouvons constituer une image plus fidèle de cette réalité. Voilà quelques-unes des considérations méthodologiques qui nous ont amenés à utiliser conjointement deux autres mesures du besoin, toutes deux normatives : a) les normes de consommation ; b) les privations senties. Nous analyserons ici les premières tandis que nous réservons l'examen des secondes à la section suivante.

B — Justification théorique

Nous avons vu que le caractère fondamental du besoin est sa nécessité. Cette nécessité est ressentie par l'individu et elle s'exprime à travers des normes et des attitudes que nous pouvons chercher à cerner en considérant, d'une part, les bien jugés essentiels et nécessaires par l'individu, (évaluation personnelle) et, d'autre part, l'impossibilité de satisfaire ces besoins subjectivement définis dans une situation sociale concrète (les privations senties). Même si la littérature scientifique utilise le concept de *besoin objectif* pour désigner les minimums nécessaires à la survie ou les minimums socialement requis pour maintenir l'ordre social dans un certain degré de cohérence et d'intégration, les minimums auxquels on se réfère sont toujours subjectivement définis par la population concernée.

Du point de vue de la sociologie et de l'anthropologie culturelle, les évaluations effectuées et exprimées par les familles des consommateurs sont objectives pour autant qu'elles reflètent leur véritable perception de ce qui est nécessaire. Ces évaluations personnelles pourront d'ailleurs nous révéler les idéaux de consommation, c'est-à-dire les biens à posséder et les services à recevoir pour satisfaire les exigences d'une vie normale. Ces normes risquent de ne pas être identiques pour tous les groupes socio-économiques que nous pouvons distinguer et pour tous les milieux géographiques que nous avons choisi d'étudier. De plus, ces normes ne sont pas nécessairement stables : de nouvelles expériences personnelles, de nouvelles conditions de vie, de nouvelles aspirations peuvent en modifier la nature et l'extension. C'est pourquoi une analyse même sommaire de ces normes doit inclure l'étude de leurs variations (par une approche comparative) et l'étude de leurs transformations (par une approche génétique).

C — *Étude comparée des normes et des comportements*

Empressons-nous de signaler de nouveau que les normes doivent être mises en relation avec les comportements concrets des individus et ne pas être étudiées en faisant abstraction du contexte social global où se situent les populations considérées. Dans toute la mesure du possible, nous chercherons à dégager les concordances et les divergences entre normes et comportements. L'amplitude de l'écart entre les normes exprimées et les comportements réels permet d'ailleurs d'évaluer les degrés de privation. Lorsqu'il y a correspondance parfaite entre normes et comportements, l'écart est nul et les besoins sentis sont entièrement satisfaits.

Deux séries de questions sont utilisées pour identifier et mesurer les normes de consommation :

a) Une série de questions qui ont pour objet *l'expression directe des normes*. En voici un exemple : « A votre avis, quels sont les appareils électriques que toutes les familles devraient posséder (par ordre d'importance) ? » Il faut retenir ici l'expression « devraient posséder », parce qu'elle vise à traduire le caractère indispensable des appareils ménagers pour toutes les familles.

b) Une série de questions qui obligent les informateurs à mentionner les biens sacrifiés (ceux dont on se prive) afin de se procurer d'autres biens jugés indispensables. C'est ce que nous appellerons la mesure des normes par le *choix préférentiel entre les biens à acquérir.*

Nous étudierons successivement les résultats obtenus à l'aide de chacune de ces mesures avant de définir les normes existantes.

2 — L'EXPRESSION DIRECTE DES NORMES DE CONSOMMATION

A — *Revenus jugés nécessaires et revenus réels*

En nous plaçant à un niveau très général, nous utiliserons comme indice de la norme de consommation une estimation du revenu nécessaire à une famille de grandeur donnée pour satisfaire ses besoins les plus essentiels : « Selon vous, quelle somme serait nécessaire par mois pour qu'une famille comme la vôtre puisse vivre sans se priver ? » Dans cette question, il faut remarquer trois expressions qui sont étroitement liées à nos préoccupations théoriques :

1 — « somme nécessaire » : norme de salaire ; 2 — « famille comme la vôtre » : pour tenir compte de la grandeur relative de la famille ; 3 — « vivre sans se priver » : satisfaction des besoins.

La question visait à faire exprimer par l'informateur la relation qu'il établissait entre son revenu réel et ses besoins. La question est toutefois posée sous une forme indirecte. On demandait à l'informateur de se situer par rapport à l'ensemble des familles semblables à la sienne. Plutôt que de transposer à l'ensemble des familles leur propre structure de besoins, les informateurs ont reconnu l'existence d'un système généralisé de besoins au niveau de la société canadienne-française et c'est plutôt en fonction de ce système généralisé qu'en fonction de leur propre système qu'ils ont établi le revenu mensuel nécessaire à une famille comme la leur. Comme ce système généralisé auquel on se réfère peut être soit le système traditionnel, soit le système nouveau, des variations très grandes se sont produites dans la façon de répondre ; nous allons essayer d'expliquer ces variations. Le revenu mensuel moyen jugé nécessaire par l'ensemble de la population salariée s'élève à $286.10. Le revenu mensuel moyen observé se chiffre à $316,50 [1]. Dans leur ensemble, les familles salariées ont donc des revenus mensuels qui dépassent en moyenne de $30.40 les revenus qu'elles ont définis comme nécessaires pour ne pas être privées. Approfondissons d'abord cette relation entre le revenu réel et le revenu jugé nécessaire pour vivre sans se priver, en examinant la répartition des familles selon certaines catégories de revenus (tableau I).

---

1. Pour obtenir cette seconde moyenne, nous avons divisé la somme des revenus totaux annuels de toute la population par 1,460 pour obtenir une moyenne annuelle de $3,799 ; celle-ci fut ensuite divisée par les douze mois de l'année pour donner finalement une moyenne mensuelle de $316.50. La somme totale des revenus annuels des 1,460 familles comprend les sommes provenant d'une désépargne ou d'emprunts non remboursés. En retranchant du total ces sommes non *gagnées* durant l'année courante, nous obtiendrons une comparaison plus juste entre le revenu désiré ($286) et le revenu réalisé ($316).

TABLEAU I

Répartition des familles, selon le revenu réel et le revenu jugé nécessaire

Catégories de revenus mensuels (en dollars)	% des familles qui estiment ce revenu nécessaire	% des familles qui obtiennent ce revenu
0 - 224	27.8	16.2
225 - 424	63.1	59.3
425 - et +	9.1	24.5
Total	100.0 (1,460)	100.0 (1,460)

On constate alors que : a) à un pôle, 16.2% des familles seulement disposent d'un revenu mensuel moyen de $225, alors que 27.8% des familles ont choisi ce revenu comme norme minimale ; b) à l'autre pôle, 24.5% des familles reçoivent un salaire mensuel de $425 et plus, tandis que 9.1% seulement estiment un tel revenu comme essentiel. En résumé, une faible proportion de ceux qui ont des revenus supérieurs ont aussi tendance à considérer de tels revenus comme nécessaires. Les familles à revenus moyens jugent comme minimum nécessaire, des revenus inférieurs aux leurs. Le tableau a donc une très grande cohérence interne. Poussons plus avant notre comparaison en établissant des catégories de revenus qui incluront les deux genres de revenus pour une même famille. Nous distinguerons ainsi trois types de famille :

Type RR = RE [2] familles dont le revenu réel se situe dans la même classe que le revenu estimé nécessaire ;

Type RR < RE familles dont le revenu réel est inférieur au revenu estimé nécessaire ;

Type RR > RE familles dont le revenu réel est plus grand que le revenu estimé nécessaire.

La majorité des familles, soit 55%, ont un revenu réel supérieur au revenu jugé nécessaire. Si leur estimation est basée sur une projection de leurs propres besoins, ce sont sans doute des familles qui sont très peu privées et qui jouissent

2 RR = revenu réel
RE = revenu estimé nécessaire

même de surplus. Si l'estimation est basée sur une norme généralisée, la norme utilisée est sans doute plus basse que celle qui préside au comportement de la famille, d'où une certaine dualité de normes.

TABLEAU II

Comparaison entre le revenu réel et le revenu estimé nécessaire pour chaque famille

Types	% des familles
RR = RE	18.6
RR < RE	24.6
RR > RE	54.6
Indéterminé	2.2
Total	100.0

Pour déterminer, de façon au moins préliminaire, laquelle de ces deux hypothèses correspond le mieux aux faits, nous avons analysé la répartition des trois types de familles selon le lieu de résidence, selon le revenu et selon l'occupation. Cette analyse met en évidence les relations suivantes :

1 — La strate des milieux défavorisés renferme un plus grand nombre de familles qui retirent des revenus inférieurs à leurs normes minimales tandis que la strate métropolitaine en contient un plus grand nombre. Dans les secteurs métropolitains, il semble y avoir un plus grand nombre de familles dont les revenus estimés sont inférieurs aux revenus réels.

2 - Les familles disposant de faibles revenus considèrent, en plus grand nombre, comme nécessaire un revenu égal ou supérieur au leur. Cette estimation est inversée chez ceux qui jouissent de revenus supérieurs.

3 — Un plus grand nombre d'ouvriers qualifiés réussissent à équilibrer besoins ressentis et besoins satisfaits ; moins de cols blancs considèrent comme essentiels des niveaux de vie supérieurs à celui que permet leur salaire, mais ils appartiennent à la catégorie d'occupations la mieux rémunérée et dont les revenus sont les plus stables ; chez tous les autres travailleurs, à l'exception des manoeuvres, un plus grand nombre jugent leurs salaires hebdomadaires inférieurs aux sommes correspondantes jugées comme des minimums.

Trois caractéristiques socio-culturelles sont associées au fait de posséder des revenus hebdomadaires supérieurs aux revenus minimaux indispensables : la résidence dans une zone métropolitaine, une situation financière avantageuse, une occupation de niveau supérieur. Les familles où l'on trouve ces trois caractéristiques sont dans une situation privilégiée si l'on considère les revenus. Ainsi, plus le revenu réel est élevé, plus on aura tendance à juger comme nécessaire un revenu inférieur à son revenu réel.

Il semble donc que les familles des deux types extrêmes (RR < RE et RR > RE) n'ont pas une même conception du minimum de biens nécessaires à la famille. Les familles du type RR > RE, tout en participant à l'univers des besoins défini par les nouvelles normes de consommation, considèrent la participation à cet univers comme un privilège réservé à ceux dont le revenu est assez élevé. Elles jugent que, pour l'ensemble de la population, la participation à l'univers des besoins défini par les normes traditionnelles est suffisante. Comme ces normes traditionnelles sont plus basses que les normes nouvelles, un revenu moindre est jugé nécessaire non pour eux, mais pour l'ensemble de la population, pour les autres. Au contraire, les familles du type RR < RE sont forcées par leur faible revenu de demeurer dans l'univers des besoins traditionnels. Elles adhèrent toutefois aux nouvelles normes, de sorte que le revenu minimal jugé nécessaire reflète non pas la façon dont elles vivent actuellement mais plutôt la façon dont elles croient avoir le droit de vivre.

Cette explication présuppose que nous acceptions l'hypothèse selon laquelle les informateurs, en répondant à notre question, se sont référés à une norme généralisée plutôt qu'à une projection de leurs propres besoins. Nous ne pourrons toutefois accepter complètement cette hypothèse que lorsque nous aurons examiné la relation entre le degré de privation et les trois autres types de famille. Nous reviendrons donc sur ce problème dans la quatrième section de ce chapitre.

B — Normes de consommation et choix préférentiel des biens

Trois questions de même force servent ici de sources de renseignements. Chacune d'elles réfère à des dépenses que le salaire réel permettrait d'effectuer, mais auxquelles des circonstances particulières ont obligé les informateurs à renoncer. Ces circonstances sont :

1 — Des imprévus : « Y a-t-il actuellement des dépenses que votre salaire vous permettrait de faire mais que vous ne faites pas parce que vous avez eu des dépenses imprévues récemment ? Si oui, quels ont été ces imprévus ? Quelles sont ces dépenses que vous ne faites pas ? »

2 — Des paiements réguliers qu'il faut faire pour rembourser des achats à tempérament ou de vieilles dettes : « Y a-t-il actuellement des dépenses que votre salaire vous permettrait de faire mais que vous ne faites pas parce que

vous avez déjà des paiements réguliers à rencontrer? Si oui, quels sont ces paiements? Quelles sont ces dépenses que vous ne faites pas?»

3 — Des projets que la famille veut réaliser et qui l'obligent à épargner régulièrement: «Y a-t-il actuellement des dépenses que votre salaire vous permettrait de faire mais que vous ne faites pas parce que vous désirez épargner régulièrement? Si oui, dans quel but faites-vous cette épargne? Quelles sont ces dépenses que vous ne faites pas?»

a) *Les imprévus obligent à retarder la satisfaction de certains besoins.* La nature de l'imprévu ne nous renseigne pas, bien entendu, sur la nature du besoin: il faut pour cela connaître la nature de la dépense projetée, mais différée à la suite des nouvelles obligations financières imposées par l'imprévu. Le tiers des familles ont renoncé à certaines dépenses à la suite de ces imprévus et ces familles se recrutent dans tous les milieux géographiques. La maladie est l'imprévu le plus redoutable, puisque 59% des familles le subissent. C'est dans la strate la plus pauvre que la maladie affecte le plus le budget familial. Pour ce qui est des autres imprévus, ils n'ont pas le même caractère impératif et affectent très peu de familles: 8.5% invoquent le mariage d'un enfant; 7.3% mentionnent des réparations; tandis que 5.5% affirment que la naissance d'un enfant a entraîné la modification de certains projets. On mentionne aussi le chômage, l'aide aux enfants, les déménagements et la malchance. Ce qui frappe dans ces données, c'est qu'au-delà de 75%, les imprévus découlent de circonstances strictement familiales (maladie, mariage, naissance, aide financière aux enfants, etc.,) et qu'elles ne sont pas entièrement imprévisibles. Par ordre d'importance, les projets de dépenses affectés par les imprévus sont ceux qui concernent: les voyages, l'achat de vêtements, l'habitation, l'achat de meubles, l'épargne et le paiement de primes d'assurances.

Il est à noter que l'on réduira aussi difficilement, en cas d'imprévus, les dépenses pour l'automobile que les dépenses pour la nourriture. On consentira à comprimer les dépenses pour l'essence et les réparations, mais on consentira rarement à vendre l'auto en cas de besoin. On comprimera les autres postes et on sera même prêt à s'endetter. Les dépenses de voyage sont très compressibles et il fallait s'y attendre. Mais le poste vêtement peut être presqu'autant réduit, ce qui était un peu moins facile à prévoir. On peut se demander si c'est à l'achat de vêtements qu'on consacre surtout les surplus. Cette hypothèse est plausible bien que les familles, dans leur ensemble, ne consacrent à l'achat de vêtement que $318 par année en moyenne, soit 7.6% du total des dépenses moyennes annuelles. Le vêtement est, en effet, le premier des postes du budget mentionnés lorsque l'on demande aux informateurs d'indiquer à quelles dépenses courantes ils affecteraient un revenu supplémentaire de $20 par semaine.

b) *Les remboursements de dettes retardent la réalisation de nouveaux projets.* Mais les dettes contractées reflètent déjà certaines préférences. On peut établir une échelle de l'importance des besoins par l'identification des biens pour lesquels les familles doivent effectuer des paiement réguliers.

Le tableau III place en parallèle, par ordre d'importance, les biens pour lesquels on a consenti à s'endetter et ceux dont l'acquisition a dû être différée en raison d'obligations financières contractées antérieurement.

TABLEAU III

Biens pour lesquels on s'est endetté et biens dont l'achat est retardé par l'endettement

Biens pour lesquels on s'est endetté		Biens sacrifiés par l'endettement	
Biens acquis	% des familles	Biens sacrifiés	% des familles
Mobilier	44.3	Vêtement	27.1
Maison	22.8	Voyages	24.0
Automobile	15.0	« Sur tout »	16.7
Soins médicaux	13.4	Maison	14.5
Dettes	12.7	Mobilier	8.6
Vêtement	5.6	Nourriture	5.1
Nourriture	2.7	Automobile	4.0
Autres	4.2	Objets de luxe	3.1
		Soins médicaux	2.2

Une fois de plus, le vêtement semble être considéré parmi les objets de luxe auxquels on renonce pour se procurer des biens jugés plus essentiels. On renonce à peu près aussi facilement au voyage d'agrément.

Dans un certain nombre de familles (16.7%), on doit se priver sur tout parce qu'il faut payer des dettes. Ces familles sont certes celles qui éprouvent le plus de difficultés à *joindre les deux bouts,* soit parce qu'elles ont vécu au-delà de leurs moyens en utilisant un pouvoir d'achat qui ne correspondait pas à leur revenu réel, soit parce qu'elles ont été éprouvées par des événements imprévisibles, comme le chômage, la maladie, une diminution de salaire.

Ces données montrent très clairement qu'il y a plus de familles qui décident de s'imposer des sacrifices sur autre chose en vue d'acheter des meubles ou de devenir propriétaires qu'il y en a qui sont disposées à renoncer à ces deux biens pour satisfaire d'autres besoins.

L'automobile est un bien qui tient un rang élevé dans la liste des besoins. On considère l'automobile comme un instrument de travail souvent indispensable plutôt que comme un objet de luxe. Ce besoin nouveau peut d'ailleurs être satisfait de plus en plus aisément[3].

3. Dans la plupart des grands centres, on peut maintenant acheter une automobile usagée sans verser aucun comptant.

Les autres postes pour lesquels on s'endette, ce sont la maladie (13.4%), la consolidation de dettes (12.7%), les vêtements (5.6%) et la nourriture (2.7%). A part le vêtement, qui peut être essentiel selon les circonstances, tous les autres besoins ont un caractère de très grande nécessité.

c) *Afin d'économiser, la famille s'impose volontairement des restrictions, diffère la satisfaction de certains désirs* (tableau 4). Seulement 26% des familles s'imposent volontairement des restrictions dans le but d'épargner. Ce pourcentage est plus fort dans les zones métropolitaines et moins élevé dans les villages très pauvres. La qualité de la mesure compense le petit nombre des familles de cette catégorie. On sait que l'épargne est de plus en plus difficile dans un milieu où le système social naissant met l'accent sur la consommation non seulement comme moyen de satisfaire des besoins mais aussi comme moyen d'acquérir du prestige. La consommation ostentatoire est le prototype de ce genre de motivation sous-jacente. On peut en déduire que celui qui épargne, le fait avec des objectifs très précis et que ceux-ci correspondent à un ensemble de besoins très fortement ressentis. Ces objectifs font partie de l'univers des aspirations, c'est-à-dire qu'ils sont conçus comme essentiels et réalisables dans un avenir plus ou moins lointain.

TABLEAU IV

Motifs qui incitent à l'épargne et biens sacrifiés en vue d'épargner

Motifs qui incitent à l'épargne		Biens sacrifiés en vue d'épargner	
Motifs	% des familles	Biens sacrifiés	% des familles
Avenir	31.1	Voyages	45.8
Maison	29.2	Vêtement	20.4
Instruction	13.7	Mobilier	8.7
Soins médicaux	9.2	Maison	7.7
		Automobile	7.4

Épargner pour l'avenir est une expression qui dénote un besoin de sécurité. Plusieurs enquêtes récentes ont montré l'importance de la sécurité pour les travailleurs américains. Le même phénomène existe dans le Québec ; bon nombre de salariés sont disposés à s'imposer les sacrifices qui vont les assurer contre les imprévus et leur permettre la réalisation d'aspirations. L'épargne dans le but d'acheter une maison traduit aussi une forte aspiration du salarié.

Les dépenses sacrifiées dans le but d'épargner concernent, selon l'ordre d'importance : les voyages, l'habillement, le mobilier, la maison et l'automobile.

d) *Les biens sacrifiés pour boucler le budget.* Une autre question nous permet de mesurer les privations volontaires ; elle a trait aux sacrifices faits dans le but de boucler le budget : « En général, pour arriver dans votre budget, êtes-vous obligés de faire des sacrifices ? Si oui, quels sont les points sur lesquels vous devez surtout faire des sacrifices ? »

La structure de la question suppose que ces sacrifices sont volontaires ou du moins délibérés. Tenant compte de leur revenu disponible, sept familles sur dix s'imposent des sacrifices dans le seul but de boucler leur budget. Les biens ainsi sacrifiés sont énumérés au tableau 5.

TABLEAU V

Les biens sacrifiés afin de boucler le budget

Rang	Biens sacrifiés	% des familles *
1	Vêtement	59
2	Sorties	47
3	Nourriture	16
4	Objets de luxe	13
5	Voyages et vacances	8
6	Mobilier	8
7	« Tout »	7
8	Automobile	4
9	Logement	3
10	Soins médicaux	2

Ce qui ressort surtout de l'examen de ce tableau, c'est que seulement deux besoins sont fortement compressibles : le vêtement et les loisirs. De façon générale, tous les autres besoins sont moins compressibles que le besoin de nourriture. Ainsi, on diminuera les dépenses d'alimentation afin de se procurer des meubles neufs, un meilleur logement, une automobile. Cette différence dans la préférence accordée aux nouveaux besoins indique bien leur très grande importance pour le salarié québécois.

* Le total des pourcentages cumulatifs est supérieur à 100 puisque certaines familles doivent sacrifier plus d'un bien.

C — *Conclusion*

Dans notre analyse de la structure du budget, nous avions regroupé les besoins par ordre d'importance. Afin d'obtenir une classification des besoins, nous utilisons alors comme critère la rapidité avec laquelle les dépenses augmentaient pour chacun des postes du budget, lorsque le revenu s'accroissait. Nous pouvons maintenant dresser une seconde liste des besoins, en nous appuyant cette fois sur le choix préférentiel des biens qui sont soit des objets ou des besoins quotidiens que l'on peut comprimer (voir tableau 6). Malgré quelques différences importantes, on remarque une grande similitude entre les deux listes. Les besoins nouveaux (mobilier, automobile) sont en tête de liste dans les deux cas, alors que les besoins traditionnels (nourriture, vêtement) apparaissent au bas de cette liste.

TABLEAU VI

La hiérarchie des besoins d'après la structure du budget et d'après les normes de consommation

Intensité du besoin	Hiérarchie des besoins établie à partir de la structure du budget	Hiérarchie des besoins établie à partir des normes de consommation
Fortement ressenti	Assurances	Mobilier
	Automobile	Automobile
	Mobilier	Logement
	Loisirs	Soins médicaux
	Logement	Assurances
	Tabac et boissons	Nourriture
	Soins médicaux	Loisirs
	Vêtement	Vêtement
Faiblement ressenti	Education	
	Nourriture	

La place qu'occupe le poste assurance dans la liste établie à partir des normes correspond peut-être davantage à la réalité que le rang qu'il occupait dans la première liste. En effet, nous avons vu que ceux qui préfèrent l'automobile et le mobilier s'endettent ordinairement et diminuent ainsi leurs épargnes et leurs assurances. Nous n'avons pas prévu de questions qui auraient forcé les informateurs à choisir entre l'assurance et l'automobile ou le mobilier. On peut croire, cependant, d'après la structure des réponses, que la population se divise en deux groupes. L'un privilégie l'épargne (assurance) et le logement ; l'autre, l'automobile et le mobilier (endettement). Ces deux groupes correspondent *grosso modo* aux groupes des *traditionalistes* (propriétaires) et des *non traditionalistes* (locataires). Lorsqu'on étudie l'ensemble de la population, ces deux tendances s'annulent l'une l'autre : ce qui rend moins claire l'importance relative des besoins pour l'ensemble de la population. Il est à remarquer que les différences réelles entre *traditionalistes* et *non traditionalistes* sont assez faibles. Les premiers sont eux aussi fortement attirés par les nouveaux besoins, alors que les seconds partagent le besoin d'assurances. La différence entre les deux groupes est donc plus une différence de degré qu'une différence de nature. On peut même supposer que les deux groupes tendront à se rapprocher de plus en plus.

Marc-Adélard Tremblay et Gérald Fortin, *Les Comportements économiques de la famille salariée au Québec*, Québec, P.U.L., 1964, p. 110-120.

La vie à Royale

Je pénètre dans une très grande salle rectangulaire où vivent cent vingt hommes. Comme dans la première baraque, à Saint-Laurent, une barre de fer parcourt chacun de ses plus longs côtés, interrompue seulement par l'emplacement de la porte, une grille qu'on ne ferme que la nuit. Entre le mur et cette barre sont tendues, très raides, des toiles qui servent de lit et qu'on appelle hamacs bien qu'elles n'en soient pas. Ces « hamacs » sont très confortables et hygiéniques. Au-dessus de chacun sont fixées deux planches où l'on peut mettre ses affaires : une pour le linge, l'autre pour les vivres, la gamelle, etc. Entre les rangées de hamacs, une allée de trois mètres de large, le « coursier ». Les hommes vivent là aussi en petites communautés, les gourbis. Il y en a de deux hommes seulement, mais aussi de dix.

A peine on est entrés que de tous les côtés arrivent des bagnards habillés en blanc : « Papi, viens pas là. » « Non, viens avec nous. » Grandet prend mon sac et dit : « Il va faire gourbi avec moi. » Je le suis. On installe ma toile, bien tirée, qui me servira de lit. « Tiens, voilà un oreiller de plumes de poules, mec », dit Grandet. Je retrouve un tas d'amis. Beaucoup de Corses et de Marseillais, quelques Parisiens, tous des amis de France ou des types connus à la Santé, à la Conciergerie, ou dans le convoi. Mais, étonné de les voir là, je leur demande : « Vous n'êtes pas au travail à cette heure-ci ? » Alors, tout le monde rigole. « Ah ! tu nous la copieras celle-là ! Dans ce bâtiment, celui qui travaille ne le fait jamais plus d'une heure par jour. Après on rentre au gourbi. » Cette réception est vraiment chaleureuse. Espérons que ça durera. Mais très vite je m'aperçois d'une chose que je n'avais pas prévue : malgré les quelques jours passés à l'hôpital, je dois réapprendre à vivre en communauté.

Charrière, Henri, *Papillon*, Paris, Robert Laffont, 1969, p. 271-280.

J'assiste à une chose que je n'aurais pas imaginée. Un type entre, habillé en blanc, portant un plateau couvert d'un linge blanc impeccable et crie : « Bifteck, bifteck, qui veut des biftecks ? » Il arrive petit à petit à notre hauteur, s'arrête, soulève son linge blanc, et apparaissent, bien rangés en pile, comme dans une boucherie de France, tout un plateau de biftecks. On voit que Grandet est un client quotidien, car il ne lui demande pas s'il veut des biftecks, mais combien il lui en met.

— Cinq.

— Du faux-filet ou de l'épaule ?

— Du faux-filet. Combien je te dois ? Donne-moi les comptes, parce que maintenant qu'on est un de plus, ça ne va pas être pareil.

Le vendeur de biftecks sort un carnet et se met à calculer :

— Ça fait cent trente-cinq francs, tout compris.

— Paye-toi et repartons à zéro.

Quand l'homme s'en va. Grandet me dit : « Ici, si tu n'as pas de pognon, tu crèves. Mais il y a un système pour en avoir tout le temps : la débrouille. »

Aux durs, « la débrouille » est la manière qu'a chacun de se débrouiller pour se procurer de l'argent. Le cuisinier du camp vend en biftecks la propre viande destinée aux prisonniers. Quand il la reçoit à la cuisine, il en coupe à peu près la moitié. Suivant les morceaux, il prépare des biftecks, de la viande pour ragoût ou pour bouillir. Une partie est vendue aux surveillants en passant par leurs femmes, une partie aux forçats qui ont les moyens d'en acheter. Bien entendu, le cuisinier donne une part de ce qu'il gagne ainsi au surveillant chargé de la cuisine. Le premier bâtiment où il se présente avec sa marchandise est toujours celui du groupe Spécial, bâtiment A, le nôtre.

Donc, la débrouille, c'est le cuisinier qui vend la viande et la graisse ; le boulanger qui vend du pain fantaisie et du pain blanc en baguettes destiné aux surveillants : le boucher de la boucherie qui, lui, vend de la viande ; l'infirmier, qui vend des injections ; le comptable, qui reçoit de l'argent pour vous faire nommer à telle ou telle place, ou simplement pour vous enlever d'une corvée ; le jardinier, qui vend des légumes frais et des fruits ; le forçat employé au laboratoire qui vend des résultats d'analyse et va jusqu'à fabriquer des faux tuberculeux, des faux lépreux, des entérites, etc. ; les spécialistes de vol dans la cour des maisons des surveillants, qui vendent des oeufs, des poules, du savon de Marseille ; les « garçons de famille » trafiquant avec la femme de la maison où il travaille, qui apportent ce qu'on leur demande : beurre, lait condensé, lait en poudre, boîtes de thon, de sardines, fromages et, bien entendu, vins et alcools (ainsi, dans mon gourbi il y a toujours une bouteille de Ricard et des cigarettes anglaises ou américaines) ; également ceux qui ont le droit de pêcher et qui vendent leur poisson et leurs langoustines.

Mais la meilleure « débrouille », la plus dangereuse aussi, c'est d'être teneur de jeux. La règle est qu'il ne peut jamais y avoir plus de trois ou quatre teneurs de jeux par bâtiment de cent vingt hommes. Celui qui décide de prendre les jeux se présente une nuit, au moment de la partie, et dit : « Je veux une place de teneur de jeux. » On lui répond : « Non. »

— Tous vous dites non ?

— Tous.

— Alors je choisis Un tel, pour prendre sa place.

Celui qu'il a désigné a compris. Il se lève, va au milieu de la salle et tous les deux se battent en duel au couteau. Celui qui gagne prend les jeux. Les teneurs de jeux prélèvent cinq pour cent sur chaque coup joué gagnant.

Les jeux sont l'occasion d'autres petites débrouilles. Il y a celui qui prépare les couvertures bien tirées par terre, celui qui loue de tout petits bancs pour les joueurs qui ne peuvent pas s'asseoir les jambes croisées sous leurs fesses, le vendeur de cigarettes. Celui-ci dispose sur la couverture plusieurs boîtes de cigares vides, remplies de cigarettes françaises, anglaises, américaines et même roulées à la main. Chacune a un prix et le joueur se sert lui-même et met scrupuleusement dans la boîte le prix marqué. Il y a aussi celui qui prépare les lampes à pétrole et qui veille à ce qu'elles ne fument pas trop. Ce sont des lampes faites avec des boîtes de lait dont le couvercle supérieur est troué pour laisser passer une mèche qui trempe dans du pétrole et qu'il faut souvent moucher. Pour les non-fumeurs, il y a des bonbons et des gâteaux fabriqués par débrouille spéciale. Chaque bâtiment possède un ou deux cafetiers. A sa place, couvert par deux sacs de jute et confectionné à la manière arabe, du café est maintenu chaud toute la nuit. De temps en temps le cafetier passe dans la salle et offre du café ou du cacao tenu au chaud dans une sorte de marmite norvégienne fabrication maison.

Enfin, il y a la camelote. C'est une sorte de débrouille artisanale. Certains travaillent l'écaille des tortues prises par les pêcheurs. Une tortue-écaille a treize plaques qui peuvent peser jusqu'à deux kilos. L'artiste en fait des bracelets, des boucles d'oreilles, des colliers, des fume-cigarette, des peignes et des dessus de brosse. J'ai même vu un coffret d'écaille blonde, véritable merveille. D'autres sculptent des noix de coco, des cornes de boeuf, de buffle, des bois d'ébène et des bois des îles, en forme de serpents. D'autres font des travaux d'ébénisterie de haute précision, sans un clou, tout à mortaises. Les plus habiles travaillent le bronze. Sans oublier les artistes peintres.

Il arrive qu'on associe plusieurs talents pour réaliser un seul objet. Par exemple, un pêcheur prend un requin. Il prépare sa mâchoire ouverte, toutes ses dents bien polies et bien droites. Un ébéniste confectionne un modèle réduit d'ancre en bois lisse et au grain serré, assez large au milieu pour qu'on puisse y peindre. On fixe la mâchoire ouverte à cette ancre sur laquelle un peintre peint les Iles du Salut entourées par la mer. Le sujet le plus souvent utilisé est le suivant : on voit la pointe de l'Ile Royale, le chenal et l'Ile Saint-Joseph. Sur la mer bleue, le soleil couchant jette tous ses feux. Sur l'eau, un bateau avec six forçats debout, torse nu, les avirons relevés à la verticale et trois gardiens, mitraillettes à la main, à l'arrière. A l'avant, deux hommes lèvent un cercueil d'où glisse, enveloppé dans un sac de farine, le corps d'un forçat mort. On aperçoit des requins à la surface de l'eau, attendant le corps la gueule ouverte. En bas, à droite du tableau, est écrit : « Enterrement à Royale — et la date. »

Toutes ces différentes « camelotes » sont vendues dans les maisons des surveillants. Les plus belles pièces sont souvent achetées à l'avance ou faites sur commande. Le reste se vend à bord des bateaux qui passent aux Iles. C'est le domaine des canotiers. Il y a aussi les farceurs, ceux qui prennent un vieux quart tout bosselé et gravent dessus : « Ce quart a appartenu à Dreyfus — Ile du Diable — date. » Même chose avec les cuillères ou les gamelles. Pour les marins bretons, un truc marche infailliblement : n'importe quel objet avec le nom de « Sezenec ».

Ce trafic permanent fait entrer beaucoup d'argent sur les îles et les surveillants ont intérêt à laisser faire. Tout à leurs combines, les hommes sont plus faciles à manier et se font à leur nouvelle vie.

La pédérastie prend un caractère officiel. Jusqu'au commandant, tout le monde sait qu'Un tel est la femme d'Un tel et quand on en envoie un dans une autre île, on fait en sorte que l'autre le rejoigne vite si on n'a pas pensé à les muter ensemble.

Sur tous ces hommes, il n'y en a pas trois sur cent qui cherchent à s'évader des îles. Même ceux qui ont perpétuité. La seule façon de faire est d'essayer par tous les moyens d'être désinterné et envoyé à la Grande Terre, à Saint-Laurent, Kourou ou Cayenne. Ce qui ne vaut que pour les internés à temps. Pour les internés à vie, c'est impossible en dehors du meurtre. En effet, lorsqu'on a tué quelqu'un, on est envoyé à Saint-Laurent pour passer devant le tribunal. Mais comme pour y aller il faut passer des aveux, on risque cinq ans de réclusion pour meurtre, sans savoir si on pourra profiter de son court séjour au quartier disciplinaire de Saint-Laurent — trois mois au plus — pour pouvoir s'évader.

On peut aussi essayer le désinternement pour raisons médicales. Si l'on est reconnu tuberculeux, on est envoyé au camp pour tuberculeux, dit « Nouveau Camp » à quatre-vingts kilomètres de Saint-Laurent.

Il y a aussi la lèpre ou l'entérite dysentérique chronique. Il est relativement facile d'arriver à ce résultat, mais il comporte un terrible danger : la cohabitation dans un pavillon spécial, isolé, pendant près de deux ans, avec les malades du type choisi. De là à se vouloir faux lépreux et attraper la lèpre, à avoir des poumons du tonnerre et sortir tuberculeux, il n'y a qu'un pas qu'on franchit souvent. Quant à la dysenterie, il est encore plus difficile d'échapper à la contagion.

Me voilà donc, installé dans le bâtiment A, avec mes cent vingt camarades. Il faut apprendre à vivre dans cette communauté où on a vite fait de vous cataloguer. Il faut d'abord que tout le monde sache qu'on ne peut pas vous attaquer sans danger. Une fois craint, il faut être respecté pour sa façon de se comporter avec les gaffes, ne pas accepter certains postes, refuser certaines corvées, ne jamais reconnaître d'autorité aux porte-clefs, ne jamais obéir, même au prix d'un incident avec un surveillant. Si on a joué toute la nuit, on ne sort même pas à l'appel. Le gardien de case (on appelle ce bâtiment « la case ») crie : « Malade couché. » Dans les deux autres « cases », les surveillants vont quelquefois chercher le « malade » annoncé et l'obligent à assister à l'appel. Jamais au bâtiment des fortes têtes. En conclusion, ce qu'ils recherchent avant tout, du plus grand au plus petit, c'est la tranquillité du bagne.

Mon ami Grandet, avec qui je fais gourbi, est un Marseillais de trente-cinq ans. Très grand et maigre comme un clou, mais très fort. Nous sommes des amis de France. On se fréquentait à Toulon, comme à Marseille et à Paris.

o o o

Chaque jour j'en apprends un peu plus sur cette nouvelle vie. La case A est vraiment une concentration d'hommes redoutables, autant pour leur passé que pour leur manière de réagir dans la vie quotidienne. Je ne travaille toujours pas : j'attends une place de vidangeur qui, après trois quarts d'heure de travail, me laissera libre sur l'île avec le droit d'aller pêcher.

Ce matin, à l'appel pour la corvée de plantation de cocotiers, on désigne Jean Castelli. Il sort des rangs et demande : « Qu'est-ce que c'est ? On m'envoie au travail, moi ?

— Oui, vous, dit le gaffe de la corvée. Tenez, prenez cette pioche. »

Froidement, Carali le regarde :

— Dis donc, Auvergnat, tu ne vois pas qu'il faut venir de ton bled pour savoir se servir de cet étrange instrument ? Je suis corse marseillais. En Corse, on jette très loin de soi les outils de travail, et à Marseille, on ne sait même pas qu'ils existent. Garde-toi la pioche et laisse-moi tranquille.

Le jeune gaffe, pas encore bien au courant, d'après ce que je sus plus tard, lève la pioche sur Castelli, le manche en l'air. D'une seule voix, les cent vingt hommes gueulent : « Charognard, n'y touche pas ou tu es mort. »

— Rompez les rangs ! crie Grandet et, sans s'occuper des positions d'attaque qu'ont prises tous les gaffes, on entre tous dans la case.

La « case B » défile pour aller au travail. La « case C » aussi. Une douzaine de gaffes se ramènent et, chose rare, ferment la porte grillée. Une heure après, quarante gaffes sont de chaque côté de la porte, mitraillette en main. Commandant adjoint, gardien-chef, surveillant-chef, surveillants, ils sont tous là, sauf le commandant qui est parti à six heures, avant l'incident, en inspection au Diable.

Le commandant adjoint dit :

— Dacelli, veuillez appeler les hommes, un à un.

— Grandet ?

— Présent.

— Sortez.

Il sort dehors, au milieu des quarante gaffes. Dacelli lui dit : « Allez à votre travail. »

— Je peux pas.

— Vous refusez ?

— Non, je ne refuse pas, je suis malade.

— Depuis quand ? Vous ne vous êtes pas fait porter malade au premier appel.

— Ce matin je n'étais pas malade, maintenant je le suis.

Les soixante premiers appelés répondent exactement la même chose, l'un après l'autre. Un seul va jusqu'au refus d'obéissance. Il avait sans doute l'intention de se faire ramener à Saint-Laurent pour passer le conseil de guerre. Quand on lui dit : « Vous refusez ? » il répond :

— Oui, je refuse, par trois fois.

— Par trois fois ? Pourquoi ?

— Parce que vous me faites chier. Je refuse catégoriquement de travaliler pour des mecs aussi cons que vous.

La tension était extrême. Les gaffes, surtout les jeunes, ne supportaient pas d'être humiliés pareillement par des bagnards. Ils n'attendaient qu'une chose : un geste de menace qui leur permettrait d'entrer en action avec leur mousqueton à la main, d'ailleurs pointé vers la terre.

— Tous ceux qui ont été appelés, à poil ! Et en route pour les cellules. »
A mesure que les effets tombaient, on percevait parfois un bruit de couteau résonnant sur le macadam de la cour. A ce moment arrive le docteur.

— Bon, halte ! Voilà le médecin. Voudriez-vous, docteur, passer la visite à ces hommes ? Ceux qui ne seront pas reconnus malades, iront aux cachots. Les autres resteront dans leur case.

— Il y a soixante malades ?

— Oui, docteur, sauf celui-là qui a refusé de travailler.

— Au premier, dit le docteur, Grandet, qu'avez-vous ?

— Une indigestion de garde-chiourme, docteur. Nous sommes tous des hommes condamnés à de longues peines et la plupart à perpétuité, docteur. Aux Iles, pas d'espoir de s'évader. Aussi on ne peut supporter cette vie que s'il y a une certaine élasticité et compréhension dans le règlement. Or, ce matin, un surveillant s'est permis devant nous tous de vouloir assommer d'un coup de manche de pioche un camarade estimé de tout le monde. Ce n'était pas un geste de défense, car cet homme n'avait menacé personne. Il n'a fait que dire qu'il ne voulait pas se servir d'une pioche. Voilà la véritable cause de notre épidémie collective. A vous de juger.

Le docteur baisse la tête, réfléchit une bonne minute, puis dit :

— Infirmier, écrivez : « En raison d'une intoxication alimentaire collective, l'infirmier surveillant Un tel prendra les mesures nécessaires pour purger avec vingt grammes de sulfate de soude tous les transportés qui se sont déclarés malades ce jour. Quant au transporté X, veuillez le mettre en observation à l'hôpital pour que nous nous rendions compte si son refus de travail a été exprimé en pleine possession de ses facultés. »

Il tourne le dos et s'en va.

— Tout le monde dedans ! crie le deuxième commandant. Ramassez vos affaires et n'oubliez pas vos couteaux. » Ce jour-là, tout le monde resta dans la case. Personne ne put sortir, même pas le porteur de pain. Vers midi, au lieu de soupe, le surveillant-infirmier, accompagné de deux bagnards-infirmiers, se présenta avec un seau de bois, rempli de purge au sulfate de soude. Trois seulement furent obligés d'avaler la purge. Le quatrième tomba sur le seau en simulant une crise d'épilepsie parfaitement imitée, projetant la purge, le seau et la louche de tous les côtés. Ainsi se termina l'incident, par le travail donné au chef de case pour éponger tout ce liquide répandu par terre.

J'ai passé l'après-midi à causer avec Jean Castelli. Il est venu manger avec nous. Il fait gourbi avec un Toulonnais, Louis Gravon, condamné pour vol de fourrures. Quand je lui ai parlé de cavale, ses yeux ont brillé. Il me dit :

— L'année dernière j'ai failli m'évader, mais ça a foiré. Je me doutais que tu n'étais pas un homme à rester tranquille ici. Seulement, parler cavale aux Iles, c'est parler hébreu. D'autre part, je m'aperçois que tu n'as pas encore compris les bagnards des Iles. Tels que tu les vois, quatre-vingt-dix pour cent se trouvent relativement heureux ici. Personne ne te dénoncera jamais, quoi que tu fasses. On tue quelqu'un, il n'y a jamais un témoin ; on vole, même chose. Quoi qu'ait fait un type, tous font corps pour le défendre. Les bagnards des Iles n'ont peur que d'une seule chose, qu'une cavale réussisse. Car alors, toute leur relative tranquillité est bouleversée : fouilles continuelles, plus de jeux de cartes, plus de musique — les instruments sont détruits pendant les fouilles —, plus de jeux d'échecs et de dames, plus de livres, plus rien, quoi ! Plus de camelote non plus. Tout, absolument tout est supprimé. On fouille sans arrêt. Sucre huile, bifteck, beurre, tout cela disparaît. Chaque fois, la cavale qui a réussi à quitter les Iles est arrêtée à la Grande Terre, aux environs de Kourou. Mais pour les Iles, la cavale a été réussie : les mecs ont pu sortir de l'Ile. D'où sanctions contre les gaffes, qui se vengent sur tout le monde.

J'écoute de toutes mes oreilles. Je n'en reviens pas. Jamais je n'avais vu la question sous cet aspect.

— Conclusion, dit Castelli, le jour où tu te mettras dans la tête de préparer une cavale, vas-y à pas comptés. Avant de traiter avec un mec, si ce n'est pas un ami intime à toi, réfléchis-y dix fois.

Le prêtre tel qu'il est et le prêtre idéal

Même si nos deux questions (« Quelle est votre conception du prêtre idéal ? » et « Avez-vous déjà songé à la prêtrise ? Auriez-vous fait un bon prêtre ? ») cernaient l'image du prêtre idéal, elles permirent aux étudiants d'exprimer leur conception à la fois du *prêtre-tel-qu'il-est* et du *prêtre-idéal.* Ainsi, le non-dogmatisme et l'ouverture à l'expérience des autres, qu'ils attribuent au prêtre idéal, s'accompagnent plus ou moins confusément d'une définition de ce qu'est souvent, à leurs yeux, le prêtre d'aujourd'hui : dogmatique, autoritaire, fermé à une grande partie de l'expérience des étudiants laïcs. Aussi les résultats de notre analyse peuvent-ils se synthétiser en deux conceptions du prêtre.

a) *Le prêtre tel qu'il est.* — Le prêtre est un homme qui a une foi plus vive, plus profonde, mieux informée que celle de la plupart des autres membres de l'Eglise. Quand on songe au prêtre, on ne voit pas le Christ lui-même, sauf peut-être quand on songe au contexte immédiat de la messe. Le prêtre a la foi dans le Christ ou en Dieu, mais il n'est pas le Christ, il n'est pas Dieu par participation symbolique : il représente Dieu à travers ses fonctions de ministre du culte et d'enseignant. Il est un « homme d'Eglise », c'est-à-dire un homme qui aime diriger les diverses pratiques cultuelles et qui attache beaucoup d'importance à ces pratiques. Même s'il considère sa fonction d'enseignant comme se limitant au magistère religieux, il intervient quand même, sur le plan de la religion, dans tous les secteurs de la vie des laïcs[1]. Ces interventions ont tendance

1. En ce sens nous pouvons décrire cet enseignement comme un enseignement spécifique et non diffus.

Sévigny, Robert, *L'expérience religieuse chez les jeunes*, Les Presses de l'Université de Montréal, PUM, 1971, p. 84-87.

à s'effectuer dans un climat de dogmatisme et d'autoritarisme dans lequel le prêtre est l'unique juge de ce qui est valable ou non dans les expériences religieuses des laïcs.

Ce dogmatisme ne le porte guère à écouter et à comprendre les laïcs qui expriment des valeurs qu'il ne reconnaît pas lui-même en tant que valeurs religieuses, ou qui expriment des valeurs religieuses différentes des siennes. Le prêtre, enfin, appartient à un ordre religieux. Cet ordre peut être reconnu comme institution divine, mais ce caractère divin et sacramentel n'est pas le plus important. Les traits caractéristiques du prêtre tendent à lui faire perdre son autonomie personnelle, à l'encadrer par un ensemble de normes et de valeurs différent de celui des laïcs. C'est sa participation à un groupe spécifique, le clergé, qui l'empêche de comprendre le laïc de l'intérieur et de vivre au même diapason que lui.

b) *Le prêtre idéal.* — Sur le plan de la foi, le prêtre idéal ne diffère guère de celui qu'on vient de décrire. Même idéalement, il ne représente pas Dieu symboliquement, du moins pas au niveau explicite du champ de conscience des jeunes laïcs interviewés. Sur le plan de la représentation fonctionnelle, c'est-à-dire en tant qu'il a pour fonctions de présider aux exercices du culte et d'enseigner les valeurs religieuses, d'enseigner Dieu, le prêtre idéal définit son autorité d'une façon beaucoup plus diffuse. Il accepte que les pratiques cultuelles n'occupent pas une place prépondérante chez la plupart des étudiants [2].

Tout en se reconnaissant la tâche spécifique de « parler de Dieu », il inclut dans ses fonctions tous les types de conseils ou d'aides que le laïc veut bien lui demander. A ce moment-là, il accepte qu'une bonne partie de ses contacts avec le laïc ne portent pas spécifiquement sur un contenu religieux. Cette attitude implique un type de relation non dogmatique, non autoritaire, dans l'exercice de ses fonctions. Il se définit comme celui qui va aider le laïc à poursuivre son propre cheminement humain ou spirituel et à assumer ses propres expériences. Il n'accepte pas nécessairement chacune de ces expériences, mais il écoute et tente d'en comprendre la signification profonde. Ce prêtre idéal fait lui aussi partie d'un ordre, mais il réussit à être du monde, tout en n'y étant pas complètement, comme il réussit à être jeune, tout en n'étant pas aussi jeune que l'étudiant qu'il rencontre.

---

2. Cette généralisation s'inspire du fait qu'en décrivant le prêtre idéal, peu d'informateurs accordèrent de l'importance aux pratiques cultuelles. Aucun étudiant, par exemple, ne mentionna que le prêtre idéal devait accorder une grande valeur à la liturgie ou devait être rigoureux à l'égard des pratiques cultuelles. Cette généralisation doit évidemment être complétée par l'analyse des conceptions religieuses portant sur la pratique religieuse, en particulier sur la messe. Le prêtre, comme réformateur de la liturgie ne peut alors être exclu à priori de l'image du prêtre idéal.

Bref, ce prêtre idéal réussit à dépasser un certain nombre d'antinomies : il détient et exerce une autorité sans autoritarisme ; il a acquis par l'expérience une compétence dans l'exercice de ses fonctions, mais cette compétence, il l'exerce comme s'il était aussi jeune que les informateurs eux-mêmes. Il fait partie d'un ordre qui l'isole des autres tout en lui permettant d'être près des autres.

Rappelons qu'il s'agit ici de deux modèles idéaux qui correspondent à deux conceptions (images) du prêtre. Au niveau des expériences concrètes, il est évident que certains prêtres sont définis par les informateurs comme correspondant à l'image du *prêtre-tel-qu'il-est* et d'autres comme correspondant à l'image du *prêtre-idéal*. Il se peut aussi que les conduites d'un même prêtre soient perçues comme étant de types différents. Il arrive que les informateurs valorisent le prêtre, parce qu'ils ont le sentiment qu'il participe à une réalité divine et qu'il est associé symboliquement à Dieu et à l'Eglise. Mais dans l'ensemble, cette dimension n'apparaît pas souvent dans le champ psychologique. La valeur du prêtre est fondée surtout sur sa capacité d'entrer en relation avec le laïc, de le comprendre, de l'accepter et de l'aider de façon non dogmatique.

En définitive, le prêtre est valorisé quand il est associé à l'expérience d'une communication satisfaisante et d'un dialogue parfait. Si l'image qu'on se fait du prêtre est l'expression d'une image implicite de Dieu, le Dieu de nos informateurs est celui qui sait dialoguer : Dieu serait pour eux « Dialogue ». Le dialogue, ou plus simplement, la communication, apparaît comme une des principales préoccupations des jeunes de notre échantillon. Presque toujours, évidemment, le prêtre « fait penser » à Dieu et à l'univers religieux ; mais quand il n'est pas associé à l'expérience du dialogue, il devient surtout le signe conventionnel plutôt que le symbole du divin.

Les stances de Don Rodrigue

ACTE I

Scène *VI.*

DON RODRIGUE, seul.

Lyrique :

Percé jusques au fond du coeur
D'une atteinte imprévue aussi bien que mortelle,
Misérable vengeur d'une juste querelle,
Et malheureux objet d'une injuste rigueur,
Je demeure immobile, et mon âme abattue
Cède au coup qui me tue.
Si près de voir mon feu récompensé,
Ô Dieu, l'étrange peine !
En cet affront mon père est l'offensé,
Et l'offenseur le père de Chimène !

Que je sens de rudes combats !
Contre mon propre honneur mon amour s'intéresse :
Il faut venger un père, et perdre une maîtresse :
L'un m'anime le coeur, l'autre retient mon bras.
Réduit au triste choix ou de trahir ma flamme,
Ou de vivre en infâme,
Des deux côtés mon mal est infini.
Ô Dieu, l'étrange peine !
Faut-il laisser un affront impuni ?
Faut-il punir le père de Chimène ?

Père, maîtresse, honneur, amour,
Noble et dure contrainte, aimable tyrannie,
Tous mes plaisirs sont morts, ou ma gloire ternie.
L'un me rend malheureux, l'autre indigne du jour.
Cher et cruel espoir d'une âme généreuse,
Mais ensemble amoureuse,
Digne ennemi de mon plus grand bonheur,
Fer qui causes ma peine,
M'es-tu donné pour venger mon honneur ?
M'es-tu donné pour perdre ma Chimène ?

Il vaut mieux courir au trépas.
Je dois à ma maîtresse aussi bien qu'à mon père ;
J'attire en me vengeant sa haine et sa colère ;
J'attire ses mépris en ne me vengeant pas.
A mon plus doux espoir l'un me rend infidèle,
Et l'autre indigne d'elle.
Mon mal augmente à le vouloir guérir ;
Tout redouble ma peine.
Allons, mon âme ; et puisqu'il faut mourir,
Mourons du moins sans offenser Chimène.

Mourir sans tirer ma raison !
Rechercher un trépas si mortel à ma gloire !
Endurer que l'Espagne impute à ma mémoire
D'avoir mal soutenu l'honneur de ma maison !
Respecter un amour dont mon âme égarée
Voit la perte assurée !
N'écoutons plus ce penser suborneur,
Qui ne sert qu'à ma peine.
Allons, mon bras, sauvons du moins l'honneur,
Puisqu'après tout il faut perdre Chimène.

Oui, mon esprit s'était déçu.
Je dois tout à mon père avant qu'à ma maîtresse.
Que je meure au combat, ou meure de tristesse,
je rendrai mon sang pur comme je l'ai reçu.
Je m'accuse déjà de trop de négligence :
Courons à la vengeance ;
Et tout honteux d'avoir tant balancé,
Ne soyons plus en peine,
Puisqu'aujourd'hui mon père est l'offensé,
Si l'offenseur est père de Chimène.

Pierre Corneille, *Le Cid*, acte I, sc. VI.

Distribution des rôles dans le groupe domestique

Lorsque l'on examine le groupe domestique selon la distribution des rôles, cette caractéristique principale de la famille canadienne-française apparaît plus clairement. Dans le tableau suivant, les rôles sont examinés selon la distribution du travail entre mari et femme.

Selon la distribution présentée par le tableau, il est possible de dire que parmi les familles canadiennes-françaises, le mari généralement travaille au dehors et s'occupe des travaux de réparations dans la maison, et la femme s'occupe de l'entretien de la maison et de la surveillance des enfants.

Cette différenciation entre les sexes est fondamentale dans l'attribution des rôles. Selon les opinions recueillies, l'homme et la femme sont différenciés par leur nature : l'homme étant tenu pour être de caractère fort, capable de faire

La division du travail entre mari et femme
(35 familles urbaines) (maris et femmes répondant ensemble)

Qui accomplit le rôle ?	Le travail rému-nérateur	Les réparations à la maison	La surveillance des enfants	L'entretien de la maison
Toujours le mari	20	14	0	0
Plutôt le mari	5	9	3	1
Mari et femme ensemble	8	7	7	5
Plutôt la femme	1	4	21	20
Toujours la femme ..	1	2	2	9
	35	36	33	35

face aux problèmes de la vie ; la femme, au contraire, est tenue pour être plutôt affective et avoir comme première préoccupation le bien-être des siens. Dans le cas suivant, un homme de 55 ans exprime son opinion du rôle de l'homme dans la famille en se prenant comme exemple :

> J'ai 55 ans cette année et j'ai eu comme seule instruction les cours de l'école du rang. J'avais 15 ans quand mourut mon père et malgré mon jeune âge, je pris en quelque sorte sa place. Vers l'âge de 20 ans, je vins à Montréal et quelques années plus tard je me mariai. J'ai été chanceux et graduellement j'ai été promu. J'ai aussi été actif dans ma paroisse, à la Caisse populaire, puis marguillier trois ans, et même commissaire d'école. Je suis vu comme quelqu'un qui a réussi. J'ai toujours essayé de faire ce qu'un homme doit faire : travailler dur et donner ce qui est nécessaire à sa famille. J'ai été loyal avec ma femme. Avant de faire quelque chose, je la consulte. Mais le mari est celui qui a la responsabilité totale de la famille, dans le sens qu'il s'occupe de tout, tout en laissant à la femme la liberté d'organiser son ménage et de prendre soin des enfants. C'est à l'homme de gagner l'argent pour la famille et si c'est nécessaire, de prendre même des travaux supplémentaires pour les loisirs de la famille.

L'exercice de l'autorité est conçu comme une responsabilité envers les autres membres de la famille. L'idéal exprimé est que le père « pense au bien commun ». Ses ordres ne sont pas des caprices, mais des décisions qui s'exercent pour le bien-être de chaque membre. L'intention est que le père, l'homme, utilise son autorité pour subordonner tous les membres de la famille, lui-même inclus, au profit du groupe familial. Il se peut que, dans certains cas, l'autorité ne soit pas utilisée pour le bien commun, mais pour les fins particulières de l'homme. Dans ces cas, les autres membres sentent qu'il y a arbitraire de sa part, et qu'il n'a pas droit à leur obéissance. Il existe ici tout un vaste champ de nuances exprimant la satisfaction ou le désappointement.

Par exemple, dans le cas suivant, une femme de 38 ans, mariée à un ouvrier, exprime sa satisfaction :

> Chez nous, le budget dans les grandes lignes est décidé entre nous, mon mari et moi, et ensuite chacun a sa responsabilité pour les dépenses. Mon mari garde une partie de son salaire pour ses dépenses personnelles, pour le paiement des comptes et les frais d'entretien de la maison. Il me donne le reste qui est toujours la plus grande partie. Je vois à l'épargne, aux dépenses ordinaires de la maison comme la nourriture, les vêtements, etc. Nous avons toujours fait ceci depuis notre mariage et cela a toujours très bien marché.

Mais le mari n'est pas seulement l'autorité dans la famille et le pourvoyeur économique. Il doit témoigner de l'attention à sa femme, de la tendresse, la soutenir dans ses moments difficiles, lui faciliter sa vie en créant un climat de sécurité. De plus, il appartient à l'homme d'équilibrer les « faiblesses » de la femme. Il est donc essentiellement le protecteur et le soutien des autres membres de la famille. Les hommes considèrent que c'est normal que leur épouse dépende d'eux et se fie à eux. Cette marque de confiance stimule leur tendresse envers elle et leur désir de la protéger. Cette tendresse se manifeste surtout pendant les périodes de maladie, de fatigue. C'est à ce moment que le mari doit montrer son amour, rendre la vie plus facile à sa femme. A part ces moments de difficultés, il n'est pas du rôle du mari de la remplacer dans les activités domestiques normales de la maison.

Le rôle de l'homme comme père s'intègre avec son rôle comme mari. Le père pour les enfants est premièrement le « chef » de la famille. Il leur montre par son propre comportement ce qu'il attend d'eux, les invitant aux responsabilités, aux sacrifices nécessaires. Etre bon, mais ferme, est la ligne de conduite imposée par le rôle du père : «Etre juste et impartial dans l'affection» est une phrase souvent mentionnée.

Comme l'indique l'entrevue suivante, avec un jeune étudiant de 21 ans, le père est essentiellement le modèle de l'autorité :

> Pour moi, mon père représente l'autorité. Son influence a été très forte sur moi, je le réalise aujourd'hui. Il a créé ma mentalité par son comportement, quoique j'aie eu peu de discussions avec lui. Par exemple, il a toujours été strict sur mes sorties avec des amies. Pour lui, les fréquentations ne se font qu'en vue du mariage. S'il n'y avait eu que sa présence dans ma vie, je n'aurais jamais su extérioriser mes sentiments. C'est graduellement que j'ai perdu ma timidité devant mon père. Maintenant, quoique je ne discute pas plus avec lui qu'auparavant, je me sens plus proche de lui, et nous sortons ensemble quelquefois. Au fond, si j'analyse mes rapports avec mon père, j'ai des sentiments de respect et d'obéissance, mélangés à des demandes de revendication et d'indépendance.

Si les caractéristiques principales du rôle de l'homme sont celles de l'exercice de l'autorité, d'être le pourvoyeur économique et d'assurer la protection de la famille, ce qui distingue le rôle de la femme, c'est d'être l'influence affective dans la famille, d'être responsable des activités quotidiennes, et d'être la médiatrice dans les rapports familiaux. Le rôle de l'épouse est de comprendre le comportement de son mari, d'être toujours prête à recevoir ses confidences, à satisfaire ses besoins émotifs et sexuels. Bref, son rôle comme épouse est de le seconder et de lui plaire.

C'est ainsi qu'une femme mariée définit son rôle d'épouse après 16 ans de vie matrimoniale :

> Ce que je veux être pour mon mari est sa compagne, partager ses préoccupations. Je suis intéressée par ses problèmes au travail, je me réjouis de ses promotions ou de ses succès. Je suis fière de lui, et je le trouve très intelligent. J'accepte qu'il soit le premier en tout dans la famille, pour autant qu'il n'abuse pas de son autorité.

Pourtant, selon la fréquence des réponses obtenues, la femme canadienne française, après la naissance de ses enfants, considère son rôle de mère comme au moins aussi important, sinon plus, que son rôle d'épouse. Par ailleurs, il semble exister une tendance pour le rôle de mère, de prendre de plus en plus d'importance avec l'accroissement du nombre des enfants et la durée de la vie conjugale.

Dans le tableau suivant, 23 épouses ayant au moins deux enfants chacune, ont été questionnées sur leurs attitudes envers leurs rôles d'épouse et de mère :

Distribution des attitudes envers les rôles de mère et d'épouse

Le rôle d'épouse est plus important que le rôle de mère	2
— d'épouse est aussi important que le rôle de mère	12
— de mère est plus important que le rôle d'épouse	9
	23

Pour la femme canadienne-française, être mère est un « devoir heureux » comme l'exprimait l'une d'elles. Ce devoir est sa « vocation » principale. Les enfants sont sa responsabilité. C'est elle qui depuis leur naissance, les surveille, les soigne, dirige leurs activités, et leur donne de l'amour et de la tendresse. C'est à elle aussi qu'il incombe souvent de défendre l'autorité du père devant les enfants, et d'interpréter les désirs des enfants au père. Elle doit appuyer publiquement les décisions de son mari, mais elle doit aussi conditionner ces décisions par des explications sur le comportement des enfants. Emotionnellement, elle se trouve plus près des enfants que son mari, le laissant souvent avec le rôle plus distant et quelquefois démuni de réalité de celui qui « détient l'autorité ».

Par exemple, voici l'attitude d'un jeune homme de 24 ans, non marié, vivant à Montréal et dont la famille réside dans une petite ville des Cantons de l'Est :

> Ma mère a toujours été pour moi la source de toutes choses. Quoique c'est mon père qui rapporte l'argent à la maison, c'est ma mère qui fait les comptes, et donne l'argent de poche. Pour moi, le mot famille ça veut dire ma mère d'abord. C'est elle qui anime tout, et qui montre son amour. Mon père est plutôt réservé, parlant peu. Nous le respectons tous, mais c'est pas lui qui nous donne la certitude d'être aimés, d'être bienvenus à la maison. C'est la mère qui est la «présence». En tant qu'épouse, elle a tout fait pour renforcer les liens entre le père et nous. Mais chaque fois que nous avons voulu quelque chose du père, c'est d'abord à la mère que nous allions.

Les déclarations recueillies donnent l'impression que le rôle de mère est conçu par les femmes canadiennes-françaises comme étant leur « vocation » de femme. Les phrases qui reviennent le plus souvent dans les entrevues sur le rôle de la femme sont : il faut cultiver la compréhension et l'amour des enfants ; leur donner la sécurité d'être aimés ; les avoir toujours présents à la pensée ; être celle vers qui ils viennent se faire consoler.

Ce rôle de la femme en tant que mère est bien exprimé dans les mots suivants d'une femme ayant 4 enfants, habitant une ville proche de Montréal :

> Je reconnais être le centre de la vie familiale. Quand je ne suis pas là, tout semble « dépérir » et les enfants manifestent beaucoup d'inquiétude. Une fois, je suis allée passer une semaine chez ma soeur qui venait d'avoir un bébé. Les enfants me téléphonaient tout le temps, et malgré la grande distance, 30 milles, ils sont venus me voir plusieurs fois avec leur père. Je sais qu'ils me préfèrent à leur père, mais je fais tout pour rétablir l'équilibre, pour que les enfants voient qu'ils sont aussi aimés de leur père que de moi. Mais c'est à moi qu'ils viennent avec leurs problèmes ; c'est moi qui discute avec leur père pour leur obtenir ce qu'ils veulent. C'est peut-être parce que je sais pardonner à leurs « manquements », parce que je comprends leurs problèmes, et parce que j'aime leur venir en aide. Et puis, c'est parce qu'ils dépendent de moi pour leur confort, leur nourriture, leurs vêtements. Ils savent aussi que je me préoccupe de leur avenir, je veux qu'ils aient tous une bonne éducation. Quoique j'aimerais que l'un d'entre eux devienne prêtre, ils savent que je respecterai leur choix. Mon rôle est de les diriger dans la voie du bien et non de les forcer.

Chez la femme canadienne-française, on peut donc dire que mariage et maternité sont étroitement liés et que la vie du couple n'est pas complète sans les enfants. Le rôle d'épouse se complète par le rôle de mère, et devient de plus en plus important pour la femme avec le nombre d'enfants. Mais l'amour maternel chez la femme canadienne-française est surtout démontré par l'attention portée aux besoins des enfants. Son expression la plus tangible est de les voir en bonne santé, bien vêtus et faisant leur chemin dans la vie. Comme il a été déjà vu dans la répartition des rôles, c'est la mère qui surveille les enfants beaucoup plus que le père. C'est elle qui interprète au père les désirs des enfants et qui conditionne les décisions du père envers eux. Par ailleurs, l'homme en tant que mari et père agit souvent de façon à faciliter cette situation.

Une jeune femme mariée parle ainsi de sa mère :

> Les enfants chez nous disaient souvent que notre mère « devrait être mise sur une corniche ». On a toujours été surpris par sa manière de tirer le meilleur profit de peu, par son activité, sa compréhension et même lorsqu'elle nous agaçait par des demandes, par son désir de nous voir bien faire. Ce n'est que depuis quelques années que nous la critiquons pour certaines choses, car ceux qui sont mariés trouvent qu'elle s'intéresse un peu trop à leurs affaires. Mais on la critique entre nous et seulement quelquefois on lui fait des reproches directs. Mais on n'ose pas aller loin, car le père nous a habitués à la respecter. Le père se fâcherait rouge s'il savait qu'on la critique.

LES RAPPORTS PARENTS-ENFANTS

Les rapports parents-enfants dans la famille canadienne-française subissent des transformations importantes avec le temps. Les rapports entre générations dépendent beaucoup de l'âge de chaque personne. Aussitôt qu'un enfant démontre par ses qualités des aptitudes à certaines activités ou montre des connaissances spéciales, l'indépendance et l'autorité personnelle dans les affaires familiales augmentent rapidement. Il semble donc possible de dire que les rapports parents-enfants dans la famille canadienne-française sont plutôt individualisants ; chaque enfant prenant un rôle qui lui est spécifique et qui varie selon ses aptitudes et selon son sexe. Mais ces rapports sont pourtant de caractère différent selon le sexe des enfants et selon qu'ils se situent entre le père et les enfants, ou entre la mère et les enfants.

Le tableau suivant indique les attitudes de 30 jeunes gens des deux sexes (ayant leurs parents vivants), envers leurs parents :

Attitudes envers les parents

	Au père	A la mère	Aux deux	Total
A qui demandez-vous des conseils ?	8	15	7	30
Lorsque vous avez une difficulté, lequel de vos parents vous aide le plus ?	5	21	4	30
Quand vous pensez à la famille, lequel de vos parents semble le plus important ?	9	15	6	30

Il semble donc que pour les enfants, les rapports parents-enfants, quoique orientés vers les deux parents, montrent une forte préférence vers la mère. De fait, le contenu émotif des relations familiales semble confirmer qu'il existe de la part des enfants une attitude de confiance et d'attraction vers la mère, et de respect mêlé d'agressivité envers le père. Dans un grand nombre de familles étudiées, la personnalité, les rôles et responsabilités des pères les portaient à être plutôt rigides, plus fermés, plus catégoriques, et plus portés à être autoritaires que le sont les mères. Les enfants, et certainement les adolescents, sont très conscients de la différence dans la qualité des rapports. Le fait que l'autorité du père est presque toujours vue par les enfants comme étant le pouvoir de punir ou de faire des reproches, leur apporte peu d'encouragement à développer des liens affectifs avec lui. Au contraire, le contenu plus émotif de l'attitude de la mère envers ses enfants, son intérêt assidu à leurs problèmes, ses réactions à leurs succès et leurs difficultés, font d'elle la préférée des enfants dans la majorité des familles étudiées.

La différence est spécialement visible dans les rapports père-fils. Ces relations semblent caractérisées par le manque de spontanéité, par le respect formel, où l'admiration alterne avec le rejet de l'autorité paternelle. Ce rejet se combine parfois avec des attitudes d'agressivité assez prononcée, comme dans le cas suivant d'un jeune homme de 19 ans :

> Très tôt, j'ai compris que je devais me débrouiller par moi-même. Mon père m'a fait comprendre que je devais voler par mes propres ailes. Quoiqu'il ait eu « son mot » dans le choix de mes études et de mon travail, il a voulu que je fasse comme lui, que je fasse ma vie. Au fond, j'admire mon père parce que malgré son manque d'éducation, il a bien su « se tirer d'affaire » dans la vie. Mais je ne suis pas « proche » de lui. Je ne lui ai jamais confié mes problèmes. C'est ainsi que je lui ai « annoncé » que je voulais être ingénieur et que je me fiançais. Pourtant mon père n'a pas été despotique ou autoritaire. A part des remarques parce que j'étais rentré tard, il ne m'a jamais imposé une ligne de conduite. C'est simplement que nous ne sommes pas camarades, et que nous avons peu de choses à nous dire.

Au contraire les rapports entre la mère et les fils sont généralement empreints d'une forte émotionnalité, d'un sentiment de préférence, comme l'indique cette entrevue avec un jeune homme de 20 ans, commis de bureau à Montréal :

> Ma mère nous a élevés tous les cinq, mon père étant plutôt intéressé aux résultats qu'à nous surveiller lui-même. C'était elle qui consolait les petits lorsque le père les avait grondés. Elle est la douceur et la contrepartie de la sévérité du père. Par exemple, je l'ai vu supplier le père de ne pas donner une punition physique à un des petits. Pourtant, mon père était tout pour elle. Elle veillait à ce que nous ne le dérangions pas quand il était fatigué. Elle faisait marcher la maison selon les goûts du père, préparant les mets pour lui plutôt que pour les autres. Je crois qu'elle ne voulait pas qu'il soit jaloux de l'attention qu'elle nous donnait.

Le rôle du fils est donc premièrement de se former personnellement le plus rapidement à l'image de son père, mais souvent selon les idées de sa mère. Son attitude envers ses parents est un compromis entre ces deux demandes, l'une pour qu'il acquière l'indépendance et la responsabilité attribuées aux hommes, tandis que l'autre le place encore dans la situation de l'enfant entouré d'affection.

Les attitudes, fonctions et rôles de la fille ne la placent pas dans la même situation que son frère. Comme lui, elle reçoit de sa mère l'attention qui la fait se sentir aimée et voulue. De plus, le comportement de son père est plus « démonstratif » avec les filles qu'avec les fils. Son rôle est de devenir femme, selon le modèle et les idées de sa mère, et l'acquiescement de son père. C'est ainsi que le présente une jeune femme mariée :

> Depuis ma tendre enfance, je me suis sentie heureuse, aimée et voulue. Aussi loin que je m'en souvienne, j'ai toujours été aussi à l'aise avec mon père qu'avec ma mère. Peut-être quelquefois, j'ai senti de la rébellion contre ce que me demandait ma mère : mais un mot, une gentillesse de celle-ci étaient suffisants. Avec mon père j'ai toujours eu un peu peur de perdre son affection, quoiqu'il m'ait toujours montré beaucoup de tendresse. Je n'osais pas lui désobéir de peur de le voir se fâcher.

La différence entre le lien qui rattache le fils et la fille à leurs parents semble aussi permettre une adaptation après le mariage qui normalement résulte en un rapprochement du mari envers la famille de sa femme. L'inverse est beaucoup moins fréquent :

Fréquence de contact après le mariage
(30 famille) (mari et femme)

Qui voyez-vous le plus souvent ?	La famille du mari	La famille de la femme	Total
Le mari	11	19	30
La femme	8	22	30

Le cas suivant d'une jeune mariée indique que la tendance vers la famille de la femme est un problème difficile à résoudre et la cause de beaucoup de tension :

> Je me suis rendu compte, quelques mois après mon mariage, qu'une femme qui se marie s'oblige à un partage. Le rôle d'épouse pour une femme mariée est facilité en autant que son mari aime la famille de son épouse et qu'il est lui-même accepté par la famille de sa femme, et qu'elle est acceptée par sa famille à lui. Mon mari a été bien accueilli par ma famille, mais j'ai senti très vite que ma belle-mère, très possessive envers mon mari, voulait l'éloigner systématiquement de ma famille. La naissance de mes enfants ne fit que compliquer les choses. Mon mari se laissa gagner à certaines décisions suggérées par sa mère qui amenèrent des conflits entre lui et moi. Graduellement, j'en vins à avoir des sentiments d'opposition contre ma belle-mère. Son autorité sur mon mari, ses demandes comme s'il était encore un petit garçon, me choquèrent. A un moment, je la tins responsable de certaines faiblesses dans le caractère de mon mari, son manque de spontanéité et sa manière de se taire à la place de discuter. Maintenant je suis plutôt indifférente envers elle.

Ce qui a beaucoup aidé, c'est que ma mère a traité mon mari comme un fils, avec beaucoup de bonté, et lui a fait sentir qu'il était le bienvenu chez nous.

La différenciation individualisante dans les relations parents-enfants, par laquelle les fils et les filles sont placés dans des situations différentes avec des rôles différents, se retrouve dans les rapports entre frères et soeurs. Dans le cas extrême qui suit, les tendances dans les rapports parents-enfants, se retrouvent dans les rapports entre frères et soeurs :

Jean est le cinquième d'une famille de douze enfants. Selon lui, la position et le sexe de chaque enfant jouent un rôle de premier plan dans leurs relations. Dans sa famille, les enfants se groupent en trois catégories d'âge : d'abord un groupe de 4 garçons entre 35 et 26 ans, ensuite 5 filles entre 25 et 17 ans, et après deux garçons et une fille, la dernière ayant 15 ans. Selon Jean, depuis la mort du père, cette position des naissances « prend tout un sens ». La mère a, peu à peu, perdu son autorité sur la cadette. Les frères aînés se sont partagé le gouvernement du père auprès des jeunes. Les derniers sont de leur temps : ils aiment le *rock'n'roll*, l'un d'eux aime à « trinquer ». Les frères aînés se sentent une mission, un devoir de redresser ces adolescents. Les soeurs sentent que c'est leur responsabilité d'adoucir ce qu'il pourrait y avoir de rigide dans la manière des frères aînés. Par ailleurs, les différences entre les frères et soeurs n'ont jamais donné lieu à des chicanes. Selon Jean, ceci serait dû à l'attitude pacificatrice de la mère. Frères et soeurs mariés se rencontrent chez leur mère et se reçoivent en groupe, périodiquement. Nul des enfants ne déroge à la tradition du « souper de famille » au temps des fêtes. L'anniversaire de naissance de la mère est chose sacrée pour eux, et les aînés aident les cadets dans le choix des cadeaux à faire, ou des fêtes à organiser.

Mais ce n'est pas seulement dans les familles nombreuses que ces caractéristiques se retrouvent. Les rapports d'amitié et d'entraide existent aussi dans les familles ayant 3 ou 4 enfants. Cependant, il semble que dans les familles ayant 2 ou 3 enfants, les rapports entre frères et soeurs ne sont pas si structurés, mais restent à un état moins systématique que dans les familles nombreuses. Dans le cas suivant, les rapports frères-soeurs ne sont pas aussi pleinement structurés que dans le cas précédent :

Des quatre enfants, il ne reste à la maison que trois : une fille de 26 ans et une fille de 20 ans, Jeanne et Madeleine ; et un garçon de 18 ans, Paul. Depuis que Paul est à l'Université, Jeanne et Paul ont de longues conversations portant sur des préoccupations intellectuelles et sur des problèmes personnels. Ils se prêtent mutuellement des livres et en discutent : les cigarettes de l'un sont les cigarettes de l'autre. Certaines prises de bec entre eux sont dues à des attitudes différentes envers les parents, Jeanne prenant la part de la mère, et Paul, la part du père.

Les relations entre Jeanne et Madeleine sont plutôt d'ordre pratique. Elles se divisent la tâche à la maison pour aider leur mère. Les seules fois où elles se « chicanent », c'est parce que l'une a pris les biens de l'autre sans permission. Les relations entre Madeleine et Paul sont du même genre. Madeleine fait souvent les petites réparations aux vêtements de Paul, lui allume le réservoir à eau chaude pour son bain. Une fois par mois, ils vont au cinéma ensemble. De petites « chicanes » éclatent lorsque l'un ne veut pas rendre service à l'autre.

CONCLUSIONS

Selon les informations recueillies, il est possible de présenter les rôles et les fonctions des membres du groupe familial canadien-français selon quatre propositions principales :

1. A cause de la préférence pour la résidence séparée, la vie familiale canadienne-française est de tendance « individualisante » ;
2. L'organisation familiale à l'intérieur du groupe domestique suit une division des activités qui différencient nettement entre les rôles de l'homme et de la femme. La tendance principale est vers la ségrégation des rôles, attribuant l'autorité à l'homme et la responsabilité du bien-être familial à la femme ;
3. Les rapports entre les générations sont aussi structurés par les deux principes de l'individualisation et de la ségrégation des rôles. La mère occupe la place la plus importante dans les rapports parents-enfants du fait qu'elle est le centre affectif de la famille ;
4. Les rapports entre enfants subissent aussi l'influence des principes de différenciation et d'individualisation selon les différences d'âge et de sexe.

Philippe Garigue, *La Vie familiale des Canadiens français*, Paris, PUM/PUF, 1962, p. 40-50.

Seigneurs et Censitaires

LES DEVOIRS DU SEIGNEUR

La seigneurie n'est pas un pur don de l'État pour récompenser un individu, elle n'est pas donnée au seigneur pour le plaisir d'en faire un grand propriétaire terrien : celui qui devient seigneur, devient entrepreneur en peuplement et toute une série de devoirs ont été prévus pour lui.

A. LES DEVOIRS DU SEIGNEUR ENVERS L'ÉTAT

Le seigneur est lié étroitement envers l'État et le premier devoir du seigneur, en prenant possession de son fief, est de faite *acte de foi et hommage* ; il se rend au château du Gouverneur et là, par-devant l'intendant, il se découvre, enlève ses armes, met genou en terre et se déclare vassal du roi. Par cet acte officiel, dont le rite tient de la féodalité, l'État n'entend pas seulement que le seigneur se déclare fidèle sujet, mais que surtout il s'engage d'une façon solennelle à remplir toutes ses obligations de seigneur.

Ensuite, comme la terre lui a été accordée pour fins du peuplement, le seigneur est tenu, à la demande de l'intendant, de présenter un *aveu et dénombrement* de sa seigneurie. Cet aveu et dénombrement, précédé de la déclaration des titres, contient la description de chacune des terres qu'il a concédées, description qui donne les noms des censitaires, l'étendue de ce qui est en culture et les sommes à verser pour cens et rentes. Bref, le seigneur est soumis à une enquête minutieuse de l'État.

Il s'engage, de plus, *à réserver au roi le bois de chêne* qui se trouve dans la seigneurie : ce précieux bois de chêne servira à la construction des navires ; quand le seigneur en découvre, il en avertit l'État et il ne peut en couper un seul pour la vente avant que les « charpentiers du roi » n'aient fait leur visite. Il s'engage aussi à *réserver au roi les mines et minerais* : le fonds appartient au seigneur, mais le tréfonds est au roi.

Enfin, la transmission des seigneuries, autrement qu'en ligne directe est soumise au *droit de quint* : celui qui achète le fief d'un seigneur est tenu d'acquitter une taxe de vente qui équivaut au cinquième de la valeur du fief ; cette taxe est payable à l'État par l'acheteur et non, comme on l'a écrit ici et là, par le vendeur. Elle a pour but, non seulement de rendre plus difficile la spéculation, mais surtout de rendre plus rares les ventes de seigneuries ; celui qui veut acheter une seigneurie qui vaut 10,000 livres, se sentira, sans doute plus gêné s'il doit ajouter en sus 2,000 livres pour la taxe. Le fief a été concédé au seigneur pour qu'il le peuple et non pour en faire commerce.

B. LES DEVOIRS DU SEIGNEUR ENVERS LES CENSITAIRES

Le seigneur est donc lié envers l'État : par-devant l'intendant, il s'engage solennellement à remplir ses obligations ; il est tenu de prouver qu'il établit une population dans son fief ; il doit réserver au roi le bois de chêne et les mines et minerais ; s'il veut spéculer sur la seigneurie, l'acquéreur éventuel aura à faire face au droit de quint. Les devoirs du seigneur ne se limitent pas là ; il reste toute une série de devoirs envers les censitaires.

Le premier de ces devoirs est de *tenir feu et lieu* dans la seigneurie, c'est-à-dire y posséder un manoir habité. Cela ne signifie pas que le seigneur doive habiter là toute l'année, il suffit que le manoir soit habité par quelqu'un de responsable. Dans ce système, les censitaires sont censés avoir besoin d'une présence responsable, celui qui établit une population sur un coin de terre doit se trouver présent par lui-même ou autrement ; d'ailleurs, les censitaires ne sont tenus d'acquitter leurs cens et rentes qu'au manoir et non en un autre endroit.

Le second devoir est celui de *concéder des terres* : défense de vendre des terres en bois debout si elles n'ont pas été d'abord concédées, obligation pour le seigneur, de faire occuper le sol de son fief par des habitants. Ce devoir est même la raison d'être de tout le système. Si un candidat demande une terre, le seigneur ne peut refuser sans raison suffisante ; il délivre donc d'abord un billet de concession, titre temporaire qui va permettre au candidat de faire ses preuves ; plus tard, le candidat obtiendra un contrat de concession en bonne et due forme. Le seigneur refuse-t-il sans raison suffisante ou sans raison aucune, le candidat a recours à l'intendant et celui-ci peut suppléer à la mauvaise volonté du seigneur en concédant la terre demandée. Le seigneur néglige-t-il, d'une façon générale, de concéder des terres, son fief peut être réuni au Domaine. Louis XIV, par ses arrêts de Marly, en 1711, rappelle aux autorités coloniales qu'on devra supprimer toute seigneurie dont on aura négligé l'exploitation. Et cela n'a pas été une vaine menace ; on connaît un grand nombre de ces seigneurs qui ont perdu leurs titres : dans la seule année 1741, dix-huit seigneuries ont été ainsi supprimées.

Le seigneur a un troisième devoir envers ses censitaires, celui de *construire et d'entretenir un moulin à blé* pour les besoins de ses gens. Le seigneur néglige-t-il de remplir ce devoir, l'État intervient encore pour l'y contraindre ; si le seigneur n'en fait rien, l'État autorise un censitaire à construire ce moulin et à percevoir pour lui-même les droits de mouture ; ou encore l'État fait construire le moulin en lui appliquant les rentes que le seigneur se fait tout simplement confisquer. De plus, si le seigneur jouit du droit de justice (c'était le plus souvent la moyenne et basse justice), il est tenu d'établir *une cour seigneuriale* et d'en payer les officiers.

Enfin, notons que dans le domaine des charges publiques, le seigneur est mis exactement sur le pied des censitaires : il doit *contribuer aux cotisations* de l'église et du presbytère ; si l'intendant ordonne une corvée de voirie, le seigneur est tenu de *travailler* aux chemins tout comme un simple censitaire, et c'est le capitaine de milice (un de ses censitaires) qui voit à l'exécution de cette corvée. On est vraiment à mille lieues de la féodalité.

LES DROITS DU SEIGNEUR

Menacé constamment de perdre sa seigneurie s'il ne remplit pas ses devoirs envers l'État ou envers ses censitaires, le seigneur trouve cependant bien des compensations ; il jouit d'un grand nombre de droits qui lui font oublier la servitude de ses obligations.

A. LES DROITS HONORIFIQUES

Dans une société où l'honneur était la récompense la plus fréquente, il convenait d'en accorder le plus possible au seigneur : on lui rend donc des honneurs ecclésiastiques et des honneurs civils.

Comme la vie sociale, dans une seigneurie, est pour ainsi dire toute centrée sur l'église, la plupart des honneurs que reçoit le seigneur sont des honneurs ecclésiastiques. Il a dans l'église un banc gratuit, à l'endroit le plus honorable, donc au premier rang du côté droit, et ce banc a le double de la profondeur des bancs ordinaires. On prie nommément pour lui et pour sa famille aux prières du prône. Il a préséance sur le peuple : après les marguilliers, ou même avant en certains cas, il se fait asperger, il reçoit le pain bénit, les cierges de la Chandeleur, les cendres et les rameaux. Dans les processions, il vient le premier derrière le curé. Il a droit à l'inhumation dans l'église, plus exactement sous le banc seigneurial. Notons encore ici que l'intendant voit constamment à ce que le seigneur jouisse de ses honneurs ecclésiastiques et, en même temps, à ce qu'il n'exige pas au-delà de ses droits.

A ces honneurs s'ajoutent les honneurs civils. Si le seigneur a concédé des arrière-fiefs, il reçoit des titulaires, la foi et hommage, mais peu de seigneurs sont dans ce cas. La plupart doivent se contenter des honneurs civils que leur rendent les censitaires. Ceux-ci plantent le *mai* devant le manoir seigneurial : c'est un sapin ébranché auquel on n'a laissé que le bouquet ; sa plantation, le 1er mai, donne lieu à de grandes réjouissances. Classons aussi parmi ces honneurs civils le *cens*, parce que le cens n'est qu'un symbole par lequel le censitaire reconnaît sa dépendance du seigneur : le taux de ce cens est d'un ou deux sols par arpents de front ; comme les terres concédées n'ont que deux ou trois arpents de front, le censitaire n'avait donc à verser que deux, quatre ou six sols par année, c'est-à-dire, en monnaie d'aujourd'hui, quelque chose comme $0.20 ou $0.30 par année [1]. C'est vraiment un impôt symbolique.

B. LES DROITS ONÉREUX

Les droits onéreux sont plus intéressants pour le seigneur parce qu'ils sont des droits lucratifs. Mais notons encore ici que le seigneur est soumis au contrôle de l'État et qu'il n'est pas libre d'augmenter le taux de ces droits onéreux ; il peut encore moins se donner des droits qui n'ont pas été prévus par le contrat de concession : la Coutume de Paris n'admet aucune servitude sans titre, et c'est un principe que les autorités ne perdent pas de vue.

En tête de ces droits onéreux viennent les *rentes*. Déterminées d'avance dans le contrat de concession, le seigneur n'est pas libre de les augmenter quand il veut. D'une façon assez générale, elles sont de vingt sols par arpent de front, ce qui, pour une terre moyenne (disons trois arpents de front), fait une somme de soixante sols par année (ou en argent d'aujourd'hui, environ $3.00) pour une terre reçue gratuitement. Ces rentes peuvent varier d'une seigneurie à l'autre ; par exemple : aux Éboulements, elles sont de dix sols, plus la moitié d'un chapon par arpent de front ; dans La Durantaye, de six livres (environ $6.00) par an, mais, en aucun cas, elles ne peuvent être autres que celles du contrat de concession.

Le seigneur jouit aussi du droit de *lods et ventes*. De même que l'acquéreur d'une seigneurie doit verser à l'État l'impôt du quint, de même l'acquéreur d'une terre doit remettre au seigneur les lods et ventes : celui donc qui achète la terre d'un censitaire se voit imposer une taxe qui est d'ordinaire le douzième de la valeur de cette terre. Comme le quint, les lods et ventes ont pour but de rendre plus difficile la mutation des terres, car le sol a été donné au censitaire non pour spéculer, mais pour en faire l'exploitation. A ces lods et ventes se rattache

1. En comparant le pouvoir d'achat du dollar de 1952 à celui de la livre de 1741 et de 1761, nous constatons que la livre vaut, en somme, notre dollar et que, par conséquent, le sol équivaut à peu près à notre $0.05. (Le dollar de 1974 ne valant plus que $0.54 par rapport au dollar de 1972, la livre vaudrait aujourd'hui près de 2 dollars.)

le *droit de retrait* : si un censitaire vend son domaine à un prix trop bas, ce sera au préjudice des lods et ventes ; le seigneur peut donc, dans les quarante jours, se porter acquéreur en acquittant lui-même le prix d'achat.

Le devoir qu'a le seigneur de construire et d'entretenir un moulin à blé lui permet de profiter du *droit de mouture* : chaque fois qu'un censitaire vient faire moudre ses grains au moulin banal, il est obligé d'y laisser le quatorzième minot ; cette recette permet au moins de défrayer l'entretien du moulin et le service du meunier.

Le seigneur impose des *corvées*. Sur ces corvées, on a écrit bien des exagérations, sans doute parce que, confondant le régime seigneurial de la Nouvelle-France avec la féodalité, on a pensé que le censitaire était corvéable à merci. Ici le nombre des jours de corvée est exactement prévu dans le contrat de concession, et ce nombre est très limité. Il est de trois jours par année, de quatre au plus ; les censitaires font une journée de corvée à l'époque des semailles, une deuxième dans le temps des foins, une troisième au moment de la récolte, une quatrième (si cette dernière est prévue dans le contrat) aux travaux des guérets. Le censitaire reste toujours libre de s'en dispenser moyennant quarante sols par jour de corvée (environ $2.00 de nos jours). Trois ou quatre jours de corvée par an n'ont rien d'excessif pour l'époque, et nous avons vu plus haut que, lorsqu'il s'agit de corvée de voirie, le seigneur est corvéable comme tout le monde.

D'autres droits onéreux viennent parfois s'ajouter à ces précédents. Le seigneur a pu, pendant un certain temps, se réserver le *droit de couper son bois* de construction et même son bois de chauffage dans les boisés de ses censitaires. Ici encore, l'État intervient pour limiter ce droit à un arpent par habitation de soixante, mais l'État finit par trouver odieux ce droit de coupe et ne permet plus de l'insérer dans les nouveaux contrats. Le seigneur peut se *réserver la pêche* sur la devanture des terres concédées : si un censitaire veut faire la pêche, le seigneur peut exiger, selon le contrat, quatre barriques d'anguilles par an, le dixième des marsouins, le vingtième ou même le onzième poisson. Si le seigneur accorde une commune où les habitants feront paître leurs bestiaux, il peut réclamer une *redevance de commune* : à Boucherville, par exemple, cette redevance était de sept livres (ou environ $7.00 de nos jours) et d'un demi-quart de minot de blé par an. Enfin, le seigneur peut *réunir à la seigneurie* une terre concédée qui n'a pas été exploitée, mais cette réunion ne peut se faire que sur l'intervention de l'intendant[2].

---

2. En vertu de la Coutume de Paris, le seigneur pouvait exercer un autre droit, celui du four banal : les censitaires devaient y aller faire cuire leur pain et acquitter le droit de fournage, c'est-à-dire remettre au seigneur le vingt-quatrième pain ; mais la banalité du four n'a pas été en vigueur en Nouvelle-France. Quand l'intendant Raudot en demande l'abolition, c'est qu'il craint que les seigneurs viennent à l'exiger un jour ou l'autre.

En somme, en ne tenant compte que des droits onéreux généralement en vigueur dans les seigneuries, nous pouvons calculer que le censitaire, détenteur d'une terre moyenne de trois arpents par quarante, est soumis aux droits suivants :

cens	6 sols ou environ $0.30 de notre monnaie ;
rentes	60 sols ou environ $3.00 ;
droit de mouture	14 minots de blé environ sur 200 minots ;
corvée	3 jours par an.

En évaluant le minot de blé à quatre livres et la journée de corvée à deux livres, nous arrivons au total de soixante-cinq livres six sols que le censitaire doit verser chaque année au seigneur, soit un montant d'environ $65.30 de nos jours : en retour de ce montant, le censitaire jouit d'une terre de trois arpents par quarante, il fait moudre tout son blé et il profite de toute la sécurité que lui procure la société seigneuriale.

LES DROITS ET DEVOIRS DU CENSITAIRE

Les droits du censitaire sont identiques aux devoirs du seigneur : le manoir habité, la concession des terres, le moulin à blé, le tribunal de justice et la contribution du seigneur aux cotisations sont autant d'avantages que le possesseur du fief est tenu d'assurer à ses gens et que ceux-ci peuvent réclamer de l'intendant si le seigneur manque à ses devoirs. A son tour, le censitaire est lié par des devoirs : il doit tenir feu et lieu sur sa terre, il doit acquitter ses redevances en allant lui-même les porter au manoir, d'ordinaire à la Saint-Martin (11 novembre) ; il doit montrer ses titres sur demande, défricher sa terre, donner le découvert à ses voisins, souffrir les chemins qui sont nécessaires à la communauté ; s'il achète une terre il doit payer au seigneur les lods et ventes. De même que les droits des censitaires sont assurés par des sanctions de l'État, de même aussi leurs devoirs : si le censitaire ne tient pas feu et lieu, sa terre peut être réunie à la seigneurie : de 1727 à 1730, l'intendant Hocquart a réuni plus de deux cents de ces terres ; s'il ne paie pas ses redevances, le censitaire peut subir une saisie dans ses biens et même se faire enlever sa terre. Dans chacun de ces cas, cependant, l'intervention de l'intendant est nécessaire : elle a pour effet de modérer un seigneur trop pressant ou de vaincre l'entêtement d'un censitaire récalcitrant ; elle protège les uns contre les autres.

Marcel Trudel, *Le Régime seigneurial*, Ottawa, Soc. hist. du Canada, brochure no 6, 1963, p. 9-15.

Le comique de caractère

I

Convaincu que le rire a une signification et une portée sociales, que le comique exprime avant tout une certaine inadaptation particulière de la personne à la société, qu'il n'y a de comique enfin que l'homme, c'est l'homme, c'est le caractère que nous avons visé d'abord. La difficulté était bien plutôt alors d'expliquer comment il nous arrive de rire d'autre chose que d'un caractère, et par quels subtils prénomènes d'imprégnation, de combinaison ou de mélange, le comique peut s'insinuer dans un simple mouvement, dans une situation impersonnelle, dans une phrase indépendante. Tel est le travail que nous avons fait jusqu'ici. Nous nous donnions le métal pur, et nos efforts ne tendaient qu'à reconstituer le minerai. Mais c'est le métal lui-même que nous allons étudier maintenant. Rien ne sera plus facile, car nous avons affaire cette fois à un élément simple. Regardons-le de près, et voyons comment il réagit à tout le reste.

Il y a des états d'âme, disions-nous, dont on s'émeut dès qu'on les connaît, des joies et des tristesses avec lesquelles on sympathise, des passions et des vices qui provoquent l'étonnement douloureux, ou la terreur, ou la pitié chez ceux qui les contemplent, enfin des sentiments qui se prolongent d'âme en âme par des résonances sentimentales. Tout cela intéresse l'essentiel de la vie. Tout cela est sérieux, parfois même tragique. Où la personne d'autrui cesse de nous émouvoir, là seulement peut commencer la comédie. Et elle commence avec ce qu'on pourrait appeler *le raidissement contre la vie sociale.* Est comique le personnage qui suit automatiquement son chemin sans se soucier de prendre contact

---

Bergson, Henri, « Le Rire », in *Oeuvres,* Paris P.U.F., 1959, p. 450-453.

avec les autres. Le rire est là pour corriger sa distraction et pour le tirer de son rêve. S'il est permis de comparer aux petites choses les grandes, nous rappellerons ici ce qui se passe à l'entrée de nos Écoles. Quand le candidat a franchi les redoutables épreuves de l'examen, il lui reste à en affronter d'autres, celles que ses camarades plus anciens lui préparent pour le former à la société nouvelle où il pénètre et, comme ils disent, pour lui assouplir le caractère. Toute petite société qui se forme au sein de la grande est portée ainsi, par un vague instinct, à inventer un mode de correction et d'assouplissement pour la raideur des habitudes contractées ailleurs et qu'il va falloir modifier. La société proprement dite ne procède pas autrement. Il faut que chacun de ses membres reste attentif à ce qui l'environne, se modèle sur l'entourage, évite enfin de s'enfermer dans son caractère ainsi que dans une tour d'ivoire. Et c'est pourquoi elle fait planer sur chacun, sinon la menace d'une correction, du moins la perspective d'une humiliation qui, pour être légère, n'en est pas moins redoutée. Telle doit être la fonction du rire. Toujours un peu humiliant pour celui qui en est l'objet, le rire est véritablement une espèce de brimade sociale.

De là le caractère équivoque du comique. Il n'appartient ni tout à fait à l'art, ni tout à fait à la vie. D'un côté les personnages de la vie réelle ne nous feraient pas rire si nous n'étions capables d'assister à leurs démarches comme à un spectacle que nous regardons du haut de notre loge ; ils ne sont comiques à nos yeux que parce qu'ils nous donnent la comédie. Mais, d'autre part, même au théâtre, le plaisir de rire n'est pas un plaisir pur, je veux dire un plaisir exclusivement esthétique, absolument désintéressé. Il s'y mêle une arrière-pensée que la société a pour nous quand nous ne l'avons pas nous-mêmes. Il y entre l'intention inavouée d'humilier, et par là, il est vrai, de corriger tout au moins, extérieurement. C'est pourquoi la comédie est bien plus près de la vie réelle que le drame. Plus un drame a de grandeur, plus profonde est l'élaboration à laquelle le poète a dû soumettre la réalité pour en dégager le tragique à l'état pur. Au contraire, c'est dans ses formes inférieures seulement, c'est dans le vaudeville et la farce, que la comédie tranche sur le réel : plus elle s'élève, plus elle tend à se confondre avec la vie, et il y a des scènes de la vie réelle qui sont si voisines de la haute comédie que le théâtre pourrait se les approprier sans y changer un mot.

Il suit de là que les éléments du caractère comique seront les mêmes au théâtre et dans la vie. Quels sont-ils ? Nous n'aurons pas de peine à les déduire.

On a souvent dit que les défauts *légers* de nos semblables sont ceux qui nous font rire. Je reconnais qu'il y a une large part de vérité dans cette opinion, et néanmoins je ne puis la croire tout à fait exacte. D'abord, en matière de défauts, la limite est malaisée à tracer entre le léger et le grave : peut-être n'est-ce pas parce qu'un défaut est léger qu'il nous fait rire, mais parce qu'il nous fait rire que nous le trouvons léger, rien ne désarme comme le rire. Mais on peut aller plus loin, et soutenir qu'il y a des défauts dont nous rions tout en les sachant graves : par exemple l'avarice d'Harpagon. Et enfin il faut bien s'avouer, — quoiqu'il en coûte un peu de le dire, — que nous ne rions pas seulement des défauts de nos semblables, mais aussi, quelquefois, de leurs qualités. Nous rions d'Alceste. On dira que ce n'est pas l'honnêteté d'Alceste qui est comique, mais la forme particulière que l'honnêteté prend chez lui et, en somme, un certain travers qui nous la gâte. Je le veux bien, mais il n'en est pas moins vrai que ce travers d'Alceste, dont nous rions, *rend son honnêteté risible*, et c'est là le point important. Concluons donc enfin que le comique n'est pas toujours l'indice d'un défaut, au sens moral du mot, et que si l'on tient à y voir un défaut, et un défaut léger, il faudra indiquer à quel signe précis se distingue ici le léger du grave.

La vérité est que le personnage comique peut, à la rigueur, être en règle avec la stricte morale. Il lui reste seulement à se mettre en règle avec la société. Le caractère d'Alceste est celui d'un parfait honnête homme. Mais il est insociable, et par là même comique. Un vice souple serait moins facile à ridiculiser qu'une vertu inflexible. C'est la *raideur* qui est suspecte à la société. C'est donc la raideur d'Alceste qui nous fait rire, quoique cette raideur soit ici honnêteté. Quiconque s'isole s'expose au ridicule, parce que le comique est fait, en grande partie, de cet isolement même. Ainsi s'explique que le comique soit si souvent relatif aux moeurs, aux idées, — tranchons le mot, aux préjugés d'une société.

Toutefois il faut bien reconnaître, à l'honneur de l'humanité, que l'idéal social et l'idéal moral ne diffèrent pas essentiellement. Nous pouvons donc admettre qu'en règle générale ce sont bien les défauts d'autrui qui nous font rire, — quittes à ajouter, il est vrai, que ces défauts nous font rire en raison de leur *insociabilité* plutôt que de leur *immoralité*.

Le droit punitif

Les particularités du droit populaire oral et du droit officiel écrit se précisent davantage en étudiant la différence qui existe entre les sanctions qu'ils imposent. Les sanctions du droit populaire ne sont propres qu'à lui. Elles sont nées souvent de la croyance religieuse où surnagent des supertitions qui remontent à l'Antiquité. « En France, affirme Gabriel Lebras,[1] dans le clergé rural, la plupart des curés ignorent la superstition qu'ils abandonnent au folklore. » Au contraire, ici, la religion s'accommode des superstitions. Le naturel s'amalgame si bien au surnaturel que les manifestations de la foi sont en même temps souvent celles de l'inconscient. Le chrétien, qui délivre l'âme du revenant, vainc en même temps sa peur instinctive de la mort.

La sanction populaire quelquefois s'adapte à la sanction officielle. Ainsi, avant l'existence des tribunaux, un homme mis en disgrâce par la communauté à cause d'une conduite indigne, était obligé de prendre le « chemin de l'exil », c'est-à-dire d'aller vivre ailleurs, dans un autre lieu, lequel peut maintenant être le pénitencier de St-Vincent de Paul. On continue quand même à dire qu'il est parti en exil.

---

1. *Etude de sociologie religieuse* de LE BRAS ; Gabriel, Presses universitaires de France — 1955.

Madeleine Ferron et Robert Cliche, *Quand le peuple fait la loi,* Montréal, Hurtubise/HMH, 1972, p. 89-103.

Devait aussi « s'exiler » celui qui ne payait pas ses dettes. Comme l'explique le curé Wilfrid Roy dans la monographie de Saint-Magloire : « Un homme part sans payer ses dettes ; la honte l'empêche de revenir dans la paroisse. Il se trouve ainsi exilé. »

On voit quelquefois double sanction, la sanction officielle n'annulant pas toujours la sanction populaire. Ainsi quelqu'un qui pille les troncs à l'église encourt la réprobation générale même si plus tard, il satisfait à une condamnation du tribunal.

Il existe plusieurs modes de sanction que nous répartissons en trois classes : la sanction mystique, la sanction éthique et la sanction satirique.

La sanction mystique : la religion repose sur des textes écrits statiques. Cela devrait donc l'opposer à la loi populaire qui est orale, donc modifiable. Il n'en est rien. L'interprétation des textes sacrés n'était pas rigoureuse : les membres du clergé rural, issus de la classe paysanne, n'avaient pas renoncé aux croyances religieuses archaïques qui, si elles appartiennent encore à la sphère de la religiosité, tombent plutôt dans le domaine du merveilleux. Il devient ainsi compréhensible que des sanctions profanes punissent sur terre des péchés qui, d'une façon orthodoxe, sont expiables dans l'au-delà. Ainsi ont vécu le loup-garou et le feu-follet. Ce dernier était réservé aux mécréants condamnés à « revenir » après leur mort sous la forme d'une flamme qui « dansait » dans le cimetière ou dans les marécages au bord de la rivière.

Le loup-garou était ce pécheur qui, pour avoir omis « de faire ses pâques », était condamné à errer la nuit sous la forme d'une bête.[2] Le loup-garou « courait les chemins » jusqu'à ce qu'un passant consente à le délivrer en le piquant au front dans la tache blanche caractéristique. Il ne réussissait souvent qu'après un long corps-à-corps. Délivrer ainsi un concitoyen nécessitait un courage et un sang-froid exceptionnel. Il arriva certainement que des hommes aient eu à lutter contre des bêtes réelles puisque le fait se produit encore.

La lycanthropie se meurt. Ses dernières lettres de créance lui furent retirées à la découverte de l'électricité. En éclairant les rues et les maisons, on tua plusieurs personnages troublants de la nuit. Ces mutations étranges discontinuées, certains péchés n'en continuèrent pas moins à encourir des sanctions terrestres. Les sermons des retraites paroissiales étaient une longue énumération des châtiments possibles. Le blasphémateur risquait l'incendie de sa maison, le libertin était menacé de « pourrir debout » et l'anti-clérical d'être frappé dans sa descendance.

---

2. Alors que le loup-garou est ordinairement un loup comme son nom l'indique, ici on le rencontre sous la forme d'un petit boeuf ou d'un veau, projection d'une société agricole.

La quête, faite il y a quelques années pour le Grand Séminaire de Québec, eut un résultat inespéré qui n'était pas dû seulement à la générosité des fidèles. Un récalcitrant, qui refusa de payer, n'en fut pas pour autant enrichi, son moulin à bois fut détruit par un incendie.

Si enfreindre une loi religieuse entraînait un châtiment terrestre, par ailleurs, la contrainte sociale se manifestait souvent par des interdits religieux. Le confesseur refusait l'absolution au vendeur de boissons enivrantes. On refusait également, nous affirme un informateur sérieux, la communion aux femmes qui « portaient des culottes sous leurs jupes. » (Peut-être ne pourrait-on voir dans cet interdit qu'une simple complicité masculine !)

Si une faute commise envers la communauté était passible de sanction mystique, l'était aussi la faute commise envers un individu.

La valeur donnée au droit de propriété rend sérieuses les conséquences d'un vol. Quelqu'un qui meurt sans avoir remboursé le fruit du vol est condamné à venir manifester son repentir aussi longtemps qu'il ne lui sera pas fait remise du montant ou de l'objet volé. Nous connaissons, par ouï-dire, des revenants qui ont mis longtemps à faire comprendre le but de leurs visites nocturnes, et par le fait même, à être délivrés de leurs peines.

La grande menace qui puisse se proférer contre quelqu'un, à qui on ne reconnaît pas moralement devoir une somme qu'il nous demande légalement est celle-ci : « Je lui paye mais ne lui donne pas ». On condamne ainsi ce créancier malhonnête, après sa mort, à un règlement de compte qui complique, il nous semble, l'entrée au paradis. Nous sommes surpris et amusés de constater que dans ces cas, la puissance de Dieu est subordonnée à la réparation. Dieu a peut-être pardonné au défunt (surtout si ce dernier a reçu les derniers sacrements) mais son pardon est conditionnel : il ne peut pas ouvrir les portes du paradis si la victime n'a pas, au préalable, fait remise de la dette ou du larcin. L'autorité de Dieu est secondaire.

Si Dieu n'est pas le juge suprême dans les conflits de conscience, le magistrat ne l'est pas non plus dans un procès. Un citoyen qui, en perdant une cause, se croit spolié, ne considère pas sa défaite comme définitive. Il fera savoir à l'adversaire qui a « forcé la vérité » qu'il accepte le verdict, qu'il paye le montant réclamé « mais ne le donne pas ». Il oblige ainsi son adversaire à venir lui demander pardon après sa mort, faisant ainsi la preuve que le jugement rendu à l'issue du procès n'était pas juste.

La sanction mystique est également prévue pour protéger l'autorité des prêtres. La désobéissance, le manque de respect sont des fautes passibles de châtiments terrestres, de maladies, voire d'infirmités. Ainsi le veulent les dictons suivants : « Les boutons de soutane se digèrent mal » et « Qui mange du prêtre en meurt ». La prédication de l'Oblat Z. Lacasse est catégorique. « Celui qui touche à mon prêtre me touche à la prunelle de l'oeil, dit Notre-Seigneur. Il y a deux espèces d'hommes que le bon Dieu frappe ici-bas : ceux qui tiennent auberge malgré leur curé et ceux qui parlent mal des prêtres. Que sont devenus un tel et un tel qui ont traité leurs curés de voleur ? Eux ou leurs enfants sont au pénitencier. Qu'est-il arrivé à cet homme ou à cette femme qui faisait courir tant de vilains bruits sur tel prêtre ? Leur fille est disparue traînant avec elle le boulet de l'ignominie et du déshonneur qu'elle devra porter jusqu'au tombeau. »

Même si, depuis Vatican II, les prédications comme celles de Z. Lacasse sont devenues très rares, on garde envers le prêtre un respect mêlé de crainte. Il ne faut pas oublier que l'homme de nos sociétés traditionnelles est essentiellement religieux. Le prêtre, intermédiaire entre Dieu et les hommes, est un être sacré. Il est normal qu'on lui prête des pouvoirs supra-naturels.

Pour protéger la paix de leurs vieux jours, les parents avaient fait de la piété filiale, une vertu exigeante. Les péchés contre elle étaient punis sur terre. L'énoncé premier est qu'on reçoit de ses enfants les mêmes traitements que l'on a fait subir à ses parents. Personne n'ignore l'histoire de l'écuelle de bois.

Il y a quelques années encore, « placer » ses vieux parents dans un refuge ou un hospice, c'était prendre une décision qui comportait des risques. Un homme qui avait « placé son père » s'était, par la suite, fait tuer accidentellement. Nous avons alors entendu cette réflexion : « C'est sans doute le vieux qui veut reprendre sa place ». Depuis la construction du foyer local, bâti en 1964 grâce aux dons de la collectivité, la mentalité a changé. Y être pensionnaire n'est plus un abandon mais un choix.

o o o

La sanction éthique. Elle se manifeste dans de nombreuses circonstances. Elle peut, ou consister à exclure une personne de la communauté par la réprobation générale, ou à la « marquer » par le blâme. Quelqu'un, qui aurait été la cause d'un scandale ou qui se serait rendu coupable d'un délit envers la communauté, se verra exclu des groupes (on ne l'invite plus) ou banni à tout jamais d'une fonction publique.

On peut ajouter ici les dictons sentencieux qui sont ou réformateurs ou menaçants : « Farine du diable tourne en son. » « Vendre de la boisson c'est pas chanceux. » « Vieux garçon, vieux cochon. » « Quand une rivière grossit, son eau se salit. » Ce dernier dicton s'applique surtout aux commerçants qui acquièrent trop vite la fortune, ce qui est toujours suspect aux yeux des habitants. Le vrai cultivateur n'étale jamais sa richesse, amassée à force d'économie et de travail. Il vit simplement, en conformité avec son milieu et préfère faire pitié plutôt qu'envie ; cette attitude modeste éloigne la jalousie et partant, la malveillance qui attire les sorts. Par ce fait même le « sort » est une sanction qui punit l'orgueil. Il stimule aussi la charité : Un quêteux injustement traité se vengeait en « jetant des sorts ».

En général, le « sort », est l'arme des envieux et des jaloux. Pour ne pas provoquer ces derniers, il vaut mieux ne pas se vanter du rendement de sa terre. Si les érables coulent abondamment, on dira que l'eau n'est pas sucrée ! Deux grosses récoltes successives appauvrissent le sol ! Au cours d'un procès, où il doit parler de son gain, un cultivateur donnera comme revenu annuel les économies qu'il a faites. Cette attitude si ancrée, cette mentalité si profonde, faussent sur plusieurs points, nous semble-t-il, le résultat de certaines enquêtes gouvernementales.

La ferveur nouvelle que nous remarquons pour les sciences occultes nous prouve le degré de leur enracinement dans l'esprit humain. Croire au sort c'est croire à la puissance occulte, au magnétisme maléfique de certains individus. Heureusement, un magnétisme bénéfique peut aussi opérer. Il donne lieu à des pratiques mystérieuses, appelées contre-sorts. Parmi les principaux, il y a l'exorcisme et la conjuration. Pour conjurer les poux, les sauterelles ou les rats on peut demander l'aide d'une personne dont la force magnétique est reconnue. Il s'agit habituellement d'un homme reconnu pour sa piété. On peut aussi s'adresser à l'Église. (Des prières et des processions sont prévues dans la liturgie.)

Par ailleurs, si on est confiant en sa propre force « on peut retourner un sort » contre celui qui en est l'auteur. Encore faut-il le connaître. L'identification est possible si le sort est jeté contre une bête. On bat l'animal et les coups sont perçus par celui qui exerce l'influence maléfique. Quand il ne pourra plus supporter la douleur qui lui est ainsi infligée, il se présentera sous un prétexte quelconque pour essayer d'arrêter la bastonnade. Il dévoilera ainsi son identité.

Parmi les sanctions éthiques, nous classerons la « réparation d'honneur ».

Quand s'élève une querelle qui se développe jusqu'à la phase dramatique où s'échangent les injures, les témoins présents décident qui est « l'outrageux » et le coupable doit le dimanche suivant, sur le perron de l'église, à la grand-messe, faire à haute voix « réparation d'honneur ». Pour sauver le parent ou l'ami de l'humiliation, les proches entourent le coupable et parlent très fort afin que la confession soit la plus discrète possible.

Nous avons été témoins de deux réparations d'honneur mais elles deviennent rares puisqu'aujourd'hui on peut se servir des tribunaux pour laver une injure. A moins qu'on ne préfère une justice expéditive : les coups et les injures sont alors échangés en nombre égal et avec une violence équivalente qui les neutralise. C'est la compensation d'injures.

Au chapitre des sanctions éthiques, nous notons le charivari : c'est un concert burlesque et tumultueux, un vacarme nocturne. On assiège la maison d'une personne ayant ou voulant contracter un mariage jugé inconvenant. C'est un veuf qui se remarie trop tôt, une veuve qui convole trop souvent. Ce peut être aussi un mariage « déclassé », l'éducation, la fortune, l'âge des conjoints étant disproportionnés.

Le charivari ne se pratique plus beaucoup. Les moeurs devenues moins sévères diminuent les interdits. Quand il a lieu, le charivari se modernise. Le dernier dont nous fûmes témoins était fort tumultueux : le bruit strident de plusieurs scies mécaniques dans le silence percutant de la nuit a un effet sonore étonnant. Ce charivari soulignait l'inconvenance du mariage d'un homme de 72 ans après un veuvage de trois courts mois. Le vieux eut beau avouer que la continence lui était un supplice qu'il ne pouvait endurer, qu'il préférait le remariage au péché mortel, ses descendants s'en trouvèrent quand même offensés. Ils préférèrent leur honneur au salut éternel de leur aïeul à qui ils firent un charivari.

L'enterrement de vie de garçon fait partie des sanctions. Un jeune homme qui abandonne le célibat doit subir des brimades publiques. On le punit d'abandonner sa vie de garçon pour des raisons que les manifestants ne comprennent plus ; c'est la répétition d'une tradition archaïque qui n'a plus maintenant de signification et prend souvent l'allure d'un défoulement collectif d'instincts sadiques.

Dans les sociétés archaïques, les jeunes gens avaient un rôle important.[3] Ils constituaient l'essentiel de la force militaire de la communauté qu'ils défendaient contre des intrus, des pilleurs. Ils constituaient un tribunal de justice qui veillait aux bonnes moeurs et faisait respecter les droits propres aux catégories d'âges. Ils organisaient les fêtes patronales, etc. etc. On leur faisait payer par des brimades publiques l'abandon d'un poste aussi important.

Dans la Beauce, au sein de notre société traditionnelle, les jeunes hommes avaient aussi un rôle. Il se battaient pour venger l'honneur de leur père, organisaient les charivaris et les tours. Ils constituaient la cavalcade qui allait audevant de l'évêque pour l'accueillir à l'occasion de sa tournée pastorale. Ce rôle, les jeunes hommes pouvaient l'abandonner sans qu'il y ait manifestation. Il est bien étrange de constater que la mémoire collective inconsciente a fait remonter, à la surface, l'enterrement de vie de garçon au moment où le rôle du jeune homme n'a plus aucune importance.

Le sobriquet : au lieu d'utiliser le prénom et le patronyme pour désigner un individu ou une famille, il est courant d'employer un surnom ou sobriquet. C'est premièrement pour différencier entre eux les membres trop nombreux d'une même famille.

---

3. André Varagnac : *Civilisation traditionnelle et genres de vie.* Paris, Michel (cl. 1948).

Quand la paroisse comptait quatre mille personnes au début du siècle, on n'y relevait que vingt-deux patronymes. Il n'y aurait pas eu de problème si chaque famille avait fait un effort d'imagination pour varier les prénoms. Au contraire, une famille adoptait un prénom et le répétait avec une insistance dont les raisons sont imprécises. Ainsi quatre cousins Cliche portaient en même temps le prénom de Vital. Le premier devint Vital à Catoche (surnom de son aïeul). Le deuxième, Vital à Pierrette (surnom de son aïeul). Le troisième Vital à Baneau (surnom de son père). Le quatrième Vital dit Vainqueur (traits caractéristiques).

Il y a plusieurs catégories dans le blason populaire. Il serait trop long et hors de propos de les mentionner au complet. Disons seulement que le sobriquet peut rappeler un événement cocasse : Turmel-la-poche évoque l'image d'un aïeul qui, pour aller courtiser une veuve, protégeait son incognito en se couvrant la tête d'une poche. Le sobriquet souligne parfois une particularité physique : les Marsouins Lessard étaient nets, la peau reluisante de propreté, les cheveux lisses soigneusement plaqués.

Le surnom naît aussi d'une déformation de prénom. Les « Quenons Lessard » sont les descendants d'Etienne-Equienne-Quiene-Quenon Lessard. D'autres surnoms rappellent le métier : Roue-plate Cliche était charron — ou une caractéristique accentuée : Trou-de-cul-sur-le-dos.

Le sobriquet qui se rattache à notre sujet est celui qui est châtiment, punition ou vengeance collective. Ainsi le surnom « La Crasse » condamnait la malhonnêteté d'une famille. « Graissette », l'avarice d'une autre. Les « Pisse-fin » étaient trop fiers, les « Pisse-dret », intransigeants, etc. etc.

Il arrive quelquefois que le sobriquet réprobateur s'anoblisse ! Nous pensons en particulier à Thérèse Bellehumeur, qui, parce qu'elle « recevait les hommes » devint Thérèse Beau-trou. Par extension, la rue où elle habitait s'appelait la rue Thérèse Beau-trou, rue qui est inscrite maintenant sur le registre du village sous le nom de rue Sainte-Thérèse.

La satire à l'endroit d'un groupe peut aussi se manifester sous forme d'histoires. Les plus courantes s'exerçaient contre les avocats et les maîtresses d'école et trouvaient infailliblement un auditoire complaisant. La connaissance de la loi officielle était apportée par les hommes de loi et celle de l'écriture par les maîtresses d'école ; on comprendra facilement que, tout en leur étant reconnaissant de ces sciences nouvelles, le peuple, instinctivement, s'opposait par la satire à la lutte ainsi faite à leur science propre : la loi populaire. Maintenant, les « histoires » ont pour cible les médecins, la sexualité et la politique. Ex : Les « cent mille emplois » promis par Robert Bourassa, par un humour sceptique, ont pris une signification érotique et sont devenus « les cent mille positions ».

Il est évident que notre mentalité commune se transforme, mais en passant d'un âge à un autre, nous n'abandonnons pas toutes nos façons de faire et de vivre. Il serait intéressant dans quelques années de dresser l'inventaire du folklore de la moto-neige. Déjà des coutumes s'établissent, des interdits se dessinent. Peut-être y retrouverons-nous certaines traditions archaïques comme celles que nous avons cru reconnaître en assistant à un souper du club Richelieu. Pendant le repas, sont soumis à une amende, les nouveaux mariés, les nouveaux venus, ceux qui ont fait un achat important, des réparations à leur maison, un voyage, etc. etc. Nous remarquons que dans les sociétés archaïques de France, on amassait des fonds de la même façon, chez les gens mariés, en se servant des mêmes motifs. Une différence existe dans la destination de la collecte. Autrefois elle servait à défrayer le coût des réjouissances collectives alors que chez les membres des clubs Rotary et Richelieu, les amendes sont destinées aux bonnes oeuvres. Elles sont de plus prélevées à l'occasion de réjouissances qui réunissent tous les membres d'un club. Et la sanction n'est pas sans flatter la vanité de l'individu taxé ou pénalisé.

Moralisme, naturisme et pragmatisme

On pourrait synthétiser l'essence de la révolution culturelle des jeunes Québécois de la manière suivante. Elle tiendrait dans un combat à mort les trois Horaces du moralisme, du naturisme et du pragmatisme contre les trois Curiaces du cynisme, de l'artificialisme et de l'opportunisme. On a souvent parlé du fossé qui sépare les jeunes générations des anciennes, des conflits aigus qui s'élèvent entre la mentalité nouvelle et la mentalité traditionnelle. Le fond du problème, je crois, réside dans le fait que le sur-moi indépendantiste met actuellement en relief trois attitudes : le moralisme, le naturalisme et le pragmatisme, qui entrent directement en opposition avec celles qui inspirent un grand nombre d'adultes dans leur vie économique, sociale et politique : le cynisme, l'artificialisme et l'opportunisme.

Le moralisme est surtout souligné par l'idéologie radicale et militantiste. Engagée plus intellectuellement dans l'action sociale et politique, elle a besoin de valeurs ou de principes plus purs, de normes plus nettes et plus contraignantes, d'objectifs plus vastes et plus significatifs. Elle abhorre donc le compromis sous toutes ses formes. L'idéal doit triompher dans toute sa splendeur, sa justice et sa sincérité. Pour y arriver, il faut marcher en droite ligne, avec courage, intégrité et dévouement absolu à la cause. Une telle idéologie, essentiellement moraliste, attirerait des types d'homme à la Proudhon et s'incarnerait surtout dans des petits groupes ou cellules du genre du Front de libération du Québec (FLQ) ou du Front de libération populaire (FLP). Ce moralisme veut en finir avec

---

Lazure, Jacques, *La Jeunesse du Québec en révolution*, Montréal, P.U.Q., 1970, p. 136-138.

le cynisme des adultes qui bafoue les règles les plus élémentaires de la justice, surtout lorsqu'il s'agit des pauvres et des faibles. En vertu du pouvoir qu'il détient, l'adulte cynique défend l'ordre établi, même si ce dernier implique un désordre profond, et gagne sa cause par la violence mentale et psychique, par le viol des consciences et de la morale, au nom de la loi positive. *Summum jus, summa injuria.* C'est contre cette injustice cynique que se bat le moralisme radical, au fond essentiellement pacifiste, même au coeur de la violence physique qu'il peut utiliser.

Le naturisme relève davantage de l'idéologie libertaire et anarchique. Celle-ci veut secouer les chaînes trop pesantes et trop blessantes du conformisme social. Elle désire se libérer du rouleau compresseur de la société technocratique et bureaucratique à outrance. Voilà pourquoi elle aime à retrouver la nature sauvage, brute, sans fard ni masque (c'est, par exemple, le sens profond de la tendance des filles de type libertaire à ne pas utiliser de *make up*). L'idéologie libertaire veut redécouvrir la liberté de vie, la spontanéité d'action, le pouvoir créateur de la jouissance et de l'amour. Le naturisme qu'elle professe s'inscrit donc en faux contre l'artificialisme « rond-de-cuir » de l'adulte ouvrier, ou fonctionnaire, ou technocrate, ou *organization man*, soumis à la machine bureaucratique ou à l'ordinateur qui le manipule et de qui il devra attendre les orientations maîtresses de son destin. Le naturisme, en somme, séduit les Jean-Jacques Rousseau en révolte romantique contre la société. Il se concrétise, entre autres, dans les chapelles de hippies et dans les groupes de « communes ».

Le pragmatisme enfin ressort du domaine de l'idéologie réformiste. Peu encline aux grandes synthèses intellectuelles, aux visions globales du monde et de sa signification, cette idéologie aspire à la révolution au jour le jour, quotidienne, dans la voie du progrès incessant et graduel, par le moyen de la double norme de maximisation des énergies et de minimisation des pertes ou dépenses. La révolution réaliste, se construisant de bas en haut, et non la révolution intellectuelle, descendant en ligne directe de la stratosphère des concepts : telle est la règle d'or du pragmatisme. C'est l'idéologie de la « non-idéologie » !

Le pragmatisme est plus susceptible ainsi de se retrouver parmi les membres de groupes comme les Comités de citoyens ou d'ouvriers ou comme le Parti québécois et d'exercer son pouvoir d'attraction sur des personnes du type Robert Owen. Par son action désintéressée, méthodique et persévérante, à courte portée dans l'immédiat mais sans cesse polarisée par l'objectif révolutionnaire jamais perdu de vue, le pragmatisme s'oppose à l'opportunisme mesquin et flottant de ceux parmi les adultes qui ne recherchent que leurs intérêts propres, au fil des circonstances mobiles et au gré de leurs pulsions narcissiques. La vénalité, la courtisanerie, la trahison de soi, la pleutrerie, la fatuité de la gloire et de l'ambition désordonnée sont autant de caractéristiques de l'opportunisme qu'on peut souvent constater chez les adultes et que rejette le pragmatisme de la jeunesse réformiste.

La révolution culturelle des jeunes du Québec, en termes d'attitudes et de sentiments intérieurs, peut donc se traduire en un combat violent et fatidique des forces du moralisme, du naturisme et du pragmatisme contre celles du cynisme, de l'artificialisme et de l'opportunisme. A ce niveau, la lutte entre les générations n'est plus seulement extérieure. Elle se poursuit jusqu'au coeur des individus qui en devient le lieu dramatique et décisif. Qui se surprendrait alors du caractère cruel, parfois féroce, de cette bataille ? L'enjeu en est total : il engage autant la révolution des coeurs que celle des esprits, des corps et des structures !

La Négritude et les nouveaux leaders

Rien de ce qui s'est passé hors des États-Unis, même pas la guerre froide et la nécessité pour le gouvernement américain de faire face aux critiques sur sa politique raciale, n'a contribué à redonner espoir aux Noirs américains autant que l'émergence des États africains libres.

L'indépendance de l'Afrique a eu, outre-Atlantique, un retentissement profond. Ses délégations aux Nations Unies, à New York, ses ambassades auprès de Washington peuvent exercer une certaine influence diplomatique. Par ailleurs, les voyages des dirigeants noirs américains dans les pays d'Afrique et du Moyen-Orient leur valent un surcroît de prestige. Lorsque Malcolm X fut reçu officiellement par le président Nkrumah, l'hommage d'un leader du panafricanisme représentait pour le visiteur une consécration politique, et il comprit très vite quel parti les Noirs américains pouvaient tirer de pressions exercées par des États indépendants puisqu'il tenta, lors de son voyage au Caire en 1963, d'unir les peuples de couleur pour faire voter aux Nations-Unies une motion condamnant la discrimination raciale américaine au nom des droits de l'homme.

Les Africains eux-mêmes ont conquis leur liberté politique sur une armée étrangère et une minorité de colons, tandis que les Afro-américains, en minorité dans leur pays ne peuvent que réclamer l'égalité et la justice. Cependant, le concept du Pouvoir Noir, qui inspire de plus en plus les « colonisés d'outre-Atlantique », amène certains d'entre eux à prendre modèle sur les nations afri-

---

Fabre, Michel, *Les Noirs américains*, Paris, A. Colin, coll. U2, no 5, 1967, p. 126-130.

caines dans leur libération, voire à parler d'adopter leur tactique de représailles et de guérilla, tandis que, s'inscrivant dans la perspective d'une lutte mondiale contre le colonialisme, la révolution noire bénéficie de l'appui des décolonisés et de tous ceux qui ont intérêt à affaiblir la position diplomatique et stratégique des États-Unis.

Les pressions que les Noirs américains peuvent exercer par l'intermédiaire des nations de couleur sont faibles, mais, comme le montre bien Harold J. Isaacs dans *The New World of Negro-Americans,* l'émergence de ces nations a redonné au Noir américain confiance en lui-même. L'image de l'Afrique s'est radicalement modifiée dans un monde d'où le colonialisme disparaît. L'origine africaine des Noirs qui, au siècle dernier était une cause de mépris, est devenue un motif de fierté.

Pour la plupart, l'Afrique était (et demeure encore dans certains ouvrages scolaires et films d'aventures) ce continent sombre et sauvage auquel missionnaires et explorateurs apportaient un peu de la civilisation européenne. L'image humiliante présentée par le monde occidental confirmait dans le sentiment de leur infériorité les Noirs américains. Les controverses qui ont opposé pendant la première moitié du siècle les tenants et les opposants des *African survivals,* vestiges susceptibles de différencier la culture des Noirs américains de la culture américaine, n'ont été si passionnées que parce que ces survivances passaient davantage pour des signes de barbarie que de civilisation.

Bien que la vogue de « l'art nègre » et le mouvement de la Renaissance noire aient provoqué une réévaluation de la culture africaine, c'est surtout à cause de la libération de l'Afrique que la négritude s'est trouvée réhabilitée. Certes, la couleur ne suffit pas à ouvrir les portes de la compréhension et de l'amitié (comme l'a montré maint récit de voyage de Noirs américains en Afrique) et Richard Wright peut déclarer, dans *Black Power,* que l'oppression subie est un lien aussi fort entre les colonisés que la race ou la couleur. Mais, d'une part, l'indépendance africaine et les réalisations d'États comme le Nigéria ou le Ghana ont une valeur d'exemple : Kwame Nkrumah et Patrice Lumumba ont pris place dans le panthéon des jeunes Noirs et, sur les blazers, leur effigie apparaît à côté de celle de « Saint » Malcolm. D'autre part une histoire politique et culturelle de l'Afrique débarrassée de ses mythes et de ses silences honteux permet au Noir d'assumer le passé de sa race : il peut se voir comme le descendant des seigneurs vaincus, non comme celui des serfs barbares.

Cette nouvelle image n'est pas toujours exacte, mais ce qui importe, c'est que le Noir américain puisse enfin opposer aux conceptions méprisantes des Blancs une image valorisée par les caractéristiques mêmes qui l'humiliaient. Ceci ne signifie pas qu'il s'identifie à l'Afrique : en s'y rendant il découvre généralement combien il est irrémédiablement américain. Mais il peut maintenant assumer son histoire.

Dans la mesure où le Noir américain n'est pas pleinement persuadé des vertus de sa négritude, il a évidemment tendance à les exagérer. Les clichés créés par les Blancs d'une supériorité innée chez les Noirs dans certains domaines (sens du rythme, de la couleur, prouesses sexuelles, etc.) sont ainsi repris par des Noirs enclins à fonder leur fierté sur un racisme à rebours. Celui-ci peut conduire à un chauvinisme dangereux, cependant il semble qu'une période de surévaluation de la négritude soit inévitable avant que les extrémistes noirs ne se contentent de parler d'égalité.

Le passage des Noirs américains d'un complexe d'infériorité à l'affirmation de soi s'effectue actuellement, et ces deux conceptions demeurent en conflit. Admettre une infériorité intrinsèque exonérait le Noir de sa responsabilité. Égal, il se trouve responsable de son destin. Il lui est moins facile de condamner le système pour ses propres échecs et son manque de courage. La ségrégation, nous l'avons vu, offre une protection économique à certaines professions et des avantages à quelques Noirs, et quand elle disparaît, une concurrence plus dure la remplace. Cela est vrai aussi sur le plan moral. Si donc les Noirs américains ne répondent pas à la vocation qui les appelle à se libérer complètement et à conquérir leur égalité, ils porteront la responsabilité de l'échec de leur révolution. Tel est le contenu du message de nombreux leaders radicaux à la bourgeoisie de couleur.

Nous devons en effet constater que sans le soutien populaire et sans le groupe de leaders qui existe actuellement, la révolution noire ne serait pas aussi forte. De tout temps, la solidarité raciale et le système de caste ont amené les dirigeants de couleur à adopter deux comportements : l'accommodation et la protestation, utilisées simultanément et à des niveaux différents selon l'opposition rencontrée auprès de ceux auxquels elles s'adressent. Dans la perspective de l'ordre établi, les leaders noirs servent de plénipotentiaires pour des négociations et les Blancs, surtout dans le Sud, choisissent ceux-ci pour leur obéissance, généralement dans les couches instruites et bien assimilées. La reconnaissance accordée par la société blanche confère au leader « accommodant » son importance, mais lui vaut la méfiance des masses. Trop d'agressivité de sa part signifierait en effet la fin de son rôle et il doit accepter le compromis, flattant le Blanc pour en tirer des avantages et apaisant les Noirs. Les règles du jeu *(playing possum)* sont connues : le Noir est censé triompher du Blanc par la ruse et les concessions qu'il lui arrache pour la communauté sont la récompense de son habileté à se conformer au lieu de se révolter.

Mais le compromis fait place à la protestation (40, 41). D'une part, les leaders noirs se renouvellent vite parce que la concurrence, exacerbée par les rivalités du ghetto social, favorise les représentants de couches populaires qui doivent leur popularité à l'art de pousser la revendication jusqu'aux limites du possible. D'autre part, les « héros de la race » traditionnels s'effacent devant les leaders politiques. Traditionnellement, tout Noir dont on peut dire : « C'est le premier Noir qui ... », tout individu qui parvient à se faire connaître de la nation peut en effet devenir un dirigeant parce qu'il a vaincu symboliquement dans le combat que livre le Noir pour se faire admettre par l'Amérique. Sportifs, acteurs, écrivains peuvent ainsi devenir des leaders politiques. Cette tendance disparaît cependant : d'après les sondages de *Newsweek*, les artistes et écrivains (Dick Gregory, Lena Horne, Harry Belafonte, James Baldwin) viennent après tous les dirigeants politiques sur une liste de quatorze leaders, et Dick Gregory ne doit sa popularité relative qu'à sa courageuse action égalitaire. Enfin, la revendication devient plus explicite. Elle existe toujours sous une forme symbolique quand les masses transforment les *bad niggers* en héros populaires, ou quand les boxeurs se font les champions de leur race — que l'on songe au délire qui accueillit, à Harlem, les victoires de Joe Louis sur les boxeurs nazis ou à l'exemple récent de Cassius Clay. Elle permet aussi à des dirigeants honnêtes et intelligents de s'imposer, par leur fermeté et le respect qu'ils inspirent, auprès des conservateurs blancs eux-mêmes. Leur force vient de ce qu'ils représentent une partie importante de l'opinion noire et savent doser leurs revendications, mais sans « jouer le jeu », et cela tout en ayant, de façon plus ou moins clandestine, une action plus militante dans leur communauté. La révolution noire est justement celle qui sonne le glas des leaders les plus accommodants sinon les plus corrompus. De même, les associations professionnelles s'effacent devant les groupements politiques, qui comprennent davantage de dirigeants venus du Sud. Si l'on assiste de manière générale à un retour au radicalisme, les organisations traditionnelles continuent cependant à jouer un rôle essentiel et demeurent populaires dans la mesure où elles s'adaptent aux conditions nouvelles.

Le choix des élus

L'action du privilège n'est aperçue, la plupart du temps, que sous ses formes les plus brutales, recommandations ou relations, aide dans le travail scolaire ou enseignement supplémentaire, information sur l'enseignement et les débouchés. En fait, l'essentiel de l'héritage culturel se transmet de façon plus discrète et plus indirecte et même en l'absence de tout effort méthodique et de toute action manifeste. C'est peut-être dans les milieux les plus « cultivés » qu'il est le moins besoin de prêcher la dévotion à la culture ou de prendre en main, délibérément, l'initiation à la pratique culturelle. Par opposition au milieu petit-bourgeois où les parents ne peuvent transmettre autre chose, la plupart du temps, que la bonne volonté culturelle, les classes cultivées ménagent des incitations diffuses beaucoup mieux faites pour susciter, par une sorte de persuasion clandestine, l'adhésion à la culture.

> C'est ainsi que des lycéens de la bourgeoisie parisienne peuvent manifester une vaste culture, acquise sans intention ni effort et comme par osmose, au moment même où ils se défendent de subir la moindre pression de la part de leurs parents :
>
> « Allez-vous dans les musées ? » — « Pas tellement souvent. On n'allait pas tellement dans les musées de peinture avec le lycée, plutôt dans les musées d'histoire. Mes parents m'emmènent plutôt au théâtre. On ne va pas tellement au musée. » — « Quels sont vos peintres préférés ? » — « Van Gogh, Braque, Picasso, Monet, Gauguin, Cézanne. Je ne les ai pas vus en original. Je les connais par des livres, chez moi, que je regarde. Je fais un peu de piano. C'est tout. J'aime surtout écouter la

---

Bourdieu, Pierre, et Passeron, Jean-Claude, *Les Héritiers*, Paris, Ed. de Minuit, 1964, p. 34-40.

musique, pas tellement en faire. On a beaucoup de Bach, Mozart, Schubert, Schumann. » — « Vos parents vous conseillent-ils des lectures ? » — « Je lis ce que je veux. On a beaucoup de livres. Je prends ce dont j'ai envie ». (Fille de professeur, 13 ans, 4e classique, lycée de Sèvres.)

Mais si les différences qui séparent les étudiants dans le domaine de la culture libre renvoient toujours à des privilèges ou à des désavantages sociaux, elles ne sont pas toujours de même sens lorsqu'on les réfère aux attentes professorales : en effet, les étudiants les plus défavorisés peuvent, faute d'autre recours, trouver dans des conduites plus scolaires, comme la lecture des oeuvres de théâtre, un moyen de compenser leur désavantage. De même, si l'érudition cinématographique est répartie conformément à la logique du privilège qui donne aux étudiants issus de milieux aisés le goût et le loisir de transférer dans des domaines extra-scolaires les habitudes cultivées, la fréquentation des ciné-clubs, pratique à la fois économique, compensatoire et quasi-scolaire, semble être surtout le fait des étudiants des classes moyennes. Pour les individus originaires des couches les plus défavorisées, l'Ecole reste la seule et unique voie d'accès à la culture, et cela à tous les niveaux de l'enseignement ; partant, elle serait la voie royale de la démocratisation de la culture, si elle ne consacrait, en les ignorant, les inégalités initiales devant la culture et si elle n'allait souvent — en reprochant par exemple à un travail scolaire d'être trop « scolaire » — jusqu'à dévaloriser la culture qu'elle transmet au profit de la culture héritée qui ne porte pas la marque roturière de l'effort et a, de ce fait, toutes les apparences de la facilité et de la grâce.

Différant par tout un ensemble de prédispositions et de présavoirs qu'ils doivent à leur milieu, les étudiants ne sont que *formellement* égaux dans l'acquisition de la culture savante. En effet, ils sont séparés, non par des divergences qui distingueraient chaque fois des catégories statistiques différant sous un rapport différent et pour des raisons différentes, mais par des systèmes de traits culturels qu'ils partagent en partie, même s'ils ne se l'avouent pas, avec leur classe d'origine. Dans le contenu et la modalité du projet professionnel comme dans le type de conduite universitaire qui est mis au service de cette vocation ou dans les orientations les plus libres de la pratique artistique, bref, dans tout ce qui définit la relation qu'un groupe d'étudiants entretient avec ses études, s'exprime le rapport fondamental que sa classe sociale entretient avec la société globale, la réussite sociale et la culture[1].

---

1. L'enquête empirique ne saisit jamais ces totalités significatives que par profils successifs puisqu'elle doit recourir à des indicateurs qui émiettent l'objet de l'analyse.

Tout enseignement, et plus particulièrement l'enseignement de culture (même scientifique), présuppose implicitement un corps de savoirs, de savoir-faire et surtout de savoir-dire qui constitue le patrimoine des classes cultivées. Education *ad usum delphini*, l'enseignement secondaire classique véhicule des significations au second degré, se donnant pour acquis tout un trésor d'expériences au premier degré, lectures suscitées autant qu'autorisées par la bibliothèque paternelle, spectacles de choix que l'on n'a pas à choisir, voyages en forme de pèlerinage culturel, conversations allusives qui n'éclairent que les gens déjà éclairés. N'en résulte-t-il pas une inégalité fondamentale devant ce jeu de privilégiés où tous doivent entrer puisqu'il se présente à eux paré des valeurs de l'universalité ? Si les enfants des classes défavorisées perçoivent souvent l'initiation scolaire comme apprentissage de l'artifice et du discours-à-l'usage-des-professeurs, n'est-ce pas précisément parce que la réflexion savante doit précéder pour eux l'expérience directe ? Il leur faut apprendre en détail le plan du Parthénon sans être jamais sortis de leur province et disserter tout au long de leurs études, avec la même insincérité obligée, sur les je-ne-sais-quoi et les litotes de la passion classique ou sur les nuances infinies et infinitésimales du bon goût. Répéter que le contenu de l'enseignement traditionnel ôte la réalité à tout ce qu'il transmet, c'est taire que le sentiment de l'irréalité est très inégalement ressenti par les étudiants des différents milieux.

Croire que l'on donne à tous des chances égales d'accéder à l'enseignement le plus élevé et à la culture la plus haute lorsqu'on assure les mêmes moyens économiques à tous ceux qui ont les « dons » indispensables, c'est rester à mi-chemin dans l'analyse des obstacles et ignorer que les aptitudes mesurées au critère scolaire tiennent, plus qu'à des « dons » naturels (qui restent hypothétiques tant qu'on peut imputer à d'autres causes les inégalités scolaires), à la plus ou moins grande affinité entre les habitudes culturelles d'une classe et les exigences du système d'enseignement ou les critères qui y définissent la réussite. Lorsqu'ils s'orientent vers les enseignements dits de culture qui contribuent pour une part toujours très importante à déterminer les chances de faire des études « nobles » (l'E.N.A. ou Polytechnique tout autant que l'agrégation de lettres), les élèves doivent assimiler tout un ensemble de connaissances et de techniques qui ne sont jamais complètement dissociables de valeurs sociales, souvent opposées à celles de leur classe d'origine. Pour les fils de paysans, d'ouvriers, d'employés ou de petits commerçants, l'acquisition de la culture scolaire est acculturation.

Si les intéressés eux-mêmes vivent rarement leur apprentissage comme renoncement et reniement, c'est que les savoirs qu'ils doivent conquérir sont hautement valorisés par la société globale et que cette conquête symbolise l'accession à l'élite. Aussi faut-il distinguer entre la facilité à assimiler la culture transmise par l'Ecole (d'autant plus grande que l'origine sociale est plus élevée) et la propension à l'acquérir qui atteint son maximum d'intensité dans les classes moyennes. Bien que le désir de l'ascension par l'Ecole ne soit pas moins fort dans les classes inférieures que dans les classes moyennes, il reste onirique et abstrait tant que les chances objectives de le satisfaire sont infimes. Les ouvriers peuvent tout ignorer de la statistique qui établit qu'un fils d'ouvrier a deux chances sur cent d'accéder à l'enseignement supérieur, leur comportement semble se régler objectivement sur une estimation empirique de ces espérances objectives, communes à tous les individus de leur catégorie. Aussi est-ce la petite bourgeoisie, classe de transition, qui adhère le plus fortement aux valeurs scolaires, puisque l'Ecole promet de combler toutes ses attentes en confondant les valeurs de la réussite sociale et celles du prestige culturel. Les membres des classes moyennes se distinguent (et entendent se distinguer) des classes inférieures en accordant à la culture de l'élite, dont ils ont souvent une connaissance tout aussi lointaine, une reconnaissance décisoire qui témoigne de leur bonne volonté culturelle, intention vide d'accéder à la culture. C'est donc sous le double rapport de la facilité à assimiler la culture et de la propension à l'acquérir que les étudiants originaires des classes paysannes et ouvrières sont désavantagés : jusqu'à une époque récente, ils ne trouvaient même pas, dans leur milieu familial, l'incitation à l'effort scolaire qui permet aux couches moyennes de compenser la dépossession par l'aspiration à la possession et il fallait une série continue de succès (ainsi que les conseils réitérés de l'instituteur) pour qu'un enfant fût orienté vers le lycée, et ainsi pour la suite.

S'il faut rappeler pareilles évidences, c'est que le succès de quelques-uns fait trop souvent oublier qu'ils ne sont dû qu'à des aptitudes particulières et à certaines particularités de leur milieu familial de pouvoir surmonter leurs désavantages culturels. L'accès à l'enseignement supérieur ayant supposé pour certains une suite ininterrompue de miracles et d'efforts, l'égalité relative entre des sujets sélectionnés avec une rigueur très inégale peut dissimuler les inégalités qui la fondent.

Le succès scolaire irait-il aussi largement aux étudiants originaires des classes moyennes qu'aux étudiants originaires des classes cultivées, les uns et les autres resteraient séparés par des différences subtiles dans la façon d'aborder la culture. Il n'est pas exclu que le professeur qui oppose l'élève « brillant » ou « doué » à l'élève « sérieux » ne juge, en nombre de cas, rien autre chose que le rapport à la culture auquel l'un et l'autre sont socialement promis par leur naissance. Enclin à s'engager totalement dans l'apprentissage scolaire et à mobiliser dans son travail les vertus professionnelles que valorise son milieu (par exemple le culte du travail accompli rigoureusement et difficilement), l'étudiant des classes moyennes sera jugé sur les critères de l'élite cultivée que de nombreux enseignants reprennent volontiers à leur compte, même et surtout si leur appartenance à « l'élite » date de leur accession au « magistère ». L'image aristocratique de la culture et du travail intellectuel présente de telles analogies avec la représentation la plus commune de la culture accomplie qu'elle s'impose même aux esprits les moins suspects de complaisance envers les théories de l'élite, leur interdisant d'aller au-delà de la revendication de l'égalité formelle.

Le renversement de la table des valeurs qui, par un changement de signe, transforme le sérieux en esprit de sérieux et la valorisation du travail en mesquinerie besogneuse et laborieuse, suspecte de compenser l'absence de dons, s'opère dès que l'ethos petit-bourgeois est jugé du point de vue de l'ethos de l'« élite », c'est-à-dire mesuré au dilettantisme de l'homme cultivé et bien né qui sait sans avoir peiné pour acquérir son savoir et qui, assuré de son présent et de son avenir, peut se donner l'élégance du détachement et prendre les risques de la virtuosité. Or, la culture de l'élite est si proche de la culture de l'Ecole que l'enfant originaire d'un milieu petit-bourgeois (et *a fortiori* paysan ou ouvrier) ne peut acquérir que laborieusement ce qui est donné au fils de la classe cultivée, le style, le goût, l'esprit, bref, ces savoir-faire et ce savoir-vivre qui sont naturels à une classe, parce qu'ils sont la culture de cette classe[2]. Pour les uns, l'apprentissage de la culture de l'élite est une conquête, chèrement payée ; pour les autres, un héritage qui enferme à la fois la facilité et les tentations de la facilité.

---

2. On peut saisir les contradictions qu'implique la conquête laborieuse du « don » dans les drames psychologiques et intellectuels auxquels ce miracle condamne ceux qui en sont victimes : Péguy n'est-il pas celui qui n'a jamais pu surmonter la conscience malheureuse de son élection qu'en la transfigurant dans son oeuvre, solution mythique de son drame social ?

Les signes de reconnaissance

Ce que nous venons de dire s'expliquera de soi-même lorsque nous étudierons les autres fonctions de la parure et des moyens de se distinguer. La différence capitale entre ces phénomènes et la mode proprement dite consiste en ceci que, s'ils apparaissent eux aussi spontanément et créent par là une modification du comportement antérieur, ils aboutissent ensuite à des formes distinctement durables, et parfois même obstinées. Une preuve extrêmement simple en est le fait notoire que même les peuplades les plus primitives ont tendance à rechercher une certaine unité dans leur présentation générale. Cette unité extérieure exprime le sentiment qu'ont ces hommes de constituer une unité morale. Il arrive donc que les membres d'un groupe se reconnaissent à leur tenue et, d'une façon plus générale, à toute leur présentation, leur attitude et leurs gestes, et cela indépendamment de tout ce qu'ils ont d'autre en commun : la langue, les traditions, les idées, la religion et les institutions. Il faudrait citer encore toutes les techniques consistant à modifier le corps lui-même : coupe des cheveux et de la barbe, tatouage, scarifications sur le front, les joues, la poitrine et ailleurs, circoncision ; d'autres s'arrachent ou se liment les dents, certains les colorent, se percent les ailes du nez, son cartilage, les joues, le lobe des oreilles ou les lèvres ; parfois, on y insère des objets précieux. On va parfois jusqu'à déformer l'ensemble du corps, comme lorsque la tête est comprimée dans un certain sens, les pieds ligaturés (usage ancien des Chinois), le dos allongé ou la taille serrée (au XXe siècle encore). Généralement, ces modifications ont lieu quand les adolescents passent à l'âge adulte, ce qui fait que ces pratiques traduisent l'appartenance à la communauté des personnes responsables.

Konïg, René, *Sociologie de la mode*, Paris, Payot, Petite Bibliothèque, Payot, no 135, 1969, p. 68-74.

Le vêtement, la parure et le comportement en général ont donc, entre autres fonctions, celle de permettre aux membres d'un groupe de se reconnaître ; cette fonction doit être distinguée soigneusement de celles qui ont trait à la mode. Le plus souvent, les deux choses sont pratiquement confondues ; par exemple, une partie de l'effet d'une chanson nouvelle s'explique par le plaisir que l'on éprouve en la reconnaissant ; néanmoins, comme tous les faits sociaux sont extrêmement complexes, nous devons nous garder de confondre des phénomènes sous prétexte qu'ils se présentent généralement (voire constamment) ensemble. Bien entendu, l'un des effets du snobisme propre à certains milieux est que leurs membres se reconnaissent précisément à leur snobisme. Mais ici, la fonction dont nous parlons a, en elle-même, des conséquences tout autres que l'obéissance à la mode, en elle-même également. Pour que l'on se reconnaisse, il faut absolument la présence de certains traits permanents. Dans le cas qui nous intéresse, le trait permanent consisterait en ceci que certaines classes de la société peuvent s'offrir un certain luxe, que les autres, soit refusent par principe, soit — le plus souvent — doivent s'interdire, pour des raisons économiques. Dans ce cas-là, le fait de suivre une mode rapide constitue en soi un signe de reconnaissance ; on se croit tenu, par sa position sociale, à copier la moindre modification, et on estime que, parce qu'on l'a fait, on est digne de son milieu. Toutefois, une attitude de ce genre n'est liée à la rapidité des transformations de la mode que pour ce qui est de la forme ; quant au fond, aux contenus concrets de la mode, un tel lien n'existe pas. Nous devons donc distinguer soigneusement ces deux phénomènes, bien qu'ils soient parfois absolument parallèles.

Tout ceci devient évident dès que nous étudions les divers effets de la « fonction de reconnaissance » que nous attribuons au vêtement. Nous en avons déjà rencontré un cas : grâce à leur similitude d'aspect, les membres d'un même groupe peuvent se reconnaître entre eux. Le cas extrême n'est autre que l'uniforme, et d'une façon plus générale, le comportement uniforme ; dans certains groupes, il joue un rôle capital (non seulement dans les armées, mais également dans les ordres, les confréries et autres associations). Nous avons cependant noté qu'une uniformité radicale est extrêmement rare ; c'est pourquoi, dans l'ensemble, l'uniformité du vêtement ne va jamais très loin. Généralement, il suffit qu'une certaine norme soit respectée, à l'intérieur de laquelle chaque individu jouit d'une certaine liberté, pour autant que la reconnaissance reste facile. Cela vaut, partiellement du moins, pour la distinction entre les vêtements d'homme et ceux de femme. Il est facile de montrer que, de tous temps, cette distinction fondamentale de l'anthropologie a joué un rôle exceptionnel dans la société civilisée. Rien d'étonnant, donc, à ce que toutes les idées que l'humanité s'est faites au sujet de la séparation des sexes se soient répercutées sur le vêtement. Mais cela nous amène au domaine des types durables ; or ceux-ci sont généralement réglés par la coutume (donc aussi par la religion, car, ne l'oublions pas, les premiers tabous sexuels étaient de nature magique et religieuse). Inversement, le fait de porter les vêtements du sexe opposé passe pour être un véritable crime (surtout pour l'homme, mais aussi pour la femme) ; cet usage n'en est pas moins courant ; il arrive même qu'il soit institutionnalisé, par exemple chez plusieurs tribus amérindiennes de la Grande Prairie. D'Achille lui-même, il est dit que son père Pélée l'envoya auprès du roi Lycomède pour le garder de mourir sur le champ de bataille ; là, déguisé en fille, il vécut parmi les princesses jusqu'au moment où Ulysse le démasqua par une ruse.

Ce qui vaut pour la différenciation des sexes vaut également pour les âges de la vie ; il est certain que, selon l'âge de celui qui le porte, l'habit varie considérablement. Pour savoir quelle place une société donnée accorde à l'enfance, il suffit de voir comment elle habille ses enfants. Là où l'enfant est considéré comme un « petit homme », la tenue est la même d'un âge à l'autre ; seuls les sexes sont différenciés. Là où, au contraire, l'enfance est considérée comme une phase spécifique, les enfants bénéficient d'un style vestimentaire à eux. On pourrait en dire autant des jeunes gens de l'un et l'autre sexe ; à cet égard, il existe, de nos jours, une différence considérable entre les uns et les autres : alors qu'il nous paraît aller de soi que l'on crée une mode spéciale à l'intention des jeunes filles, mode entièrement différente de celle qui est destinée aux femmes adultes, les vêtements pour jeunes gens sont pratiquement identiques à ceux que portent leurs aînés. Nous verrons plus loin que cela définit l'un des traits fondamentaux de la mode masculine, trait qui dépend de conditions historiques particulières et atteste, chez l'homme, une attitude à l'égard de la mode qui diffère entièrement de celle de la femme. Notons en outre que le degré de différence entre le vêtement féminin et le vêtement masculin à une époque ou dans un pays donnés permet de dire à coup sûr quel cas cette époque ou ce pays font de l'opposition entre les sexes.

Outre les distinctions entre sexes et âges, il existe toute une série de particularités vestimentaires à caractère social. Nous pensons avant tout aux tenues spéciales des diverses corporations et de certains notables (prêtres, chefs, sorciers, princes), voire de groupes, comme les aristocrates, qui se réservent certains privilèges dans la coupe ou la couleur du vêtement, ainsi que certains accessoires (cheveux longs, tatouage particulièrement riche, plumes de certains oiseaux, couleurs particulières, comme l'ourlet rouge de la toge des sénateurs romains ou les diverses nuances de rouge et de violet du haut en bas de la hiérarchie catholique), étant entendu que ces accessoires sont interdits à tout autre. Finalement, l'évolution de la hiérarchie sociale aboutit à ceci que pratiquement chaque classe, et à l'intérieur de la classe chaque groupe particulier (les corps de métiers, surtout), possédaient leur tenue. Ce vêtement social avait alors essentiellement une fonction de reconnaissance, aussi bien à l'intérieur du groupe que vis-à-vis des étrangers, de telle sorte que, dans ce type de société, le vêtement de quelqu'un permettait de deviner la classe dont il faisait partie. C'est pourquoi les illustrations reposant sur ce principe sont nombreuses.

Or, la question du vêtement social est à bien des égards de la plus grande importance pour la compréhension de la mode ; c'est pourquoi nous en parlerons un peu plus longuement. Il existe en effet une ancienne théorie de la mode (elle remonte également à Herbert Spencer), d'après laquelle ce genre de mouvement doit son origine au fait que les classes inférieures imitent les classes supérieures ; ces dernières sont alors obligées, pour continuer à se distinguer des précédentes, de changer de mode, jusqu'au moment où elles sont « rattrapées » par les autres, et ainsi de suite. De nombreux auteurs défendent encore cette théorie, mais, pour diverses raisons, elle est néanmoins dépassée. Ce qui est exact, c'est que le vêtement est l'un des moyens que l'homme a de se distinguer des autres. Seulement, une fois que ces signes distinctifs se sont cristallisés en une coutume, nous avons ensuite les formes durables dont nous avons déjà souvent parlé ; or ces formes ne sont précisément pas copiées, puisqu'il n'est pas permis de les imiter ; cela reviendrait en effet à violer un usage habituellement sanctionné par la religion. Nous en avons du reste une preuve dans les nombreuses « ordonnances vestimentaires » du passé, qui reprochaient aux classes inférieures d'imiter les autres. Cette attitude est qualifiée de scandaleuse, non parce que les imitateurs agiraient de façon immorale, mais parce qu'ils méprisent les traditions. Ainsi, l'ordre social ne connaît, strictement parlant, que la différenciation, et non l'imitation ; celle-ci ne commence, tout au plus, que quand l'ordre établi est déjà en train de s'effriter. C'est pourquoi il est impossible de prétendre que l'origine principale de la mode est à chercher dans l'existence des classes sociales, les classes inférieures imitant les classes supérieures et obligeant par là ces dernières à modifier sans cesse leur style d'habillement.

Autre question, à distinguer soigneusement de celle-là : n'existe-t-il pas, à l'intérieur des classes les plus aisées, une impulsion donnée à la mode par le simple fait que les milieux qui jouissent de davantage d'argent et de prestige éprouvent le besoin de rivaliser entre eux sur le chapitre de la mode ? Une telle rivalité existe effectivement entre les classes supérieures, mais elle n'existe pas entre les classes supérieures et les classes inférieures, à moins que l'ordre établi ne soit en cours de désagrégation. C'est ce qui fait écrire à S. R. Steinmetz, auteur que nous avons déjà cité : « Dans une société régie par l'opposition des classes, la mode apparaît très peu ; elle ne le fait que tout au sommet de l'échelle sociale, de sorte qu'il n'y a pas trace de compétition entre classes ; si cet ordre vient à se relâcher, la mode apparaît au contraire ; elle triomphe lorsque le fondement que cette société s'était donné vient à disparaître. Il est donc faux de dire que les classes et la mode croissent et décroissent parallèlement ; là où les premières sont fortes, la seconde fait défaut, et réciproquement. Force nous est donc de reconnaître que l'ordre social n'est pas la cause première de la mode, et que, bien qu'elle soit généralement acceptée, la théorie de Spencer est fausse. »

La langue jouale

Le 21 octobre 1959, André Laurendeau publiait une *Actualité* dans *Le Devoir,* où il qualifiait le parler des écoliers canadiens-français de « parler joual ». C'est donc lui, et non pas moi, qui a inventé ce nom. Le nom est d'ailleurs fort bien choisi. Il y a proportion entre la chose et le nom qui la désigne. Le mot est odieux et la chose est odieuse. Le mot joual est une espèce de description ramassée de ce que c'est que le parler joual : parler joual, c'est précisément dire joual au lieu de cheval. C'est parler comme on peut supposer que les chevaux parleraient s'ils n'avaient pas déjà opté pour le silence et le sourire de Fernandel.

Nos élèves parlent joual, écrivent joual et ne veulent pas parler ni écrire autrement. Le joual est leur langue. Les choses se sont détériorées à tel point qu'ils ne savent même plus déceler une faute qu'on leur pointe du bout du crayon en circulant entre les bureaux. « L'homme que je parle » — « nous allons se déshabiller » — etc... ne les hérisse pas. Cela leur semble même élégant. Pour les fautes d'orthographe, c'est un peu différent ; si on leur signale du bout du crayon une faute d'accord ou l'omission d'un *s,* ils savent encore identifier la faute. Le vice est donc profond : il est au niveau de la syntaxe. Il est aussi au niveau de la prononciation : sur vingt élèves à qui vous demandez leur nom, au début d'une classe, il ne s'en trouvera pas plus de deux ou trois dont vous saisirez le nom du premier coup. Vous devrez faire répéter les autres. Ils disent leur nom comme on avoue une impureté.

Le joual est une langue désossée : les consonnes sont toutes escamotées, un peu comme dans les langues que parlent (je suppose, d'après certains disques) les danseuses des Iles-sous-le-Vent : oula-oula-alao-alao. On dit : « chu pas apable », au lieu de : je ne suis pas capable ; on dit : « l'coach m'enweille cri les mit du gôleur », au lieu de : le moniteur m'envoie chercher les gants du gardien, etc... Remarquez que je n'arrive pas à signifier phonétiquement le parler joual. Le joual ne se prête pas à une fixation écrite. Le joual est une décomposition ; on ne fixe pas une décomposition, à moins de s'appeler Edgar Poe. Vous savez : le conte où il parle de l'hypnotiseur qui avait réussi à *geler* la décomposition d'un cadavre. C'est un bijou de conte, dans le genre horrible.

Cette absence de langue qu'est le joual est un cas de notre inexistence, à nous, les Canadiens français. On n'étudiera jamais assez le langage. Le langage est le lieu de toutes les significations. Notre inaptitude à nous affirmer, notre refus de l'avenir, notre obsession du passé, tout cela se reflète dans le joual, qui est vraiment notre langue. Je signale en passant l'abondance, dans notre parler, des locutions négatives. Au lieu de dire qu'une femme est belle, on dit qu'elle n'est pas laide ; au lieu de dire qu'un élève est intelligent, on dit qu'il n'est pas bête ; au lieu de dire qu'on se porte bien, on dit que ça va pas pire, etc...

J'ai lu dans ma classe, au moment où elle est parue, *l'Actualité* de Laurendeau. Les élèves ont reconnu qu'ils parlaient joual. L'un d'eux, presque fier, m'a même dit : « On est fondateur d'une nouvelle langue ! » Ils ne voient donc pas la nécessité d'en changer. « Tout le monde parle comme ça », me répondaient-ils. Ou encore : « On fait rire de nous autres si on parle autrement que les autres » ; ou encore, et c'est diabolique comme objection : « Pourquoi se forcer pour parler autrement, on se comprend ». Il n'est pas si facile que ça, pour un professeur, sous le coup de l'improvisation, de répondre à cette dernière remarque, qui m'a véritablement été faite cet après-midi-là.

Bien sûr qu'entre jouaux, ils se comprennent. La question est de savoir si on peut faire sa vie entre jouaux. Aussi longtemps qu'il ne s'agit que d'échanger des remarques sur la température ou le sport ; aussi longtemps qu'il ne s'agit de parler que du cul, le joual suffit amplement. Pour échanger entre primitifs, une langue de primitif suffit ; les animaux se contentent de quelques cris. Mais si l'on veut accéder au dialogue humain, le joual ne suffit plus. Pour peinturer une grange, on peut se contenter, à la rigueur, d'un bout de planche trempé dans de la chaux ; mais, pour peindre la Joconde, il faut des instruments plus fins.

On est amené ainsi au coeur du problème, qui est un problème de civilisation. Nos élèves parlent joual parce qu'ils pensent joual, et ils pensent joual parce qu'ils vivent joual, comme tout le monde par ici. Vivre joual, c'est Rock'n Roll et hot-dog, party et ballade en auto, etc... C'est toute notre civilisation qui est jouale. On ne réglera rien en agissant au niveau du langage lui-même (concours, campagnes de bon parler français, congrès, etc...) C'est au niveau de la civilisation qu'il faut agir. Cela est vite dit, mais en fait, quand on réfléchit au problème, et qu'on en arrive à la question : quoi faire ? on est désespéré. Quoi faire ? Que peut un instituteur, du fond de son école, pour enrayer la déroute ? Tous ses efforts sont dérisoires. Tout ce qu'il gagne est aussitôt perdu. Dès quatre heures de l'après-midi, il commence d'avoir tort. C'est toute la civilisation qui le nie ; nie ce qu'il défend, piétine ou ridiculise ce qu'il prône. Je ne suis point vieux, point trop grincheux, j'aime l'enseignement, et pourtant, je trouve désespérant d'enseigner le français.

Direz-vous que je remonte au déluge si je rappelle ici le mot de Bergson sur la nécessité d'un supplément d'âme ? Nous vivons joual par pauvreté d'âme et nous parlons joual par voie de conséquence. Je pose qu'il n'y a aucune différence substantielle entre la dégradation du langage et la désaffection vis-à-vis des libertés fondamentales que révélait l'enquête du *Maclean's*, parue au mois d'octobre 1959. Quand on a renoncé aux libertés fondamentales, comme il semble que la jeunesse a fait, en pratique, sinon en théorie (le mot liberté est toujours bien porté), on renonce facilement à la syntaxe. Et les apôtres de la démocratie, comme les apôtres du bon langage, font figure de doux maniaques. Nos gens n'admirent que machines et technique ; ils ne sont impressionnés que par l'argent et le cossu ; les grâces de la syntaxe ne les atteignent pas. Je me flatte de parler un français correct ; je ne dis pas élégant, je dis correct. Mes élèves n'en parlent pas moins joual : je ne les impressionne pas. J'ai plutôt l'impression que je leur échappe par moments. Pour me faire comprendre d'eux, je dois souvent recourir à l'une ou l'autre de leurs expressions jouales. Nous parlons littéralement deux langues, eux et moi. Et je suis le seul à parler les deux.

Quoi faire ? C'est toute la société canadienne-française qui abandonne. C'est nos commerçants qui affichent des raisons sociales anglaises. Et voyez les panneaux-réclame tout le long de nos routes. Nous sommes une race servile. Nous avons eu les reins cassés, il y a deux siècles, et ça paraît.

Signe : le Gouvernement, via divers organismes, patronne des cours du soir. Les cours les plus courus sont les cours d'anglais. On ne sait jamais assez d'anglais. Tout le monde veut apprendre l'anglais. Il n'est évidemment pas question d'organiser des cours de français. Entre jouaux, le joual suffit. Nous sommes une race servile. Mais qu'est-ce que ça donne de voir ça ? Voir clair et mourir. Beau sort. Avoir raison et mourir.

Signe : la comptabilité s'enseigne en anglais, avec des manuels anglais, dans la catholique province de Québec, où le système d'enseignement est le meilleur au monde. L'essentiel c'est le ciel, ce n'est pas le français. On peut se sauver en joual. Dès lors...

Joseph Malègue dit quelque part (je sais où, mais je ne veux pas paraître pédant. On peut avoir du génie et être modeste). « En un danger mortel au corps, les hommes tranchent tout lien, bouleversent vie, carrière, viennent au sanatorium deux ans, trois ans. Tout, disent-il, plutôt que la mort ». N'en sommes-nous pas là ? Quoi faire ? Quand je pense (si toutefois je pense), je pense liberté ; quand je veux agir, c'est le dirigisme qui pointe l'oreille. Il n'est d'action que despotique. Pour nous guérir, il nous faudrait des mesures énergiques. La hache ! la hache ! c'est à la hache qu'il faut travailler :

a) contrôle absolu de la Radio et de la T.V. Défense d'écrire ou de parler joual sous peine de mort ;

b) destruction, en une seule nuit, par la police provinciale (la Pépée à Laurendeau), de toutes les enseignes commerciales anglaises ou jouales ;

c) autorisation, pour deux ans, de tuer à bout portant tout fonctionnaire, tout ministre, tout professeur, tout curé, qui parle joual.

On n'en est pas aux nuances. Mais cela ne serait pas encore agir au niveau de la civilisation. Ferons-nous l'économie d'une crise majeure ? Ferons-nous l'économie d'un péril mortel, qui nous réveillerait, mais à quel prix ?

Frère Untel, *Les Insolences du Frère Untel*, Montréal, Ed. de l'Homme, 1960, p. 23-28.

La crise et les symboles

Qu'est-ce donc qu'un projet collectif ?

On ne s'attend pas, j'imagine, à ce que je trace ici les schémas d'un plan de développement économique pour le Québec ou que je prophétise sur l'avenir de notre culture. Je m'en sens incapable. Faute de compétence en des matières aussi diverses. Plus encore : si un *projet* de cette sorte s'adresse à la collectivité, il doit aussi en provenir.

D'ailleurs, la crise de l'automne ne nous a rien appris de neuf sur les problèmes économiques ou autres qui, après comme avant, nous contraignent à une planification plus poussée et pour laquelle déjà nous disposons de données techniques nombreuses et d'hommes de science compétents. C'est dans une aire plus vaste que la crise prend son sens : elle force à s'interroger sur les conditions premières pour que naisse un projet collectif, sur des coordonnées élémentaires que nous connaissions sans doute abstraitement mais que la récente commotion aura enfin rendues à notre expérience concrète.

Dans nos sociétés, il arrive rarement qu'un même événement affecte l'ensemble de la population. Un accident de la route, une victoire sportive, un procès spectaculaire, une déclaration politique ne touchent d'habitude qu'une fraction de l'opinion publique ou, tout au moins, l'écho ne s'en diffuse que très inégalement dans les couches et les secteurs divers de la collectivité. D'ordinaire, l'intérêt et la passion ne se soulèvent qu'un bref moment, les média d'information suggérant le lendemain d'autres incidents qui retiennent temporairement l'attention à leur tour.

Dumont, Fernand, *La Vigile du Québec*, Montréal, HMH 1971, p. 173-183.

Cette fois, un événement a mobilisé, presque dès le départ, tout le Québec. On en causait dans toutes les régions, à la ville comme à la campagne, chez les conducteurs de taxi aussi bien que chez les étudiants. La radio rythmait ce halètement collectif. En un tragique suspense, quelques individus ont pu réunir pendant des semaines l'attention habituellement si diffuse des sociétés. Un événement est devenu un extraordinaire symbole.

D'habitude, quand on parle de « problèmes sociaux », on pense aux aspects les plus matériels, les plus visibles de la vie collective. Le chômage est défini dans un contexte économique, le malaise religieux ou scolaire par rapport à des structures et à des organisations, le problème ethnique selon des coordonnées démographiques ou d'après des inégalités de pouvoirs. Les autorités politiques elles-mêmes se voient bien obligées de poser, et de résoudre parfois, les problèmes en termes d'indices fonctionnels et de planifications. On écarte, comme allant de soi, les aspects moins visibles, moins concrets de la vie sociale. Le rêve, c'est bon, en principe, pour l'individu solitaire, le poète ou l'artiste, les loisirs et la vie privée. On confond l'officiel et le rationnel. On oublie que les collectivités rêvent aussi ; que les symboles, bien loin d'être un quelconque résidu de l'économie ou de l'organisation, sont peut-être le support et même la fin de la vie en commun. On sait quel bouleversement des vues sur l'homme a provoqué l'avènement de la psychanalyse : celle-ci aura montré que, par-dessous les jeux de la raison, se profilent des forces explosives dont les tensions se disent à peine au niveau du langage articulé et dont rendent mal compte les intellectualisations et les rationalisations de surface. Il serait étonnant qu'il n'en fût pas ainsi, de quelque manière, pour les sociétés.

Tant d'événements qui se sont produits au Québec depuis quelques années auraient dû en convaincre les rationalistes. La dernière élection a été différente des autres avant tout parce qu'elle a introduit dans les débats politiques des symboles particulièrement troublants. « Voter québécois », comme disaient les partisans de l'indépendance, ce n'était pas seulement choisir un programme électoral. Pour certains, de l'autre bord, non plus : ceux qui, par exemple, ont fait circuler les camions de la Brink's n'ignoraient sûrement pas la force percutante des signes. Bien avant, lors des discussions sur le projet de loi 63, il était clair que ce texte juridique était avant tout une image de la crainte qu'éprouvaient un grand nombre de Québécois devant le danger d'une extinction de leur peuple. La loi n'aggravait guère ce danger, mais elle le symbolisait. Les manifestations d'alors ont été beaucoup plus une célébration de la langue française, tantôt funèbre et tantôt joyeuse, qu'une démarche *politique* au sens étroit où on feint habituellement d'utiliser cette épithète. Remontons plus loin encore : pourquoi pas jusqu'à la « révolution tranquille » ? André Laurendeau évoquait en ce temps-là « une sorte de confiance en soi, la naissance de sentiments que nous n'avons guère connus dans notre histoire... Nous sommes nombreux, disait-il, à croire que la création est devenue possible ». La création ?

Le mot était explosif, car il évoque autre chose que les jeux politiques dont M. Rumilly a reconstitué l'interminable chronique.

On me dira que de jeunes fonctionnaires, imbus de *rationalité*, ont alors entrepris de construire un Etat moderne. Je le sais bien. Mais il faut se souvenir, comme eux s'en souviennent, je pense, de la foi qui les animait. D'ailleurs, ils ont fait en si peu de temps des choses considérables que la seule raison froide ne saurait commettre.

Les rêves longtemps refoulés se sont donc promenés au grand jour. Dans des sociétés plus rassies, on n'aurait pu aussi rapidement chambarder le système scolaire ou la liturgie. On le vérifie sans peine en recourant à l'histoire récente de la France ou des Etats-Unis. Nous étions, au fond, plus libres que nous le croyions : sans bourgeoisie douée de longues traditions, sans Etat chargé d'une vieille bureaucratie, sans liens profonds avec des conventions qui depuis longtemps ne collaient plus à nous-mêmes. Nous étions des sauvages.

Les rêves ont donc circulé librement. A l'automne 1970, ils se sont tous engouffrés dans une impasse.

Des symboles. Surtout des symboles ? L'on m'accusera de quitter ainsi trop vite le terrain des faits, des données concrètes.

Chez des gens de gauche, on me reprochera de ne pas d'abord tenir compte des forces, des classes, des mouvements sociaux, des impératifs économiques qui devaient converger vers un éclatement supposément *révolutionnaire*. On me dira même, cela m'est déjà arrivé, que je suis un « hégélien de gauche ». Lecteurs qui ne connaissez pas les Saintes Ecritures marxistes, je vous rappelle que les « hégéliens de gauche » étaient, au temps passé, des adversaires de Marx. Vous trouverez de plus amples renseignements là-dessus dans n'importe quel livre de poche ; je n'insiste donc pas. Certains ont besoin d'hérétiques ; et afin qu'ils puissent s'identifier avec Marx, il faut bien que quelqu'un endosse le costume des ennemis que Marx s'était choisis. Ma foi, pourquoi pas ? Nous pourrons toujours lire Marx pendant l'entracte et constater, en écoutant les dialogues de la gauche, que les symboles y sont effectivement d'une extrême importance.

Mais je ne m'en tirerai pas à si bon compte. MM. Trudeau, Marchand, Bourassa, Choquette et autres personnalités parfaitement rationnelles ne me laisseront pas ainsi, eux non plus, m'évader dans le ciel des collectivités. Ils nous ont tant parlé de politique fonctionnelle, de croissance économique, de la vanité des drapeaux et des nationalismes qu'ils doivent bien avoir quelque explication terre à terre à nous donner.

Ils ont essayé, on en conviendra.

Des milliers de membres du F.L.Q., un camp d'entraînement au nord de la métropole, des tonnes de dynamite et des tas de fusils emmagasinés dans tous les coins... Certains se sont demandé tout d'abord comment des gens, légitimement élus comme ils disent et comme nous disons aussi, avaient attendu l'enlèvement de MM. Cross et Laporte pour faire toute cette comptabilité des dangers qui nous menaçaient. La sécurité de l'Etat, nous la leur avions confiée. Dangereux irresponsables d'avoir tant tardé pour mettre ensemble les indices divers d'une « insurrection appréhendée » ? Heureusement le complot fond à mesure que la police s'en occupe. Ceux qui ont enlevé M. Laporte ont acheté leurs fusils le matin même dans une boutique qui, j'imagine, vend à qui le désire l'équipement standard du kidnapper. Pourquoi n'ont-ils pas eu recours au stock considérable de l'insurrection ? Par souci d'économie eux aussi ? On nous avait dit encore que le F.R.A.P. servait de couverture au F.L.Q. : au lendemain de cette affirmation, il nous a fallu consentir à un débat linguistique. Le dossier de l'insurrection n'était sans doute pas tout à fait au point.

En haussant encore un peu les impôts, on parviendra à recycler les techniciens qui l'ont préparé. Un gouvernement qui rappelle sans cesse que l'heure n'est plus aux rêveries et aux idéologies mais à la rationalité, qui a pour chef un homme aussi raisonnable que M. Trudeau, ne manquera pas d'introduire de plus stricts calculs dans les insurrections, appréhendées ou réelles, de l'avenir. Ce premier défaut de comptabilité ne doit pas être imputé à rigueur : comme nous tous, les gouvernements n'avaient que des symboles comme indices. Ils ont donc crié au feu sans y regarder de trop près.

Le danger du feu a été largement évoqué. Un homme, prêtre au surplus et que j'estime beaucoup, écrivait dans l'*Action* du 28 octobre : « Lorsque les gens craignent que leur maison passe au feu, le moment est mal choisi pour leur conter que les pompiers s'énervent, qu'il faudrait s'interroger sur la nature même du feu et sur les dégâts que font les pompiers ». Cela est plein de bon sens, sauf que la question que certains d'entre nous ont timidement posé en public, à propos d'ailleurs d'une négociation qui aurait peut-être pu sauver la vie de M. Laporte, coïncide avec celle qu'un pompier raisonnable formule d'abord : s'agit-il d'un immense incendie ou d'une fausse alarme ? Dans un cas ou l'autre, on décide ou non de faire sortir toutes les équipes en songeant au risque qu'il y aurait à mobiliser massivement ses ressources sans prévoir pour la prochaine fois. On hésite à mobiliser la peur de tous les quartiers environnants, au cas où, à force de crier inconsidérément au feu, on ne trouve plus personne pour y croire et pour l'éteindre. Les hommes de notre âge se souviennent d'avoir lu, dans les manuels de leur enfance, une fable classique où un berger qui s'amusait à crier au loup ne se vit pas secourir le jour où un loup véritable apparut.

Messieurs Trudeau et Bourassa ont déclaré avoir reçu des tonnes de lettres les approuvant. Je le crois bien. Si j'allais dire à mon voisin de gauche que trois hommes armés rôdent depuis des jours autour de sa maison, je le convaincrais aisément d'être extrêmement hospitalier à la police et même, sans doute, de voir arrêter sans trop de scrupules mon voisin de droite. En le pressant un peu, il m'écrirait même une lettre là-dessus. Encore faudrait-il, pour sauvegarder l'avenir, que je n'aie pas exagéré quant aux hommes menaçants qui se promènent dans son jardin. « Demain, la victime aurait été un gérant de Caisse populaire, un fermier, un enfant » : ainsi disait M. Trudeau. Des symboles encore, ou tout au moins des figures de style.

Revenons donc aux symboles avec un peu moins de scrupules.

Sans faire une longue leçon de sociologie ou de philosophie, on peut rappeler que, dans la tradition de l'analyse scientifique des sociétés, deux tendances se sont progressivement dessinées.

Selon une première perspective, les collectivités s'expliquent par le bas : les hommes ont des intérêts qui leur viennent des « rapports de production » de leur société ; ils appartiennent à des classes, ils sont insérés dans des organisations. En un mot, ils travaillent. Et, quand ils rêvent, leurs songeries, leurs idéologies s'envolent d'un sol plus dur manipulé par leurs labeurs et leurs conflits. Qui en disconviendra, même s'il n'a jamais lu Marx ? A condition seulement d'avoir travaillé.

Mais il est une autre vue des choses. Celle qui trouve son départ dans les rêveries par où les hommes, plombiers ou médecins, font descendre sur leur existence la plus empirique des idéaux qui les habitent. Pour épouser cette voie d'analyse, il n'est point nécessaire de croire à un mystérieux Esprit collectif qui survolerait les sociétés. Il suffit d'admettre que les hommes rêvent quand ils travaillent et réciproquement. De reconnaître aussi que, si le travail a sa consistance, ses techniques et son organisation, les rêves s'agglomèrent aussi et font peser sur les rassemblements des hommes une logique qui, pour être moins claire que l'autre, exige d'être déchiffrée.

Gardons-nous bien de prétendre que l'une ou l'autre de ces deux lectures est la plus importante. Laissons cela aux liturgies scientifiques ou politiques. D'ailleurs, les dernières élections québécoises nous l'ont montré sans qu'il soit nécessaire de citer des auteurs et des orthodoxies de collège. L'*indépendance* : un symbole, un rêve. Les *100,000 emplois* : un symbole, un rêve aussi[1]. Retournez les deux slogans ; vous retrouvez l'envers et l'endroit d'un même tissu. Celui dont sont faites toutes les sociétés du monde.

Peut-être est-il possible d'aller plus avant sans céder, une fois de plus et du moins en cet endroit, aux longs développements qu'exigent les thèses des Ecoles. Posons une sorte de postulat qui nous sera fort utile par la suite : entre le travail et les symboles, entre la rationalité et les rêves, la parole demeure le

---

1. M. Bourassa vient lui-même de le confirmer à des journalistes lors d'une émission de Radio-Canada (*Format 60*, 6 janvier 1971) : en parlant de la création de 100,000 emplois au moment des élections d'avril, il ne voulait pas, dit-il, faire vraiment une « promesse électorale », mais « dramatiser » les problèmes du développement économique du Québec. Ce que certains électeurs avaient compris comme étant de l'ordre de la politique rationnelle relevait, en fait, du théâtre.

lieu de l'articulation, de la maîtrise de l'histoire. Si elle se nourrit des désirs et des rêves qui circulent parmi les hommes, elle peut aussi les apprivoiser, les surmonter dans des dialogues et des projets qui permettent, à leur tour, l'existence de la communauté politique. En assurant à tous la liberté et la responsabilité de la parole, la démocratie suppose que les collectivités ne doivent pas être livrées aux rêveries inintelligibles de même qu'elle refuse de laisser à la force seule le soin de les contenir. Des lieux communs, sans doute. Mais les lieux communs sont choses fragiles ; comme la raison qui y dort et d'où, parfois, elle prend son essor.

En ces jours de panique, on s'est beaucoup interrogé sur l'usage qui a été fait de la parole dans notre société. Les journalistes, Radio-Canada, les intellectuels, les « théoriciens de la démocratie » ont été copieusement pris à parti. Quelle que soient les aberrations qui ont pu alors être proférées, elles exprimaient à leur manière une explication fondamentale. Non pas, bien sûr, en ce sens où trop de paroles auraient mis en évidence les problèmes de notre société ; ou alors il faudrait, à côté des comités de citoyens et des sociologues, des journalistes et des chefs syndicaux, ranger en bonne place les évêques parmi les accusés. Il faut être un imbécile, ou vouloir garder la parole pour soi tout seul, pour ne pas avouer que jusqu'à maintenant, dans l'histoire de l'humanité, les hommes n'ont pu maîtriser leur situation qu'en lui donnant d'abord un sens par le langage.

Nous avons beaucoup parlé depuis 1960. Mais comment avons-nous parlé ? Si la stupeur qui nous a frappés en octobre relève des symboles collectifs, la tragédie a été avant tout drame de culture. N'ayons pas peur de ce mot puisqu'il désigne l'outillage mental d'une société, ce dont elle dispose pour analyser sa réalité, ses rêves et ses projets. C'est notre culture qui nous a fait défaut à l'heure de la tragédie. Les conflits obscurs, les ressentiments et la haine accumulés, les simplifications des factions, les paroles en l'air ont fait éclater les bagarres précaires du discours articulé.

L'explication doit donc se trouver quelque part dans l'évolution de notre culture, de notre parole collective au cours des dix ou quinze dernières années. De ces années qu'il est convenu d'appeler, symboles et paroles encore, la *Révolution tranquille*.

La culture canadienne-française à Saint-Denis

Dans la perspective de l'étude comparée des sociétés, les groupes paysans occupent une position stratégique ; ils représentent en quelque sorte un moyen terme dans l'équation de la culture et de la civilisation. D'une part, ils ressemblent aux peuples primitifs auxquels s'intéresse tout particulièrement l'ethnologue ; d'autre part, ils font partie de ce monde moderne urbanisé dont l'étude constitue la préoccupation principale de la plupart des sociologues américains. Choisir d'étudier les sociétés paysannes, c'est ainsi contribuer à faire entrer dans une même perspective de recherche toutes les société de la terre, des plus simples aux plus complexes. Il faut reconnaître cette unité de l'objet d'étude si nous voulons en arriver à construire la science de la société et de la culture, quel que soit le nom que l'on retiendra pour désigner cette science. Eu égard à leur importance, les sociétés paysannes ont été relativement négligées jusqu'ici ; les monographies sérieuses consacrées à de tels groupes ne peuvent qu'être accueillies avec un vif intérêt.

Le lecteur du livre excellent du docteur Miner pourra voir en quoi cette société paysanne canadienne-française ressemble aux peuples primitifs. Les *habitants* y vivent selon des règles et des valeurs collectives qui sont enracinées dans la tradition et en sont venues à constituer un ensemble cohérent. Presque tous partagent les mêmes idées fondamentales sur la vie ; ces idées trouvent leur

---

Robert Redfield, in *La Société canadienne-française*, Montréal, HMH, 1971, p. 69-73.

expression concrète dans les croyances, les institutions, les rites et les moeurs des gens. Bref, ces *habitants* ont une culture propre. En outre, les sanctions qui contrôlent les conduites ont un caractère éminemment sacré : la foi que tous partagent fournit les critères qui permettent d'approuver certains comportements et d'en condamner d'autres. Le prêtre détermine ce qui est bien et ce qui est mal ; mais il faut préciser que les gens ont le sentiment de ce qui est bien et de ce qui ne l'est pas, et que c'est en fonction de ce sentiment qu'ils agissent, non pas simplement par conformisme. C'est, par ailleurs, une société où domine la famille, comme c'est le cas dans bien d'autres sociétés plus primitives, extérieures au monde européen. Tout l'édifice social repose en effet sur un réseau de relations consanguines et conjugales. Le système familial y est fort, omniprésent ; il exerce une influence décisive. Ce que fera l'individu — au travail, dans le choix d'un conjoint et d'une carrière, en politique — est largement déterminé par la place particulière qu'il occupe dans une famille. Cette organisation familiale qu'a analysée le docteur Miner, même si elle n'évoque rien d'exotique mais plutôt des coutumes et des expressions que la plupart des lecteurs connaissent bien, présente, par sa structure même, par l'importance de sa fonction dans la société globale, par les relations étroites qu'elle entretient avec les autres éléments de la structure sociale, des traits semblables à ceux que révèle habituellement l'étude des sociétés aborigènes simples. Il y a peu de désorganisation, peu de criminalité. « La seule mort violente de la paroisse s'est produite il y a si longtemps que même la légende en a été oubliée ». D'un certain point de vue donc, ce groupe paysan isolé se compare à des sociétés comme celles des Indiens d'Amérique ou des indigènes africains. Même le comportement politique des gens de Saint-Denis peut souffrir cette comparaison ; la division en deux partis politiques, dont les membres, de part et d'autre, démontrent beaucoup de conviction et de combativité, rappelle la structure dualiste de certaines sociétés plus simples.

Mais considérer que ces *habitants* constituent une société de même type que celles des Mélanésiens ou des Indiens d'Amérique impliquerait évidemment que l'on ne tiendrait pas compte du fait qu'ils font aussi partie d'un monde moderne et urbanisé. Le paysan participe à une économie monétaire, écoule le surplus de sa production sur les marchés urbains, paie des taxes, fréquente quelquefois l'école, vote, et participe de bien d'autres façons à une structure économique et politique plus vaste qui réunit paysans et citadins. Le paysan connaît l'écriture et en fait un certain usage, ce qui n'est pas le cas chez l'aborigène. De plus, les ruraux et les urbains constituent une société globale unique possédant une seule hiérarchie de statuts. Chacun est conscient de la présence de l'autre ; chacun situe l'autre dans le réseau de ses relations sociales ; chacun reconnaît l'autre comme membre de la même société globale que lui-même. Pour le paysan, il est tout naturel d'attribuer du prestige aux gens des villes de même qu'à ceux de son groupe qui sont plus cultivés. Grâce à l'éducation, le paysan peut accéder au monde urbain ; de son côté, le citadin conserve des parents parmi les paysans. Dans le cas de Saint-Denis, la liaison directe entre l'*habitant* et la ville de Québec se fait par l'intermédiaire de certains résidents de la communauté locale : le curé et ses parents, le sénateur et les membres de sa famille. ... Ces personnes, issues du milieu, jouissent « toutefois d'un statut social si différent de celui de l'ensemble de la communauté qu'elles ne peuvent entretenir des relations sociales normales avec les autres paroissiens. Leur statut particulier ne saurait aucunement s'expliquer par référence au milieu immédiat ; il tient plutôt à leurs contacts avec le monde extérieur à la paroisse : ce sont ces contacts qui leur ont assuré un prestige beaucoup plus grand que tout ce que la paroisse peut offrir sur ce plan. » Les paysans reconnaissent simplement le prestige que ces personnes cultivées ont acquis à la ville.

Selon la terminologie de Durkheim, la société paysanne représente une sorte de compromis assez stable entre le « segment social » et l' « organe social ». Ce compromis résulte de l'adaptation d'une culture locale à la civilisation urbaine. La solidarité du groupe paysan se maintient bien que celui-ci participe à une économie de marché et à la vie d'une société plus vaste.

La condition paysanne est souvent considérée comme un état dont il faut s'échapper, comme une honte à éviter. La lecture de cette étude sur les Canadiens français, à peu de choses près les seuls paysans d'Amérique du Nord, risque fort de remettre cette opinion en question. Certes, on est tenté de comparer leur genre de vie à celui d'autres groupes d'agriculteurs dont le niveau de vie est peu élevé. Si l'on pense au métayer par exemple, la différence entre son mode de vie et celui de l'*habitant* est évidente, mais qui dirait que la comparaison n'est pas à l'avantage de ce dernier ? Si l'*habitant* présente l'image de l'ordre, de la sécurité, de la bonne foi et de la confiance, c'est avant tout parce qu'il possède une culture. On ne peut soutenir sérieusement que ces avantages viennent de ce que la région qu'il habite soit plus riche en ressources naturelles ; il serait difficile de le démontrer. La différence entre les deux ne tient pas à ce que l'un serait propriétaire de la terre, tandis que l'autre ne le serait pas. Si la vie de l'*habitant* est bien réglée, si elle implique une relative stabilité, c'est en grande partie parce qu'elle est vécue par référence à un ensemble d'idées et de valeurs collectives qui gouvernent les conduites, qui fondent et justifient les attitudes. Ce qu'il faut entendre par la notion de culture ne se limite au type d'objets que fabrique telle tribu ou à l'outillage qu'utilise tel groupe agricole. L'*habitant* possède une culture propre, non pas parce qu'il dispose de certains moyens particuliers d'assurer son existence, mais bien parce que l'existence a pour lui un sens particulier.

En raison des traits que nous avons reconnus à ces groupements, l'étude des sociétés paysannes offre, pour l'analyse du changement social, un ensemble d'avantages dont le docteur Miner, dans le présent ouvrage, n'a pas manqué de tirer profit. A l'instar des sociétés primitives, les sociétés paysannes constituent des ensembles nettement circonscrits et relativement simples : le travail d'observation et d'analyse s'en trouve évidemment facilité. On peut arriver à bien saisir la nature de leurs institutions, à déterminer les traits essentiels de leur culture ; on peut même, sur plusieurs points, identifier les facteurs de changement. Par ailleurs, ces sociétés, se rattachant à une collectivité évoluée, possèdent une histoire écrite. On peut ainsi consulter des documents et apprendre par là comment elles sont devenues ce qu'elles sont ; l'histoire des peuples sans écriture est de beaucoup moins facile à établir. Si l'on peut disposer de renseignements valables sur le passé, le présent s'en trouve éclairé d'une lumière nouvelle et, dès lors, il devient possible de prévoir l'orientation future de l'évolution observée.

Dans le cas des communautés rurales canadiennes-françaises, l'analyse de H. Miner fait bien ressortir certaines des circonstances particulières qui pouvaient favoriser le maintien de l'organisation locale traditionnelle, de même que les facteurs susceptibles de menacer cette organisation. Comme les membres d'autres sociétés situées à la périphérie de l'aire d'expansion de la civilisation moderne, l'*habitant*, par ses contacts avec des étrangers et des personnes ayant acquis une mentalité urbaine, a subi des influences qui ont affecté l'organisation sociale traditionnelle de son milieu. Selon le schéma habituel, il tend à délaisser les vieilles coutumes locales pour adopter les manières de penser et les manières de faire de l'étranger. Mais, dans ce cas, il faut tenir compte de la fonction régulatrice qu'exerce l'Eglise catholique. Celle-ci s'est interposée entre le monde extérieur et l'*habitant*, empêchant l'adoption d'éléments qu'elle condamnait et justifiant l'adoption des éléments acceptables en fonction des critères de la foi et de la culture locale. Le lecteur ne pourra manquer d'être frappé par les liens étroits qui relient cette culture locale aux doctrines et aux pratiques de l'Eglise. Celle-ci fournit les justifications surnaturelles du travail, elle administre les rites qui marquent les étapes de la vie de l'individu de sa naissance à sa mort, elle encourage et bénit les familles nombreuses. Les institutions de l'Eglise constituent les cadres de l'administration de la collectivité et la présence du curé assure celle-ci d'un leadership moral. Quand les normes locales sont menacées par un danger tel que l'exemple qu'offrent les estivants, l'Eglise intervient, par les sermons du curé, pour tenter de limiter les conséquences de cette menace. Elle a graduellement éliminé de l'esprit de ses ouailles les formes de la pensée magique incompatibles avec le Christianisme, tout en favorisant par ailleurs l'adoption de nouveautés comme, par exemple, l'agriculture scientifique. On pourrait être tenté de croire que, sous une telle tutelle, les traits essentiels de la culture traditionnelle des Canadiens français pourraient demeurer substantiellement intacts pendant encore plusieurs siècles.

L'analyse de H. Miner met en évidence certains indices importants à partir desquels il faut conclure que l'organisation traditionnelle est néanmoins menacée. Le système, en tant qu'ensemble de croyances et de pratiques, est statique ; mais si on le considère dans la perspective d'un équilibre entre les ressources et les modes d'exploitation, il implique un certain dynamisme. Selon ce système, en effet, on devait pourvoir de terres nouvelles ceux des enfants qui n'hériteraient pas du domaine familial. Les familles étant nombreuses, le nombre des enfants dépassait rapidement le nombre des terres disponibles dans la localité même. Aussi longtemps que l'on put trouver des lots disponibles dans des régions nouvelles, la culture locale ne subit pas de transformation notable. Comme le dit Miner, « la culture canadienne-française se caractérisait par un fort degré de cohésion sociale interne tenant à un mode d'adaptation à court terme aux conditions du milieu ». Une fois épuisées les réserves de terres disponibles, un rajustement s'imposa. Dans la vieille France, la famille restreinte a remplacé la famille nombreuse. Jusqu'ici, au Québec, ce type d'ajustement ne s'est pas produit ; ce sont d'autres changements qui se sont produits. Parmi les enfants, quelques-uns ont été orientés vers les professions, d'autres ont émigré vers les centres manufacturiers. Mais l'éducation des enfants coûte cher : ce besoin d'argent a entraîné des changements sur le plan de la technologie, de même qu'une plus grande dépendance par rapport à l'économie générale de la province et du pays. Par ailleurs, ceux des enfants qui travaillent en usine introduisent dans leur communauté d'origine, quand ils y reviennent, les moeurs de la ville. On sait que l'organisation traditionnelle était fondée sur l'Eglise et l'agriculture ; les nouveaux débouchés qui s'offrent aux enfants qui ne restent pas sur la terre en font des ouvriers d'usine à l'extérieur ou des journaliers dans la localité, ce qui contribue, évidemment, à détruire le système traditionnel. Le même phénomène se produit lorsque l'indigène d'Océanie devient salarié dans une plantation : la vie tribale s'en trouve disloquée. Dans le cas qui nous occupe, il n'y a pas eu de conquérant ni de plantations ; le système, basé sur l'exploitation progressive de terres nouvelles, devait tôt ou tard poser des problèmes particuliers. L'*habitant* avait une culture primitive *(folk)*, mais c'est à la manière d'un pionnier qu'il se retrouva dans un monde nouveau. On se trouve ici en présence d'une société qui possède une culture autonome et cohérente et, en même temps, d'un milieu neuf où les ressources sont encore à exploiter : c'est ce qui rend particulièrement intéressante l'étude de la situation des Canadiens français. Une étude comme celle que présente Miner démontre bien que le changement social peut faire l'objet d'analyses méthodiques et qu'il n'est pas vain d'espérer atteindre à une connaissance plus systématique de ce phénomène.

La culture de l'herbe

Il y a quatre ans, H. fuma pour la première fois de l'herbe. Elle découvrit alors, dans un disque déjà mille fois entendu, des sons et des délicatesses musicales qu'elle n'avait jamais perçus jusqu'alors ; elle se dit qu'il y avait sans doute, non seulement des sons, mais des couleurs, des perceptions, des sentiments auxquels elle pouvait, devait s'ouvrir. Elle regarda les gens autour d'elle et les vit autrement ; elle vit là la mesquinerie et là la bonté, elle eut horreur des faux visages et voulut vivre dans la vérité. Elle était mariée avec un biologiste, garçon extrêmement sympathique, avec qui elle est restée en excellents termes, elle avait quatre enfants. Elle changea de vie. Elle ne voulait nullement échapper à la famille, au contraire, elle s'est rapprochée de ses enfants, partageant leur philosophie et leur attitude spontanée devant la vie ; elle s'est éloignée de la vie bourgeoise, elle a cessé d'être une femme d'universitaire. Sa maison de Larkspur, dans les bois, parmi les arbres géants, est devenue un foyer ouvert jour et nuit : la porte n'est jamais fermée. H. s'est mise à tisser, elle a installé un métier dans une chambre et elle s'est livrée à son inspiration ; elle enseigne depuis un an ou deux au centre d'art de M., à une centaine de milles au nord, sur la côte. Là vivait une grande commune de jeunes. La maison de Larkspur est devenue une maison à demi communale. Des hippies viennent, ils fument, peignent, dessinent, font des objets néo-archaïques, à l'indienne. Ils peuvent se doucher, se coucher, manger quelque chose. Ils jouent des tambours (il y a quatre drums africains dans le living) ; ils jouent de la flûte. Il y a quelque chose d'idyllique, de bucolique, d'extraordinaire dans cette maison de la liberté et de la communauté. Le dernier-né des enfants d'H, s'est construit avec un copain une maison cachée dans le bois où ils vont parfois passer la nuit ; la nuit de notre arrivée, ils avaient ramené un chevreuil, et le lendemain, ils découpaient et fumaient l'animal, à la manière indienne, avec un assaisonnement supplémentaire d'herbe à Marie-Jeanne. Tout cela semble vivre en dehors de l'argent, de la civilisation industrielle, de l'organisation, de la contrainte. La vie est frugale. En fait, un peu d'argent rentre, soit par le tissage d'H., soit par les versements de D. pour les enfants ; en fait, il y a quelques mois, H. a été amenée à établir une discipline minima, qui lui permette de sauvegarder son travail, d'éviter que la maison soit clochardisée, et c'est cette symbiose entre deux contradictions, la spontanéité et l'ordre, le « au jour le jour » et la continuité, qui m'a paru admirable. C'est une commune matriarcale, maternelle, où H. est le foyer à la fois de l'amour et de la régulation...

La maison de Larkspur est portée comme un esquif mais ne se laisse pas renverser par la révolution culturelle (il faudra parler plus tard de la terrible force d'autodestruction qu'il y a dans cette créativité). Expérimentalement, H. a compris que la révolution culturelle a besoin d'une base économique, et que celle-ci doit être celle du néo-artisane, du néo-archaïsme. Elle s'efforce de faire coïncider le travail avec l'art, l'art avec la vie...

Il s'est opéré une rencontre, une synthèse, entre le goût russe d'H. et le hippisme californien. La mère d'H. s'était réfugiée à Toulouse en juin 1940 ; le père, savant connu, était mort pendant l'exode ; la famille, entièrement démunie, vivait grâce à la solidarité d'universitaires amis. Il n'y avait pas d'argent, c'était le temps des restrictions, mais la maison de la rue du Japon était toujours ouverte. Madame Y. offrait toujours le thé, quelque chose à manger, et, à l'heure du repas, mettait le couvert pour le visiteur. L'hospitalité de cette maison était pour moi, et les amis qui la fréquentions, fabuleuse. Madame Y., fourmi infatigable, faisait la cuisine, la vaisselle, le ménage, lavait le linge, repassait, recousait les vêtements de la famille, participait aux conversations, et ne se couchait que vers quatre heures du matin. Violette habita chez eux (après le départ d'H. pour Marseille, je crois). Or c'est bien cette maison qui est reconstituée à Larkspur, mais hippisée, yankeesée, avec, au centre, la philosophie de l'herbe qui ouvre l'âme et rend extra-lucide.

Là nous avons connu Charlotte, Nick, Skyfish et sa copine, qui s'essayent à faire des bagues en cuir (Skyfish s'est fait lui-même un pantalon de peau à l'indienne). On voit passer des naufragés de la commune de M., venant s'abriter quand le besoin se fait sentir, et d'autres qui viennent simplement pour jouer du drum et de la flûte.

Trois journées capitales. Je suis exactement au foyer de ce qui me fascine. La première soirée, après les déboires et les difficultés sur la route, est un bain de douceur avec H. retrouvée, telle qu'elle est devenue, c'est-à-dire elle-même (devenir, c'est se trouver), avec des jeunes inconnus et inconnues ; sympathie immédiate, fulgurante entre elle et Johanne. Oui, nous sommes maintenant sur notre rive.

Paix, joie, on boit du vin, on fume de l'herbe, on est ensemble.

H. nous dit que la vraie rupture, la vraie mutation a eu lieu il y a quatre ans, avec l'expérience généralisée de l'herbe. Expérience capitale, qui d'après elle modifie la vision du monde. Le farniente, considéré comme fainéantise et vacuité selon le puritanisme du travail, est devenu intensité, plénitude, expansion du moi, fraternisation avec autrui, communion avec le monde. Cela a catalysé, accéléré, précipité la formation du néo-rousseauisme et de la nouvelle culture, l'un et l'autre liés, l'un et l'autre *feed-back* anthropologiques provoqués par la civilisation technicienne-industrielle-urbaine-bourgeoise.

C'est un néo-tribalisme, quelque chose de très archaïque qui surgit de la pointe avancée de la modernité. Ce néo-tribalisme n'est que très peu macluhanien mais il l'est un peu (par l'influence des media).

Ils veulent être des bons sauvages, ils veulent être des Indiens, ils veulent être des robinsons-vendredis, ils veulent être et ne pas être...

Images fugitives ; le vendredi matin, au soleil, devant la maison, Nick et Skyfish jouent de la flûte, une fille fait de la couture.

Beaucoup de jeunes, avec leurs barbes et leurs longs cheveux, ont un visage christique. Ils sont doux et graves. De plus en plus, je vois dans cette gravité une grande tristesse.

Etrange cité aquatique-roulante à Sausalito. Sur l'eau, amarrés, de grands ballons flottants sont des habitats-capsules. D'étranges baraquements constituent du bidonville surréaliste avec la fantaisie extravagante qui a présidé au choix et au mélange des matériaux. Ce sont des coquilles de bernard-l'ermite, faites volontairement avec les éléments les plus hétéroclites. Sur un vieux camion se dresse une sorte de château disneyien de deux étages, surmonté d'une petite tour médiévale construite de bric et de broc. Il y a de vieilles guimbardes, d'où sortent des néo-clochards, pieds nus...

Les uns vivent sur les plages, les autres dans les bois, les autres dans ces bicoques... Tous recherchent la pauvreté, la frugalité. Ils veulent se passer de dollars, ils voudraient presque éviter de consommer, mais beaucoup de ces va-nu-pieds conservent ce qui chez nous paraît encore un luxe, et qui, dans ces agglomérations si étendues, si peu desservies en transports en commun, est plus indispensable que la paire de chaussures, la voiture.

Tentatives désespérées pour vivre sans argent : certaines communes pratiquent le troc, d'autres vivent de dons réciproques, de cadeaux alternatifs.

La pluie, une pluie diluvienne, est arrivée dans la nuit de mardi à mercredi et a duré quarante-huit heures. Elle a chassé ceux qui vivaient dans les bois et sur les plages.

La dose de richesse a été trop forte pour ces fils de puritains, en même temps que la dose de misère dans le monde, qu'ils découvraient à travers les *media*, était trop forte pour ces fils de riches.

Ils veulent à la fois la vraie vie et se punir d'un péché épouvantable.

Beaucoup sont des fils de riches. Ils jouent ? Oui, dans un sens... Ils jouent à la pauvreté, de la façon la plus sérieuse possible.

Ils sautent de l'avion, avec un parachute, certes, mais sans l'ouvrir. Certains s'écrasent au sol.

Ils font tout pour ne pas l'ouvrir. Mais ils ont ce parachute.

Evidemment, le privilège de ces fils de riches est de pouvoir être heureux d'être pauvres.

Leslek me conte une légende de son cru : les dauphins avaient développé une prodigieuse civilisation au fond des océans, puis ils se sont rendu compte un jour que tout cela était totalement vain. Alors ils ont tout abandonné et sont allés s'amuser dans les mers ; ce sont, en somme, des hippies qui ont réussi.

Analyser la maladie du super-ego : pourquoi l'autorité a-t-elle perdu son autorité ? Conséquence du « libéralisme » (analyser le libéralisme comme semi-autoritarisme). Mais pourquoi, comment, y a-t-il eu libéralisation (de la famille, de l'éducation) ? Lier tout cela à la crise des valeurs... examiner ce que signifie le *refus du rôle du père*.

OU EST LA RUPTURE ?

On peut parler de contre-culture (Theodore Roszak), mais le préfixe infléchit trop dans le sens de la négation. C'est aussi une révolution culturelle, qui affirme ses valeurs positives. Certaines de ces valeurs existaient déjà dans la société, mais elles étaient, soit enfermées dans les réserves de l'enfance, soit vécues comme détente à la vie « sérieuse » du travail (vacances, loisirs, jeu, esthétique) ou bien elles étaient enfermées dans la gangue des religions, sans pouvoir contaminer la vie quotidienne.

1. Dans un sens, la révolution culturelle veut prolonger l'univers enfantin au-delà de l'enfance ; cet univers, c'est celui des romans de Fenimore Cooper, celui de la case de l'oncle Tom, où l'Indien et le Noir sont des personnages vrais qui vivent en contact avec la nature ; c'est aussi l'univers disneyien où on peut parler avec les animaux et les comprendre... La révolution culturelle, comme toute grande révolution, est la volonté de sauver et accomplir un univers infantile de communion et d'immédiateté ; le hippisme, par un aspect profond, est le monde imaginaire enfantin qui veut se réaliser dans l'adolescence, dans la vie.

(D'où la piste sociologique : chercher où, comment, cesse de jouer le mécanisme qui, au cours de l'adolescence, opère la désintégration des valeurs enfantines et l'intégration des valeurs de la société adulte.)

2. Le néo-rousseauisme, qui disposait déjà d'une forte tradition culturelle aux Etats-Unis, est un contre-courant que suscite le développement des con-

traintes de la vie moderne. Ce néo-rousseauisme porte en lui la quête de la vie libre et épanouie du corps, du repos de l'âme, de la communion avec la nature, de l'ARKHE sous toutes ses formes. Mais il est vécu *en alternance* dans la société adulte. La révolution culturelle est la transformation de l'alternance en alternative : ou bien la vie fausse, artificielle, raréfiée, ou bien la vie selon la nature de l'homme et l'homme de la nature (cf. *l'éco-mouvement*).

3. Quant au christianisme, c'est le sermon sur la montagne qui veut soudain jaillir hors de la gangue des églises institutionnalisées. Le besoin de pureté et de communion, l'annonce des béatitudes pour les pauvres en esprit et en biens, la quête du salut sont mis en marche, sont devenus vécus pour ici et maintenant : *Paradise now* ! Cette réincarnation profonde des valeurs évangéliques a entraîné honte et dégoût d'une vie d'égoïsme et d'intérêt, c'est-à-dire de la vie bourgeoise de l'Amérique blanche. Après être demeuré l'auréole de spiritualité du matérialisme bourgeois, l'évangile est devenu sa critique opérationnelle.

4. On pourrait dire aussi que, dans un certain sens et partiellement, la poussée individualiste libertaire de la révolution culturelle est en germe dans l'individualisme bourgeois de la société établie. L'hédonisme favorisé et excité par le développement de la consommation se prolonge aussi dans la nouvelle culture, mais en se métamorphosant. Car il y a rupture décisive au coeur même de l'individualisme : à l'individualisme de propriété, d'acquisition, de possession s'oppose désormais l'individualisme de sensation, de jouissance, d'exaltation ; à la consommation s'oppose la consumation, et bien qu'ayant le même tronc commun, l'hédonisme de l'être (révolution culturelle) s'oppose radicalement à l'hédonisme de l'avoir (société bourgeoise).

La rupture culturelle a donc été le jaillissement de ce qui était déjà présent, nourri, mais refoulé, désamorcé, dévié dans la culture même de la société. Et ce jaillissement s'accomplit dans et par la négation de ce qui refoulait et désamorçait.

5. Mais la rupture, c'est aussi l'irruption d'éléments révolutionnaires jusqu'alors rejetés hors du *limes* social et culturel. C'est l'irruption du *communisme*, dans sa double, totale, contradictoire, confuse (mais combien riche et puissante anthropologiquement !) nature originelle : communautaire et libertaire. Cette irruption est d'abord existentielle. Le communisme cherche plus à se vivre qu'à se théoriser. Il tend à s'incarner d'abord, non à travers le processus d'une révolution politique visant à occuper le pouvoir d'Etat, mais à travers une révolution culturelle. Mais pourtant c'est bien le communisme tel qu'il est apparu, comme aspiration et besoin, avec Fourier, Proudhon, Marx.

(Ici, il faudrait essayer de concevoir comment les éléments culturels devenus soudain éruptifs et les thèmes révolutionnaires devenus soudain irruptifs se confondent dès lors : comment la recherche du bonheur devient aspiration à une autre vie, l'aspiration à une autre vie devient recherche du bonheur, le besoin individualiste devient anarchiste, le besoin de communauté devient communiste, et tout cela devient révolutionnaire.)

6. A tous ces traits à la fois de continuité et de rupture, il faut ajouter ce qui constitue l'élément nouveau, à l'origine extérieur au monde occidental, et que traduisent, à leur manière, les thèmes hindouistes et bouddhistes, la fascination des Indes et de Katmandou, et en profondeur l'expérience de la drogue; c'est la recherche du vrai monde caché sous le monde apparemment réel, recherche des secrets intérieurs de la *psyché*, recherche de la communion avec l'Etre à travers la vie extatique et, à la limite, l'anéantissement nirvanien. Alors que le communisme est un contre-courant issu du développement même du monde bourgeois occidental, il s'agit, dans l'extatisme d'un contre-courant venu de l'extérieur, mais happé et appelé de l'intérieur par les carences de l'Occident, *et qui s'oppose à l'occidentalité elle-même*, en ce qu'elle signifie activisme, dynamisme historique, technique, rationalité et rationalisme. Et ainsi, pendant que la philosophie orientale se résorbe, se disperse, se dessèche en Asie parce qu'elle carence l'aventure technicienne, ses spores germent spontanément à l'Extrême-Occident, là où naît la résistance au dérèglement et à l'excès de l'aventure technicienne...

Le *paradise now* est le point de convergence du néo-christianisme primitif, du néo-communisme primitif, et de la recherche extatique narco-asiatique...

Roszak a raison de pouvoir définir la « contre-culture » comme une totalité culturelle qui a son style de vie, ses sacrements (drogue, sexe, *rock-festival*) ses *media* (*free press*, radios, films), sa littérature; mais il faut dire plus encore: elle a ses fondements ontologiques, ses embryons de structure sociale (réseaux de solidarité et cellules communales). Elle a sa base de classe avec la jeunesse et une fraction de l'intelligentsia, elle commence à avoir sa base économique, qui est le secteur néo-artisanal et néo-archaïque que développe par *feedback* le cours même de la civilisation moderne.

Bien sûr, tout cela pourra crever ou plutôt se dénaturer sous l'action conjuguée de la décomposition interne et de la répression externe. Mais c'est la pré-mutation inévitable de la civilisation moderne, si du moins celle-ci n'est pas détournée dans une vaste régression historique, ou ne subit pas un facteur déterminant nouveau.

Nous revenons à la rupture. Elle est aiguë, ample, profonde ici, parce que les U.S.A. sont le pays le plus avancé — le plus mûr — dans le devenir techno-urbain-bourgeois, donc le plus apte à connaître plus tôt et plus profondément les premiers symptômes de la crise civilisationnelle inévitable. Mais il y a aussi d'autres déterminations:

1. Le caractère sous-policé ou sous-policisé de la société américaine. Dans les grands espaces géo-sociologiques qui, depuis ses origines, constituent l'Amé-

rique, les mailles du filet de la *polis* et de la police sont beaucoup plus larges et lâches que dans les vieilles et denses sociétés d'Occident. De plus, comme il s'agit d'une société marquée par le puritanisme, le système de répression est d'abord interne, dans la conscience de chacun, et la répression externe n'entre en action qu'après la défaillance de la répression interne. L'affaiblissement de la conscience puritaine, qui s'accélère après la Seconde Guerre mondiale, accentue donc le caractère relâché de la société américaine.

Cette sous-policisation permet de comprendre une double tolérance, tolérance d'une part à des doses de violence, de criminalité, à des désordres de jungle qui ailleurs ébranleraient tout l'édifice social, tolérance d'autre part à l'anomie, la différence, l'innovation, à condition qu'elles se développent dans les marges de la *polis* ou entre les mailles du filet. Ajoutons enfin que la liberté, au sein des zones de tolérance, a pu être défendue et garantie par la constitution la plus libérale qui soit *pour l'individu.*

Ainsi on peut comprendre pourquoi a pu se développer un tissu contre-social de type nouveau, quasi exterritorial, doué d'une quasi-souveraineté interne, à Greenwich Village, Haight-Ashbury, Sausalito, Taos, dans les communes... La société américaine a toléré pendant trois ans la formation d'agglomérations hippies et une révolution culturelle inouïe. C'est depuis un an que le mouvement commence à être menacé, réprimé, et surtout contenu, encerclé. Et la répression vient au moment où le mouvement, continuant son expansion, cessant d'être purement et simplement un néo-ghetto volontaire, commence à ronger de l'intérieur, à l'étage juvénile, toutes les fibres de la société ; au moment où le mouvement apparaît, non plus comme une déviance anomique, mais comme porteur de normes absolument contraires aux normes de la société U.S. ; au moment où le caractère a-américain du mouvement devient, dans la guerre déclarée à l'*american way of life*, anti-américain.

2. A cela doit s'ajouter un facteur au niveau de la relation enfants/parents et éduqués/éducation.

Depuis vingt ou trente années, sous l'influence conjointe de la vulgate psychanalytique, des courants hédonistes et néo-rousseauistes, l'éducation cessait d'être un dressage, et poursuivait l'idéal d'un apprentissage par la joie et le plaisir.

Ainsi, l'étreinte de la *polis* sur l'univers enfantin s'est progressivement desserrée.

De plus le développement de l'individualisme et du désir de vivre sa vie le plus longtemps possible, en même temps qu'il libérait les parents des enfants, libérait les enfants des parents. L'élévation du niveau de vie permettait de cloisonner l'habitat en isolats autonomes, et les enfants, dans leurs chambres mass-mediatiquement outillées (magazines, T.V., tourne-disques, radios), ont pu constituer leur propre espace de façon bien moins surveillée et bien plus autonome qu'antan. Dans ces conditions, le jeu combiné des forces psychiques, sociales, économiques, a permis la constitution et la ségrégation d'une classe d'âge teen-ager, puis adolescente.

L'éducation libérale, comme toute éducation libérale, demeurait semi-répressive, et comportait des obligations, voire des sanctions. Comme toujours, c'est dans le demi-libéralisme que se développent les révoltes les plus virulentes, car elles disposent d'un minimum de possibilités d'expression et de manifestation. Dans ce sens, l'éducation semi-libérale a permis la rupture. En fait, la révolte s'est faite non tant contre l'autorité (affaiblie ou modérée) du père ou de l'Etat, mais contre la répression socio-culturelle des pulsions, des aspirations enfantines puis adolescentes. C'est dans le mouvement de cette révolte que sont apparues aux adolescents les effroyables carences dont souffraient sans le savoir les adultes voués à l'activisme technologique et économique, enfermés dans les mesquineries des standings et valeurs bourgeoises. Ainsi, l'identification au père, et plus largement aux adultes, a pu cesser de fonctionner comme processus de socialisation.

L'adolescence s'est révélée de plus en plus dans sa nature contradictoire, refus-crainte du monde adulte, auto-initiation à ce monde adulte. L'opposition dramatique entre ces deux termes a pu se transformer en complémentarité, lorsque les valeurs enfantines-juvéniles se sont reconnues comme valeurs anthropologiques, et que s'est constitué un idéal du monde adulte, antagoniste au monde des adultes, c'est-à-dire devenant révolutionnaire.

LES TROIS VOIES

Je vois la révolution culturelle se diviser en trois branches : la première va se décomposer dans la clochardisation et la drogue ; ainsi le carrefour historique d'Ashbury et de Haight-Street est devenu une sorte de Bowery adolescent où traînent des malheureux au regard vide, vêtus d'oripeaux sales. C'est pourtant de là qu'était partie, il y a quatre ans, la révolution hippie, chatoyante de couleurs et d'extravagances vestimentaires, où chacun choisissait son plumage et son pelage, chantait l'amour et la paix.

Le second courant va se muer en révolte politique, dissociant ou mêlant la nouvelle guérilla urbaine (attentats, attaques) et l'espoir magique que procure l'autre drogue, le « marxisme-léninisme ».

Le troisième courant va *peut-être* constituer un tissu social original en colonisant le secteur néo-artisanal, néo-archaïque de l'économie, en tentant des expériences communales-coopératives, en étendant un réseau de solidarités, en modifiant en profondeur le style de vie et les relations humaines...

(Il y aura circulations et contaminations entre ces trois courants.)

Est-ce qu'ils sentent la fin du monde ? Non pas comme s'ils voulaient jouir avant la fin du monde ; ils veulent jouir, en effet, mais en même temps se priver. Tout se passe comme si la fin du monde était déjà arrivée, comme si toute la civilisation régnante avait déjà été anéantie par le cataclysme atomique, et comme s'ils reconstruisaient une civilisation robinsonne, avec les débris du naufrage.

En tous cas, je sens très fortement : *too soon, too late.*

A la Matrix, temple du rock. *The Sons of Champlin* jouaient l'autre soir. Il y a quelque chose de mystique et de religieux dans cette musique qui atteint des moments sublimes dans l'hystérie. Chaque morceau, comme un spiritual, porte son sens prédicateur, où s'exprime une des grandes vérités de la révolution culturelle. Ainsi le *It's time to be what you are*, et ce morceau qui nous crie de façon obsessionnelle, lancinante :

Open the door
You can fly[1].

Le « château » de Montgomery Street. Une maison de trois étages, toutes les portes sont ouvertes. Entraide généralisée ; l'été tous vivent sur la terrasse, mangent en commun, etc.

Bien sûr, je continuerai. Mais au départ de Frisco, je sens que, du point de vue essentiel, mon exploration est terminée. J'ai plongé là où je devais. Je vois maintenant les deux faces de la chose. Au début, je voyais l'aspect sublime, l'élan merveilleux, maintenant je vois la tristesse, à la fois subjective (ressentie par cette jeunesse révolutionnée et révolutionnante) et objective (c'est-à-dire la dégradation qui suit l'épanouissement, la décomposition, l'impasse). Je veux continuer à bien voir les deux vérités contradictoires, je veux continuer à apprendre, mais ma grande soif est étanchée.

Je rentre à San Diego avec deux moralités :

Moralité une : il faut rester marginal, c'est-à-dire avoir un pied dans chacun des mondes (il faut aussi avoir un pied dans le monde social du travail, de la prévision, de l'organisation, ne serait-ce que pour ne pas se faire écrabouiller). Il faut *avoir une base économique*. (« Si je leur dis cela, ils me répondent *bullshit* », me dit H.) Mais il faut vivre le plus possible dans l'autre monde, le monde extra-bourgeois. Cela, je le sens de plus en plus fort.

Moralité deux : il faut de nouvelles synthèses.

Edgar Morin, *Journal de Californie*, Paris, Seuil 1970, p. 127-141.

---

1. « Ouvre la porte, tu peux voler. »

Le milieu de travail: Ateliers et Bureaux

Sitôt dépassé le stade artisanal, l'architecture des bâtiments de travail es marquée par une division nette entre les ateliers et entrepôts d'une part et les bureaux et magasins de vente d'autre part. Tantôt, il s'agit d'une séparation à l'intérieur d'un même bâtiment, tantôt de la construction de bâtiments spéciali sés, les uns dans les zones industrielles, les autres dans les quartiers réservés aux affaires et à l'administration. Différents par l'aménagement matériel, ces en- droits le sont aussi du point de vue de la nature et du style des conduites hu- maines. Ils constituent ainsi de véritables milieux au sens écologique du terme C'est ce que nous appellerons ici milieu de travail.

Nous examinerons ce phénomène d'abord sous l'angle matériel et géogra- phique (équipement des locaux, séparation dans l'espace), et ensuite sous l'angle social et culturel (différence dans les rapports sociaux et les manières d'être pro- pres à chaque milieu), en nous demandant jusqu'à quel point les salariés ma- nuels sont ceux qui, opérant dans l'un de ces milieux, sont obligés de conformer leur comportement à son style particulier, et les salariés non manuels ceux qui ont à s'intégrer à l'autre.

1. Le cadre matériel de travail

Dans le tableau I, les employés compris dans notre échantillon (le même que pour le chapitre VI) sont classés selon le cadre strictement matériel dans lequel opèrent leurs titulaires. Voici quelques commentaires sur les divisions de ce tableau.

Nous avons distingué, outre des cas spéciaux (agriculture notamment), en somme deux décors : le décor mécanique et domestique d'une part, le décor

TABLEAU I

Cadre de travail et situation dans la profession [1]
En pour-cent

Cadre du travail	Situation dans la profession d'après les statistiques actuelles	
	Ouvriers	Employés et dirigeants salariés
1. Cadre mécanique (ateliers, chantiers, entrepôts, salles de machines)	74	3
2. Travail à l'extérieur : montage, entretien, nettoyage (point d'attache, l'atelier). Ex. : plombier, nettoyeur de vitres	4	—
3. Conduite de moyens de transport (point d'attache, le dépôt, le garage). Ex. : chauffeur de camion, conducteur de locomotive	2	—
4. Cuisine, chambre à lessive, salle de restaurant, loge de concierge	6	—
5. Corps de garde	2	—
6. Hôpitaux et établissements analogues	2	5
7. Postes de police, douane, surveillance des rues	—	1
8. Laboratoires	—	5
9. Travail au domicile des clients, des assistés, etc. (point d'attache, les bureaux et magasins). Ex. : démarcheur, assistance sociale	— —	4
10. Conduite de moyens de transport (point d'attache : les bureaux). Ex. : capitaine de navire, radiotélégraphiste	—	6
11. Classes, scènes, bibliothèques, lieux de culte, studios artistiques, salles de spectacle	1	21
12. Bureaux, magasins, guichets, études, salles de rédaction	—	53
13. Fermes et jardins	4	1
14. Divers	5	1
Total	100	100

administratif, commercial, social et culturel d'autre part. Le décor administratif commercial et culturel est celui qui correspond aux magasins, aux bureaux de tout genre (techniques, commerciaux, administratifs, bureaux des services sociaux etc.), aux laboratoires, lieux d'enseignement, salles de spectacle, et ainsi de suite. Ses caractères seront examinés plus loin.

Par cadre mécanique, nous désignons dans ce tableau le décor des ateliers chantiers, dépôts et autres lieux de travail conçus en fonction de machines et d'engins qui étaient tous, jusqu'à une époque récente, bruyants, salissants, voire dangereux et qui le sont encore souvent, ou sont tout au moins encore jugés déplacés, même lorsqu'ils sont tout à fait automatisés, dans les locaux où opèrent les dirigeants et dans ceux où l'on reçoit la clientèle et le public. Il s'agit d'appareils servant à travailler le bois, les métaux et d'autres matières premières, d'appareils de levage et de transport, etc. Certains entrepôts commerciaux sont à mi-chemin de ces locaux et de ceux de type domestique (cuisine, chambres à lessive, etc.) conçus en fonction des fourneaux et des lavoirs La technologie et les coutumes tendent à effacer la distinction entre cuisine, endroits pour laver et « salles de séjour » à l'intérieur des logements, mais multiplie les restaurants et hôtels, où au contraire cette distinction est renforcée, ainsi que les blanchisseries et boutiques analogues. Toute une population de serviteurs et autres travailleurs est occupée dans ces établissements.

Certains ouvriers travaillent en général ou à l'occasion en dehors des ateliers et autres lieux de type mécanique : monteurs de téléphones et d'appareils semblables, conducteurs de véhicules, nettoyeurs professionnels, etc. Le plus souvent, ils créent sur place un petit chantier provisoire, ou bien encore la machine qu'ils pilotent (train, par exemple) est une véritable usine mouvante. De toute façon, même lorsqu'il s'agit de travailleurs comme ceux qui font de petites réparations, ou qui conduisent des véhicules de type très ordinaire (taxis, autobus), ils ont pour point d'attache des ateliers et des dépôts, non des bureaux. Nous voulons dire qu'ils partent d'ateliers ou de dépôts pour aller faire leur travail à l'extérieur et que c'est là qu'ils reviennent leur tâche finie, pour déposer leur

---

1. Selon échantillon de 200 professions figurant en annexe du chapitre précédent. Contenu des catégories (chaque profession est indiquée d'après son numéro d'ordre dans l'échantillon précité) ; cadre mécanique (toutes les professions ouvrières qui ne sont pas classées ailleurs, plus 162, 182, 194) ; travail à l'extérieur (18, 41, 60, 96) ; conduite de moyens de transport : point d'attache, le dépôt, le garage (7, 24) ; cuisine, etc. (11, 68, 78, 82, 86, 98) ; corps de garde (4,55) ; hôpitaux, etc. (48, 49, 101, 118, 119, 132, 143) ; postes de police, etc. (151) ; travail au domicile des clients, etc. (169, 170, 171, 184) : conduite de moyens de transport : point d'attache, les bureaux (111, 141, 145, 168, 188, 193) ; classes, etc. (95, 104, 110, 120, 122, 129, 130, 133, 137, 139, 147, 153, 154, 156, 161, 163, 181, 185, 186, 189, 191, 195) ; bureaux, etc. (toutes les professions non manuelles qui ne sont pas classées ailleurs) ; fermes et jardins (12, 32, 58, 65, 144) ; divers (14, 23, 29, 71, 88, 164).

matériel, recevoir des instructions, reprendre leur costume de ville. Cette notion de point d'attache permet des distinctions intéressantes en ce qui concerne notamment les gens des transports. Au chapitre précédent, en considérant les choses sous l'angle de l'objet et du contenu des tâches, il était difficile de rendre compte des distinctions coutumières entre conducteurs de trams, de trains, d'avions, de camions et de navires. On voit que l'opinion considère en somme comme ouvriers ceux qui se rattachent aux ateliers et dépôts et comme non manuels ceux qui ont pour point d'attache au contraire les bureaux : le personnel de bord des avions et des navires prend contact au départ et à l'arrivée avec la direction et l'administration et ne fait que s'assurer de la bonne exécution des ordres donnés aux ateliers et dépôts, où, au contraire, le conducteur de locomotive a sa musette, reçoit sa fiche de travail, retrouve ses camarades. Rien ne prouve que cette différence soit techniquement nécessaire. Il nous suffit de constater qu'elle existe. Au total, 80% des emplois d'ouvrier exigent que leur titulaire opère dans un cadre mécanique ou ait pour point d'attache un lieu de ce type. Les autres correspondent pour moitié au cas de travailleurs confinés dans des locaux de genre domestique et pour moitié au cas de travailleurs qui opèrent dans des hôpitaux (personnel infirmier), à la campagne ou dans des conditions spéciales (forains, surveillants de zoo, etc.), proches cependant de celles que l'on trouve sur les chantiers ou dans les écuries, par exemple.

Pratiquement tous les non-manuels opèrent en dehors des lieux de travail à caractère mécanique. La seule exception est constituée par les mécanographes et travailleurs du même genre (3%). Encore, doit-on noter que les salles spéciales où ils travaillent font généralement partie des bâtiments administratifs. En outre, quelque 6% des salariés non manuels travaillent dans des hôpitaux ou dans l'agriculture. Il s'agit de chefs d'exploitation salariés, dont le point d'attache est en somme le bureau d'un domaine agricole et des médecins et spécialistes analogues. Tous les autres opèrent dans des locaux dont l'aménagement, au lieu d'être fonction des exigences de tout un appareillage mécanique, comme dans le cas des endroits où se trouvent les ouvriers, répond aux nécessités toutes sociales d'un certain style de vie, celui des dirigeants. On peut dire en effet que les lieux de travail de type administratif, commercial et culturel, ont été d'abord de simples parties, ou de simples répliques, de la demeure des maîtres et que tout en ayant beaucoup évolué, ils conservent quelque chose de ce caractère.

Les bureaux des financiers d'autrefois étaient à l'image de leur salon. Parmi les commerçants, ceux qui ne s'adressaient pas à une clientèle strictement populaire se sont efforcés de les imiter, non seulement pour leurs bureaux, mais aussi pour leurs magasins. L'habitude s'est répandue par la suite, au cours du XIXe siècle et dans la première partie du XXe, d'aménager tous les magasins, sauf les simples débits, comme des salons. Les administrations publiques ont été construites et meublées à l'origine comme des palais, au goût de ceux qui les dirigeaient.

De nos jours encore, tous ces endroits sont généralement arrangés dans un style où le clinquant le dispute au solennel.

Il en va de même le plus souvent des lieux voués à la culture. Qu'on pense aux théâtres, aux collèges. Les laboratoires eux-mêmes se complètent de bureaux et de salles de réception dans le même style.

En définitive, une fois écartées de rares exceptions, tous les salariés non manuels apparaissent comme ayant pour lieu de travail, ou comme point d'attache, un endroit d'apparence bourgeoise. Les travailleurs manuels, au contraire, sont absents de ces mêmes endroits, ou n'y apparaissent qu'incidemment pour accomplir certaines besognes. Ils sont alors généralement distingués des employés et de la clientèle par une livrée, un uniforme ou un costume spécial de travail (serveurs, travailleurs des transports, ouvriers opérant à l'extérieur) qui signale en somme leur appartenance à un autre monde.

Les différences dont il vient d'être question sont peut-être en train de s'atténuer à certains égards,[2] elles n'en sont pas moins fort nettes. Il y a donc, si l'on veut bien laisser de côté les distinctions secondaires (petits et grands établissements, machines lourdes et légères, etc.), deux grands secteurs de travail, distincts par l'aménagement matériel (décor de machines et d'appareils de tout genre d'un côté, décor de style bourgeois de l'autre) et séparés dans l'espace. Tous les ouvriers ont pour domaine l'un de ces secteurs, tous les employés l'autre, ou à peu près.

2. *Le cadre social de travail*

Passons à l'aspect social de ces phénomènes. On peut dire que dans chacun des deux secteurs qui viennent d'être distingués s'est constituée une société particulière : une société régie par la coutume populaire d'un côté, une société régie par l'étiquette des couches supérieures de l'autre.

---

2. Vers 1830, 90% des emplois ouvriers compris dans notre échantillon (ou leurs équivalents de l'époque) nécessitaient des travaux très salissants et pénibles, du fait de la nature de l'outillage utilisé. A l'heure actuelle, dans 40% environ des cas, le travail est encore particulièrement bruyant et salissant. Encore faut-il noter que parmi ces emplois la moitié environ (métallurgie, industries alimentaires, etc.) ne présentent déjà plus ce caractère dans les entreprises les plus évoluées, disposant d'un équipement mécanique très moderne. La technologie, évoluant dans le sens de l'automation, modifie donc beaucoup le cadre physique du travail ouvrier : passage de la locomotive à vapeur à la locomotive électrique, de la forge à la machine — transfert, etc. Parallèlement, les bureaux se mécanisent dans une certaine mesure. Ils ressemblent moins à des salons et plus à des laboratoires. Beaucoup de magasins (self-service, etc.) sont à mi-chemin entre l'exposition et l'entrepôt.

Dans les bureaux, les dirigeants sont présents et, de même qu'ils imposent une architecture et un aménagement convenant à leur conception de la vie, ils exigent de ceux qui les entourent des manières, un langage, un vêtement de style bourgeois. La situation est analogue dans les magasins où, en outre, selon une tradition qui remonte très loin, le client est considéré comme une sorte d'invité des patrons. Le clinquant du décor, le sourire commercial, le costume de type semi-domestique imposé aux demoiselles de comptoir proclament cette fiction, à laquelle l'ouvrier se prête comme chacun lorsqu'il est dans le rôle de client. Ce sont également les modèles de conduite des couches supérieures qui prévalent dans les établissements d'enseignement et autres lieux semblables. En d'autres termes, en s'intégrant à son milieu de travail, le « col-blanc » est tenu d'adopter des façons bourgeoises. Dans les ateliers, dépôts et autres lieux de travail ouvrier, les manières sont bien différentes. Ici, c'est la loi des couches populaires qui règle les conduites et non celle des couches supérieures. Ce fait s'explique sans doute, avant tout, par l'absence des dirigeants et de la clientèle. De plus, on l'a vu, le décor matériel de ces lieux est contraire aux exigences du comportement bourgeois. Ce qui précède signifie que le monde du travail est partagé en deux sphères dont l'organisation sociale diffère. Il s'ensuit pour l'individu que suivant que son emploi l'intègre à l'une ou à l'autre de ces sphères, il devra se conformer à tel ou tel système de normes. Celui qui tente de déroger à cette obligation est sanctionné par toute sorte de mécanismes durkheimiens, allant de la moquerie à la mise à l'écart complète. En particulier, comme l'a noté par exemple Crozier, l'assimilation des modèles de conduite propres aux couches supérieures est une des conditions majeures de la promotion. Il s'agit à la fois d'adopter un certain ton, une certaine tenue vestimentaires, etc., et de manifester une véritable allégeance morale pour être reconnu digne d'avancer dans le « monde de la hiérarchie et des responsabilités ». Là où il y a concours formel, l'importance accordée à la culture dite générale est une manière d'évaluer ce degré d'assimilation sociale, indépendamment des aptitudes strictement techniques.[3]

---

3. Michel Crozier, « Les attitudes politiques des employés et des petits fonctionnaires ». Dans l'ouvrage collectif intitulé *Partis politiques et Classes sociales en France, op. cit.*, 1955, p. 89. Certains faits recueillis par Michel Crozier et Pierre Guetta dans le cadre d'un sondage sur le petit personnel de bureau d'une compagnie d'assurances parisienne éclairent l'aspect vécu de divers côtés de ces phénomènes, au moins en ce qui concerne les employés. Ceux-ci sont souvent aussi complètement ignorants de la vie du monde ouvrier que de celle des paysans. Les seuls ouvriers qu'ils connaissent sont ceux qui apparaissent sur l'écran au cinéma. Cette distance en quelque sorte physique se complique du sentiment d'une infranchissable distance sociale, dans le cas d'une fraction appréciable des employés. Dans l'esprit des employés en question il y a un « genre ouvrier » (litre de rouge, langage vulgaire, etc.) qui est inhérent à la condition inférieure des manuels et qui rend les relations avec eux difficiles et indésirables. « Je n'aimerais pas épouser un ouvrier », déclare de façon typique une employée. Michel Crozier et Pierre Guetta, *Une Organisation administrative au Travail*, Institut des sciences sociales du travail, Paris, 1956, 198 p. Rapport polycopié. P. 134.

Par ailleurs, tout ce que l'on peut observer montre que le fait d'appartenir à l'un de ces milieux de travail plutôt qu'à l'autre conditionne pour une large part la position sociale que la collectivité attribue à l'individu : il appartient au monde ouvrier ou à celui des non-ouvriers, aux yeux de son entourage, ce qui revient pour lui à être rangé à un certain niveau de l'échelle sociale, à se voir attribuer tout un ensemble spécifique de droits et d'obligations. C'est là un des aspects fondamentaux des rapports entre statut de travail et statut social.

Ce qui précède constitue simplement un ensemble d'hypothèses rendues plausibles par les constatations que l'on peut faire chaque jour. Elles sont aussi conformes dans l'ensemble à ce qui ressort des études de sociologie du travail. Cependant, sur ce qui nous intéresse ici, ces études ne fournissent que des données fort fragmentaires. Aucune, à notre connaissance, ne comporte une comparaison systématique de l'organisation sociale des groupes de travail manuels et non manuels.

En l'absence d'informations de ce genre, nous nous bornerons à illustrer les considérations ci-dessus par trois faits : 1. Un signe de la différence de ton des relations humaines, le tutoiement que pratiquent en général les ouvriers, opposé à l'habitude de se dire vous qui est au contraire plutôt la règle du côté des employés ; 2. La tendance des ouvriers et des employés à ne pas se mêler lorsqu'il leur arrive de fréquenter des locaux communs dans le cadre de leur travail, comme les cantines d'entreprise, par exemple ; 3. La tendance de chacun de ces deux milieux à se faire représenter de matière séparée dans les institutions de cogestion, comme s'ils constituaient deux provinces sociales distinctes. Ce dernier fait est très voisin de celui de la division entre organisations syndicales d'employés et d'ouvriers. Cependant, les divisions propres au milieu de travail au sens strict, les oppositions qui tiennent aux différents types de statut que ce milieu comporte, s'y reflètent particulièrement bien et c'est pourquoi nous nous en occuperons ici.

Le premier de ces faits permet un test assez net. En pays de langue française tout au moins, la zone écologique où le vous est pratiqué coïncide très étroitement avec les limites du secteur « non mécanique » et la zone du tu à celles du secteur « mécanique ».

Dans des entreprises que nous avons pu observer de près, tout le personnel des bureaux se vousoyait, même après trente ans de travail côte à côte. Le personnel ouvrier, en revanche, se comportait autrement. Ses membres se tutoyaient dès le premier jour. Nous avons obtenu également des données plus générales en faisant recueillir des témoignages sur 60 professions, en 1958 à Genève. Les résultats confirment ce qui précèdent. Tous les ouvriers dans les cas normaux se tutoient, à l'exception parfois de ceux qui opèrent constamment dans des bureaux (nettoyeurs au service de certaines hautes administrations, par exemple).

L'inverse est vrai pour les employés, à l'exception parfois des vendeuses de certains magasins (alimentation, par exemple), de certains groupes de dactylos, et de fonctionnaires comme les commis de guichet à la poste.

On pourrait noter encore d'autres différences dans ce même domaine. Il est d'usage, par exemple, entre employés, de ne pas s'interpeller simplement par son prénom comme le font les ouvriers (« Georges, viens me donner un coup de main »), mais de faire précéder le nom ou prénom d'un cérémonieux « Monsieur » ou « Madame » (« Madame Jeanne, auriez-vous la bonté de vérifier ces quelques calculs ? »).

L'obligation de se plier à l'une ou l'autre de ces façons est aussi révélatrice, nous semble-t-il, que la coloration du tournesol en rouge ou en bleu au contact d'une matière acide ou d'une base : d'un côté les relations humaines sont régies par le formalisme bourgeois, de l'autre par la tradition populaire. Le tu ou le vous sont des indices superficiels, faciles à saisir, des systèmes de rapports sociaux qui sont en cause ici. Ce premier fait confirme donc l'existence de deux univers distincts de travail. A l'intérieur de chacun d'eux, les différences sont sans doute grandes d'un type d'atelier ou de bureau à l'autre ; dans tous ces microcosmes sociaux, des différenciations et contradictions internes se manifestent entre rangs hiérarchiques, spécialités ou clans. Néanmoins, lorsque, comme c'est le cas en français, deux modes de langage aisément repérables existent, qui sont comme le signe extérieur de deux formes générales des relations humaines, l'une populaire, l'autre bourgeoise, on constate qu'en dépit des différences et oppositions dont il vient d'être question les milieux de travail ouvriers relèvent d'un système et les milieux de travail employés de l'autre.

Les deux autres faits dont nous allons nous occuper montrent, de manière différente, que les individus qui se trouvent intégrés dans l'un de ces types de groupes de travail ont une grande peine à s'en dégager pour se mêler aux gens du groupe d'en face, du moins dans le cadre de l'entreprise. Ils tendent au contraire à se tenir entre eux le plus possible, comme s'ils constituaient une sorte de petite nation sociale, liée par les manières d'être, le langage, les idées et les intérêts, tandis que l'autre groupe formerait une autre nation, une nation étrangère, plus ou moins concurrente.

Il s'agit tout d'abord de la tendance que manifestent les gens des bureaux ou magasins et ceux des ateliers, dépôts, etc., à former deux clans distincts lorsqu'il leur arrive de sortir de leurs locaux propres pour entrer dans des endroits « neutres », comme les vestiaires communs, salles de divertissement de l'entreprise, cantines. Dans ces dernières, ou bien ils occupent des tables séparées, ou bien, s'il y a plusieurs pièces, certaines deviennent très vite le fief des manuels et d'autres celui des cols-blancs. Les affinités personnelles, les différences de rang (table des cadres, des dactylos, etc.) jouent également, mais à l'intérieur de chacun de ses deux univers. Il y a d'abord une séparation majeure, quasi matérielle, comme entre deux pays, puis une stratification interne de chaque côté. Les petits employés, les employés moyens, les chefs de bureaux, etc., se cotoient à l'intérieur d'un de ces secteurs, tout en s'y groupant en sous-milieux en fonction des distances formelles et informelles qui les séparent. De même, de l'autre côté, en ce qui concerne les manoeuvres, les ouvriers qualifiés, les contremaîtres, les « Nords-Africains » et les « Européens », etc. Au nombre des obligations non écrites qui font partie du statut des ouvriers et des employés, disent par exemple Roethlisberger et Dickson en se fondant sur ce qu'ils ont observé dans une usine typique au cours de leurs recherches avec Mayo, il y a notamment celle de prendre son lunch au premier étage de la cantine (conçue à l'origine comme un tout sans compartiment), si l'on est ouvrier, le « second étant le lieu de rencontre des cols-blancs ».[4]

A quoi cela tient-il ? Avant tout, nous semble-t-il, au fait que le réglage général des comportements n'est pas le même dans les deux groupes. Leurs membres, lorsqu'ils se mêlent aux gens de l'autre bord dans des circonstances comme celles que nous venons d'évoquer, se trouvent gênés d'être soumis à la fois à deux types d'obligations : l'ouvrier qui se joint aux employés se sent embarrassé de ses façons un peu rudes, mais il sera raillé par ses camarades s'il y renonce ; réciproquement l'employé risque soit de paraître guindé, soit d'avoir l'air de jouer au prolétaire. Les deux groupes trouvent visiblement plus simple de dresser d'une manière ou d'une autre certaines barrières entre eux, lorsqu'ils se rencontrent ainsi au sein de leur univers de travail, mais en dehors des secteurs spatialement et socialement distincts où les confine à l'ordinaire leur besogne.

Notre troisième fait montre que cette difficulté à établir le contact dans la vie quotidienne de travail est susceptible de se compléter par une tendance à s'organiser de manière distincte sur le plan de la cogestion (par quoi nous entendons ici toute forme d'association du personnel à la gestion des entreprises, ou en tout cas à certains de ses aspects, en système socialiste comme ailleurs). Cette tendance ne tient certainement pas seulement à la différence qui sépare les deux groupes sur le plan des relations humaines, mais aussi, bien entendu, aux autres particularités du statut professionnel de leurs membres. Placés du fait de leurs conditions de travail dans des situations différentes, ils conçoivent volontiers que leurs intérêts ne sont pas identiques et ne peuvent être défendus convenablement que par des délégués sortis de leurs rangs. Mais cette remarque serait tout aussi valable en ce qui concerne les différences qui existent à l'intérieur de chaque groupe : manoeuvres et ouvriers qualifiés, travailleurs de l'atelier A et de l'atelier B ; mécanographes, dactylos du « pool », comptables, secrétaires de direction, etc. Il est ainsi d'autant plus intéressant d'observer quelles sont, dans les

4. *Management and the Worker*, 9e édition, 1949, p. 539.

faits, les lignes de partage qui tendent à prendre le plus d'importance dans la pratique de la cogestion. Celle-ci, postulant la participation du personnel à la gestion des entreprises, suppose des mécanismes représentatifs. Pas d'imposition sans députation dit en somme le principe de la démocratie politique ; pas de travail sans délégation ayant le droit de participer à la formulation du programme de l'entreprise et au contrôle de sa réalisation, déclare celui de la démocratie professionnelle. Concrètement cela signifie que chacune des parties en présence désigne des représentants chargés de faire connaître son point de vue, d'agir pour elle et obligés de rendre compte à la base de leur mission. Mais, de quelles « parties » va-t-il s'agir ? On peut concevoir à cet égard différentes hypothèses, en particulier : 1° Formules unitaires. Le point de vue des intérêts les plus généraux des travailleurs l'emporte sur les différences de catégorie. Tous forment un seul groupe (comprenant, à la limite, jusqu'aux dirigeants eux-mêmes), dont les membres, en dépit de différences jugées mineures, ont le sentiment d'être fondamentalement solidaires. Cet ensemble pourra alors constituer un seul collège électoral et voter pour des délégués qui se présenteront sur la base d'un programme correspondant aux intérêts du tout. Certes, il pourra y avoir plusieurs conceptions de ce programme et de ces intérêts, donc plusieurs listes et, peu à peu, des sortes de partis, comme c'est le cas dans la commune politique ou à l'échelon national. Mais cela ne concerne pas ce qui nous intéresse ici : savoir si tous les travailleurs se considèreront comme les éléments d'un seul ensemble. 2° Formules pluralistes. Les particularités de la situation de chaque catégorie de travailleurs tiennent la première place et relèguent au second rang les intérêts d'ensemble. Il y aura non seulement une opposition nette entre dirigeants et dirigés, mais, parmi ces derniers, une pluralité de groupes, dont chacun élit ses propres délégués. Chaque section de ce genre est en somme comme une commune, un canton, ou une province et l'entreprise a un peu la structure d'une confédération. En tout cas, les membres d'une des sections du personnel ne se sentiraient pas valablement représentés par des délégués qui n'auraient pas été élus exclusivement par eux, après des échanges de vue portant sur la meilleure manière de faire valoir les intérêts du groupe, tout comme les citoyens d'une commune, d'un canton ou d'une province, ne considéreraient pas comme leurs chefs ou leurs représentants authentiques des gens élus par un vote auquel le reste du pays aurait pu prendre part. Sur le plan politique, l'histoire a constitué peu à peu des collectivités locales et régionales ayant à la fois le sentiment de leur unité propre et de leur solidarité avec le reste du pays, très jalouses en général de leur droit de désigner leurs autorités et d'envoyer aux conseils existant aux échelons supérieurs des délégués munis d'un mandat correspondant à l'idée que la majorité du groupe se fait des intérêts de celui-ci et de ceux du pays. On peut imaginer que la cogestion pourra faire apparaître des frontières analogues. Mais lesquelles ! On peut envisager : *a)* que la séparation entre milieu de travail manuel et milieu de travail non manuel s'imposera comme division de base, en tout cas en ce qui concerne le personnel non dirigeant ; *b)* que cette distinction passera au contraire à l'arrière-plan, d'autres différences, liées au niveau de salaire, à la spécialité, etc., se révélant plus importantes.

La forme prise en général par la cogestion dans les divers pays semble indiquer que c'est plutôt vers la modalité *a* de l'hypothèse pluraliste que l'on évolue dans la phase actuelle. Certes, il ne faut rien conclure de définitif de cette constatation. Les expériences de cogestion sont encore si limitées, si nouvelles, si peu incorporées aux moeurs, que l'on peut s'attendre non seulement à des changements, mais à de véritables mutations.

En Suède, par exemple, les organes de cogestion sont tripartites : employeurs, employés, ouvriers y sont représentés un peu comme les ordres de l'ancien régime aux Etats généraux de 1789. Les représentants de chacune des trois parties sont élus par un collège électoral distinct : dirigeants, employés, ouvriers. En Autriche et en Belgique, il existe une séparation assez analogue, au moins dans les plus grandes entreprises. En Allemagne de l'Ouest et en France, la législation sociale contient des dispositions qui ont pour fin d'assurer une équitable représentation des employés, à côté de celle des ouvriers. En Yougoslavie, il est stipulé que les trois quarts des membres du comité de gestion doivent être des ouvriers. Les autres proviennent donc du groupe des employés et cadres. En Angleterre, les formules varient d'un endroit à l'autre. Mais nous verrons plus loin, à propos d'un exemple précis, que le problème de la représentation des cols-blancs et des ouvriers au sein des comités où siègent des représentants du personnel s'y pose également. Dans un contexte institutionnel bien différent encore, il se retrouve aussi aux Etats-Unis. [5]

Le souci d'assurer une certaine représentation aux différents rangs de la hiérarchie des qualifications (manoeuvres, ouvriers qualifiés, petit personnel de bureau, cadres administratifs, etc.) est sensible, lui aussi, dans la conception des institutions de cogestion des différents pays dont il vient d'être question. Mais il semble répondre à des préoccupations moins vives que celles qui se rapportent à la désignation des délégués du monde des ateliers et du monde des bureaux. Il se traduit plutôt par des efforts pour équilibrer autant que possible le nombre des délégués de chaque rang hiérarchique au sein du groupe des délégués « manuels » et du groupe des délégués « non manuels ».

---

5. Lois sur la cogestion, adoptées dans différents pays et publications suivantes : BIT. La collaboration dans l'industrie. Genève, 1951, 252 p. ; E. G. Erdmann. Das Recht der Arbeitnehmer auf Beteiligung an der Verwaltung der Betriebe der Gewerblichen Wirtschaft : Ein internationaler Rechtsvergleich. Cologne 1952, 175 p. ; M. David. La participation des travailleurs à la gestion des entreprises privées dans les principaux pays d'Europe occidentale. Librairie Dalloz, Paris, 1954, 249 p. ; Ch. Léger. La démocratie industrielle et les comités d'entreprise en Suède. Librairie Colin, Paris, 1950, 227 p.

Les tendances dont il vient d'être question sont simplement celles qui nous paraissent dominantes. Elles comportent en général de nombreuses exceptions et de multiples particularités suivant les régions et les branches. Elles n'en sont pas moins évidentes.

3. *Conclusion*

Ce qui précède suggère assez nettement l'existence de deux grands genres de milieu de travail. Ils sont séparés dans l'espace et différents par l'aménagement matériel, tout d'abord. En outre, dans chacun d'eux une sorte de sous-civilisation particulière s'est constituée : de type plutôt populaire d'un côté, de type plutôt bourgeois de l'autre. Tous les travailleurs considérés comme manuels, ou presque, opèrent sous l'influence de la première de ces sous-civilisations. L'inverse est vrai pour les employés et autres salariés non manuels. Les contacts sont rares entre les deux univers, dans le cadre du travail, en particulier du fait de la séparation spatiale évoquée plus haut. Lorsque de tels contacts se produisent malgré tout, dans des circonstances plus ou moins spéciales, on observe que les uns et les autres ont de la peine à se mêler, par suite d'une discordance gênante du réglage général de leurs manières.

Au surplus, chacun de ces univers a tendance à se constituer en province sur le plan de la cogestion. Tout se passe comme si la pratique amenait les individus à se rendre compte plus ou moins obscurément qu'il y a comme deux systèmes sociaux différents à l'intérieur des entreprises au niveau du personnel non dirigeant et que de nombreux aspects importants des problèmes qui les préoccupent dépendent des particularités de chacun de ces systèmes. Une action qui négligerait ce fait serait donc en grande partie inopérante, ou du moins paraîtrait passer constamment à côté des vraies réalisations à entreprendre.

La frontière qui sépare les deux milieux de travail en question est, pour toutes ces raisons, spécialement visible. Il est très vraisemblable qu'elle explique pour une bonne part l'idée selon laquelle les salariés non dirigeants se divisent en deux genres.

Cependant, le caractère saillant de cette ligne de partage ne doit pas nous en faire exagérer l'importance réelle. Elle est un peu comme une frontière naturelle entre deux pays. De part et d'autre, les membres de chaque nation, loin de se ressembler tous, loin d'agir avec harmonie, se différencient les uns des autres par toute sorte de traits et se partagent en groupes qui se heurtent de plus d'une manière. De même, le milieu de travail des employés et celui des ouvriers comportent chacun de multiples divisions internes, selon le degré de qualification, la spécialité, l'ancienneté, l'origine, etc. Il faudrait évoquer aussi les clans informels constitués sur la base d'affinités diverses et qui ont une influence considérable sur le sort des individus dans le cadre des entreprises et administrations.

Les expériences vécues qui s'attachent aux différences de statut et de rang qui découlent de toutes ces divisions sont souvent d'une grande intensité. Qu'on se reporte par exemple aux descriptions que Roethlisberger et Dickson ont données dans *Management and the Worker* des subtiles hiérarchies de fait que les travailleurs des ateliers et des bureaux établissent entre eux, des droits de tout genre que certains détiennent sur d'autres en raison de leur position réciproque dans l'organisation du groupe. C'est d'abord en fonction de tels systèmes de statut et de rang que les individus évaluent leur situation personnelle dans l'entreprise, conçoivent des craintes et des espoirs à son sujet, projettent de ce fait sur leur entourage toute sorte de sentiments, parfois obsédants. Les attitudes, les conflits, les ententes, les événements de tout genre qui naissent de là ont certes bien plus de place dans la vie des individus que les faits qui sont liés aux rapports plus espacés qui s'établissent entre le milieu de travail des manuels et celui des non-manuels.

Roger Girod, *Etudes sociologiques sur les couches salariées, ouvriers et employés,* Paris, Lib. Marcel Rivière, Paris Ve, 1961, p. 133-144, 147-149.

La sous-culture de la pauvreté

En reprenant un à un les traits appartenant à la culture de la pauvreté tels qu'énumérés par Lewis (1), on se rend compte que plusieurs d'entre eux s'appliquent à la description de Ti-Noir et de sa famille. Au niveau de la société globale, on remarque tout d'abord que :

1) Ti-Noir n'a pas d'emploi, de stabilité dans l'occupation mais qu'il fait une variété de petits travaux qui ne demandent pas de spécialisation : « Moé y a rien que ch'peux pas faire ». Il n'appartient évidemment pas à un syndicat.
2) Ses ressources limitées font que ses enfants travaillent à temps partiel ; quelquefois même ils laissent l'école pour travailler à temps plein. L'argent liquide manque à la maison de manière chronique.
3) Les Bouchard n'ont pas d'économies et ils vont rarement à la banque. Les grandes compagnies de finance ne font pas de crédit à un homme comme Ti-Noir : « Mon crédit est pas bon parce que j'ai pas d'dettes ». Seul le marchand du coin accorde quelque crédit. Des emprunts sans intérêt se font à l'intérieur de la famille étendue.
4) Ti-Noir n'est pas complètement dépourvu de possessions matérielles, étant donné son travail, mais celles-ci sont toujours de seconde main.
5) Ti-Noir a un très faible degré d'instruction : il sait à peine lire et il ne sait pas écrire — ce qui est beaucoup plus significatif qu'au Mexique. D'après Elizabeth Herzog (1963), qui travaille dans le même sens que Lewis, cela s'accompagne d'une tendance à la pensée concrète et person-

---

1. Il s'agit des 70 traits de Lewis dont on parle souvent. De fait cela se ramène à 33 traits principaux.

nalisée. Cela se vérifie souvent chez Ti-Noir. Par exemple Ti-Noir répondant à un policier : « Pis si tu veux m'amener en cour, va falloir que t'amènes monsieur Morgan pis monsieur Eaton parce que c'est eux-aut' qui ont vendu ces T.V.-la ... ».

6) Ti-Noir n'aime pas aller à l'hôpital : comme tuberculeux il y a déjà été obligé mais maintenant il ne va pas à ses rendez-vous de radiographie pulmonaire. Les Bouchard font cependant peu usage des recettes traditionnelles de guérison. D'autre part quand Monique veut recourir aux agences de bien-être social, cela met Ti-Noir en colère : « Son Social j'y ai dit qu'a se l'mette dans l'cul ».

7) Les taux de mortalité sont plus hauts dans le centre-sud que dans l'ensemble de Montréal comme le prouvent les statistiques du Conseil des Oeuvres (1966). Les taux de morbidité sont également élevés et on note chez les Bouchard plusieurs cas de maladies dont le diabète et la tuberculose.

8) Ti-Noir ne va pas dans les endroits publics de divertissement sauf quelques rares fois dans les clubs. Les galeries d'art sont hors de son monde de même que les théâtres. Ti-Noir ne va pas non plus dans les parcs : ils chercheront plutôt à aller à la campagne.

9) Si Ti-Noir professe sans arrêt les valeurs de la classe moyenne, sa vie quotidienne contredit à tout instant ces mêmes valeurs. Par exemple l'individu, pour Ti-Noir, doit avoir un esprit inventif, une personnalité « agressive » au sens américain, une bonne humeur à toute épreuve. Inventant constamment de nouveaux trucs, cet individu se lancera dans la « business » quitte à ne plus connaître sa famille (Ti-Noir était heureux d'entendre sa femme dire : « Aujourd'hui Ti-Noir, on part un restaurant : ch'us pas ta femme »). Enfin cet individu, homme d'affaires, se doit d'être un « gentleman » d'où l'insistance de Ti-Noir sur la politesse. Cet individu n'a de comptes à rendre à personne. Ti-Noir se plait à répéter : « Mes affaires pis tes affaires ». Ces quelques exemples suffisent à montrer le décalage entre ce qui est valorisé dans le discours et ce qui se passe dans la réalité. Les inventions de Ti-Noir ne lui apportent ni gloire ni richesse ; chaque fois qu'il s'est lancé dans les affaires cela s'est soldé par un échec. Son idéal de « gentleman » est mis en doute par ses parents qui le trouvent mal élevé. Son optimisme légendaire est contredit chaque jour par une nouvelle dispute. Cela s'accompagne d'une attitude critique vis-à-vis les institutions de base de la classe dominante.

10) Tout d'abord il exprime une grande agressivité envers l'Eglise et le clergé en particulier : « C'est rien qu'des suceux d'cul ! » Il trouve ridicule la pratique religieuse. Cependant il a une confiance entière en Notre-Dame-du-Cap. « Notre-Dame-du-Cap j'ai toujours eu confiance dans

elle». Il croit aussi en l'existence de Dieu, créateur et personnalisé: «Qu'y n'aille un mécréant icitte!... Y en a qui pensent que Dieu ça n'existe pas. Y ont pas d'tête. C'est ben facile d'leur prouver. Qu'y r'gardent dehors: y a des arbres, y a l'ciel, les étoiles, toute ça... Ça prend un Dieu pour faire ça». Ti-Noir croit aussi aux miracles et on note chez lui une certaine attitude supertitieuse vis-à-vis des morts (voir l'enterrement de sa mère) et une croyance à une vie surnaturelle remplie d'un merveilleux s'opposant à sa vie actuelle: «Mé que ch'soyes mort j'aimerais ça r'venir s'a terre sous forme de brique d'or. L'or ça vaut cher. Pis personne me trouverait».

11) Ti-Noir n'est membre d'aucun parti politique. Il ira voter s'il croit pouvoir retirer des avantages immédiats. Son monde politique est bien plus celui de la petite pègre.

12) Son comportement politique implique une méfiance envers les gens représentant l'autorité particulièrement envers les dirigeants. A cela s'ajoute une haine «à mort» de la police.

Pour ce qui est de la communauté locale, on remarque d'autres correspondances:

13) Il existe un entassement de personnes, très relatif par rapport au Mexique mais réel par rapport aux normes nord-américaines, dans les taudis. Ce qui entraîne un net manque d'intimité et des relations interpersonnelles souvent marquées de violence.

14) On note aussi un certain esprit grégaire favorisant la socialisation et expliquant l'empressement de lier connaissance avec des étrangers. Si cela est vrai pour Ti-Noir, ce l'est déjà moins pour Monique et, il est impossible en tout cas de généraliser pour tout le quartier. On peut dire en tout cas que dès que vous élevez la voix, vos voisins sont déjà au courant de ce que vous venez de dire. La stabilité de résidence n'existe pas vraiment. Loin de demeurer dans le même logement comme par exemple les gens de East London étudiés par Young et Willmott (1957) les Bouchard sont en constant mouvement, suivant en cela la tendance des Montréalais telle qu'analysée par Légaré et Charbonneau (1967) Mais il est à noter qu'ils ne déménageront que d'une rue à l'autre dans le même quartier.

15) Il n'existe pas vraiment un sens de la communauté. Lewis (1966b) indique ailleurs que ce trait peut de fait varier beaucoup. Pour marquer l'appartenance à ce secteur de la ville, seule l'appellation «le bas de la ville» veut dire quelque chose.

16) Bien qu'on sache que le centre-sud est une des zones d'accueil pour les immigrants de la campagne, il m'est impossible de dire dans quelle mesure il sert à intégrer les croyances et coutumes diverses.

17) L'organisation interne est inexistante. La création d'un comité de citoyens dans la paroisse Saint-Jacques, qui est voisine, changera peut-être cet état de choses.

Au niveau de la famille voici les traits de Lewis qui semblent se retrouver :

18) Avec deux chambres à coucher pour six personnes, le logement des Bouchard est « surpeuplé ». Une initiation sexuelle précoce en est le corollaire.
19) Au niveau de la famille étendue, on note des cas d'unions consensuelles et d'unions multiples. En d'autres mots plusieurs des Bouchard sont « accotés ».
20) Les Bouchard insistent fortement sur l'importance de la solidarité familiale mais elle est rarement atteinte. Monique dit : « Y comprennent pas qu'on s'aide ». Le « y » est évidemment indéterminé. Plusieurs familles sont brisées, pas seulement par l'homme cependant. La rivalité entre siblings est très forte.
21) L'autoritarisme se retrouve de même parfois que la violence physique envers la femme et les enfants.
22) L'enfance n'existe pas comme telle. Les enfants ont à faire face très rapidement à des situations difficiles.
23) On note une certaine tendance pour le foyer à se centrer sur la mère mais je ne crois pas qu'on puisse parler, dans le cas des Bouchard, de matrifocalité.
24) Les Bouchard doivent chaque jour essayer de se débrouiller pour vivre. A ceci est associée l'absence de réserves de nourriture à la maison et la fréquence des petits achats à l'épicerie.

A un dernier niveau enfin, celui de l'individu, on remarque encore des similitudes :

25) Les Bouchard montrent des sentiments de marginalité mais pas à première vue car Ti-Noir présente tout une interprétation de sa vie visant à donner l'impression contraire. Une certaine résignation et même un certain fatalisme apparaissent parfois mais toujours en arrière-plan. Lewis associe cela à un haut degré de tolérance pour la pathologie psychologique : cela semble vrai chez les Bouchard.
26) Les Bouchard se caractérisent par un esprit « provincialiste », une mentalité « locale ». De fait leur vision du monde est limitée au « bas de la ville ». Ils n'ont pas le sens de l'histoire sauf celui des films de guerre de la télévision. Ils n'ont pas de conscience de classe mais il est vrai qu'ils sont sensibles aux distinctions de statut. Ils ne diront jamais qu'ils sont pauvres : « On vit pas riche mais on vit normal ».

27) Ti-Noir aime bien faire voir qu'il est un vrai « mâle » mais pas assez pour qu'on puisse parler de croyance en une supériorité masculine. Cependant le trait de « complexe de martyre » des femmes que Lewis y associe, est apparu quelquefois chez Monique. Un autre trait associé, l'alcoolisme, est fréquent chez les Bouchard.

28) On trouve aussi une grande marge d'expérience pratique mais peu de réalisations : si Ti-Noir fait un peu d'artisanat, ses grands projets lui tenant à coeur (fabrication et diffusion de films d'horreur, ouverture d'un magasin à lui) n'ont pas été réalisés.

29) Le manque de contrôle sur leurs impulsions existe chez tous les Bouchard, même les enfants. Cela s'exprime par de soudaines et brèves colères.

31) L'orientation de l'individu dans le temps présent est un autre trait qu'on vérifie chez les Bouchard. Cependant les enfants plus vieux, comme Michel et Réal, semblent chercher à planifier un peu leur avenir.

Les traits 30), 32), 33) concernant respectivement la faible structure de l'ego, la déprivation maternelle et l'oralité me semblent difficiles à apprécier étant donné que je n'ai fait passer aucun test psychologique aux Bouchard.

Marie Letellier, *On n'est pas des trous-de-cul*, Montréal, Parti-Pris, 1971, p. 191-197.

La culture ouvrière – Un prêtre-ouvrier

NOTES DISTINCTIVES DE LA CLASSE OUVRIÈRE

On entend souvent dire que c'est le salariat qui est la note distinctive de la classe ouvrière. Mais chacun de nous sait qu'un ingénieur, un fonctionnaire d'une certaine catégorie sont plus éloignés de la mentalité ouvrière qu'un petit commerçant de quartier. En fait, c'est une culture, un patrimoine d'aspirations et d'idées, qui délimitent la classe ouvrière.

Mes parents et mes grands-parents avaient reçu cette culture classique dans laquelle j'ai moi-même baigné, tant au collège que dans ma famille ou dans celle de mes amis. Mes parents n'étaient pas des riches, mais j'ai pu, comme mes frères, faire mes études secondaires. Nous appartenons à cette couche de la société française qui a le droit d'hériter de la culture française. La France est notre patrie, vraie mère spirituelle. Par ses lois, son organisation, son enseignement, les personnes et les institutions avec lesquelles elle nous a mis en contact, elle nous a assuré cet épanouissement humain qui n'a pas de prix. Avec l'ensemble de ce qu'on peut appeler la bourgeoisie française, nous avons en commun le fonds de culture, de conceptions de la vie et du monde élaboré par la civilisation gréco-latine et aussi des siècles de christianisme.

Ces conceptions nous ne les retrouvons pas dans la classe ouvrière. Elle y est même imperméable. L'artisan, le petit commerçant, pourront sans trop de difficulté les accueillir. Les ouvriers, en fait, non.

Loew, Jacques, *Journal d'une mission ouvrière, 1941-1959*, Paris, Cerf 1959, p. 81-101.

Et les ouvriers ont de leur côté une conception du monde, des idées, des aspirations, un idéal humain ; et à côté de défauts souvent voyants, d'admirables qualités héritées de leurs anciens, des vertus — qui ne sont pas les nôtres.

Quand l'un des meilleurs militants communistes de mon usine refuse les cent cinquante mille francs que lui fait offrir le patron pour qu'il change d'entreprise, il fait un acte héroïque. Il vit, en effet, dans une cour misérable avec sa mère à sa charge... Il suit les traces de ses aînés du mouvement ouvrier.

Quand, au cours des grèves, Marie l'épicière fait chaque jour deux cents francs de crédit à chaque client (« Nous aurons faim ensemble ! »), elle y a, il est vrai, été encouragée par des ouvriers chrétiens, mais elle ne s'y est décidée que parce qu'elle suit là une grande tradition ouvrière.

Un jeune de dix-neuf ans, calme et même un peu mou — de bon sens et nullement extrémiste — disait sérieusement : « On ne sabote pas une grève », parce qu'il était question d'éviter un arrêt de travail qui nous aurait coûté une demi-journée.

Un communiste encore, secrétaire de section syndicale, m'a dit un jour : « Quand j'ai obtenu un avantage pour un camarade, je suis si content que je n'arrive pas à m'endormir. »

Le mot « solidarité » qui nous paraît plat et sans grandeur, évoque pour l'ouvrier les plus beaux dévouements, la générosité, le don de soi-même le plus absolu, la grandeur d'âme toute simple.

Comme d'autres et plus que d'autres, l'ouvrier est sujet aux rivalités, à l'envie, aux disputes de palier, parce qu'il ne se barricade pas dans son individualisme. Mais, qu'un malheur survienne et voici des enfants adoptés par ceux-là même qui ont tant de mal déjà à nourrir les leurs. Dans un immeuble où une famille avait été frappée de malheurs successifs, et où tous les membres avaient été contaminés par la maman, j'ai vu de nombreuses mères de familles ouvrières venir veiller une jeune fille atteinte de méningite tuberculeuse. Elles n'ignoraient pas les dangers de contagion pour leurs enfants. Nous penserions « prudence ». Ils réagissent « solidarité ».

Il y a aussi dans le milieu ouvrier une simplicité et une franchise de fond émouvantes. Trois militants communistes que je connais m'ont dit spontanément les reproches qu'ils avaient à faire au parti . Certes, si j'avais attaqué leur parti devant eux, ils l'auraient défendu, mais devant quelqu'un qui respecte leur engagement, ils éprouvent le besoin d'être « sincères ». Cette « sincérité » ouvrière est plus qu'une vertu intellectuelle. Dans leur bouche, le mot veut dire « vie et conduite de celui qui agit conformément à sa conscience, à ses principes, à un idéal ». Quand on nous dit que nous sommes sincères, c'est un éloge immense. Quand j'ai félicité X... d'avoir refusé les cent cinquante mille francs, il m'a répondu seulement : « Je suis sincère. »

Ces vertus n'ont pas leur origine dans un reste d'idées chrétiennes échappées au naufrage qui a suivi le catéchisme. Elles ne sont pas non plus un héritage familial reçu des ancêtres et qui remonterait ainsi directement à une source chrétienne.

Non : Y... a été formé par le syndicalisme, par des exemples de militants ouvriers ; de même — Marie, l'épicière, est au centre d'un quartier révolutionnaire : les sentiments qui l'animaient étaient liés à tout un ensemble d'aspirations auxquelles elle participait.

Et les mères de famille veillant la petite Fernande me font penser à ce curieux épisode de l'histoire ouvrière. C'était, je crois, vers 1895, pendant la grève des délaineurs de Mazamet ; une effroyable épidémie de charbon se déclare. Et c'est le secrétaire syndical, Isidore Barthès, qui veille nuit et jour les malades répugnants.

Je ne veux pas dire que les mamans étaient des militantes : je veux dire que leur dévouement prenait sa source dans la même tradition ouvrière. L'éducation, l'exemple des parents, des voisins, les faits vécus dans le quartier ou à l'atelier, le contact quotidien avec des militants dont le dévouement est sans cesse au service des autres, voilà la source permanente de ces vertus ouvrières. Quand on voit ces vertus généralement plus vivaces, plus grandes, plus frappantes chez les militants, on doit se rendre au langage des faits.

C'est à la même source que prennent naissance bien des idées et des conceptions qui sont un patrimoine commun pour la classe ouvrière. La mystique d'un monde neuf, juste, fraternel, sans privilèges, d'un monde à faire pour demain, l'amour passionné de la classe ouvrière, l'idée que la guerre ne concerne nullement l'ouvrier, qu'il n'y est qu'instrument, l'absence de préjugés nationaux, le sens de la solidarité internationale ouvrière, etc., autant de conceptions communes aux ouvriers plus profondes chez eux que marxisme, communisme ou anarchisme.

Ces idées ont aussi leur source dans le mouvement ouvrier, dans les expériences, les enseignements tirés de la lutte passée plus que dans les théories de quiconque.

Il se forme ainsi une sagesse ouvrière très proche de l'expérience, très profondément inscrite dans l'âme ouvrière. Chez certains militants elle s'épanouit en une culture vraie, type d'une civilisation. En lisant Proudhon, authentique ouvrier, ou plus près de nous, un Griffuelhes, un Merrheim, on est contraint d'admirer. Et je me souviens de l'étonnement de notre Père Provincial présent à une réunion de la Communauté chrétienne, quand il entendit un militant ouvrier formuler avec un rare bonheur une distinction que nous recherchions entre les différents « dons » des chrétiens modernes.

En résumé, nous voyons le mouvement ouvrier, ses militants, à l'origine de la culture comme des vertus ouvrières ; il faudrait dire, en un mot, de la civilisation ouvrière.

Les militants dont nous venons de parler sont des personnalités privilégiées du monde ouvrier; ils sont partout présents là où il existe, usine ou quartier. Ils donnent à la société ouvrière une physionomie, une structure nettement originales.

Ils savent exprimer en clair ce que la masse ne fait que ressentir, traduire en idées des aspirations confuses, entraîner à l'action réalisatrice, mettre en jeu des passions, des défauts quelquefois, mais souvent aussi, des vertus qu'ils connaissent bien.

Le 1er mai, une difficulté se produit à l'usine. Par accord avec la direction qui l'avait demandé aux ouvriers, les quarante-huit heures hebdomadaires, au lieu d'être effectuées en six jours, l'étaient en cinq jours afin de laisser le samedi pour certains travaux particuliers. Le 1er mai tombait un samedi... Aussi, ce jour n'étant pas d'ordinaire un jour de travail, le patron refuse de le payer comme il l'était dans les autres entreprises. Un mouvement de grève se dessine, des pourparlers commencent, et le patron propose de payer chaque ouvrier pour le 1er mai au prorata des heures supplémentaires effectuées en moyenne par lui le samedi. Une telle proposition était de nature à mettre la division entre les ouvriers, les uns devant toucher plus de huit heures (et au tarif élevé des heures supplémentaires), les autres moins, les autres (comme moi), rien du tout. Le patron pouvait donc espérer un vote de fin de grève.

C'est alors que la section syndicale ayant fait le calcul de la somme totale qui serait payée si l'on acceptait la proposition, convoqua les ouvriers en assemblée générale. Un des meilleurs militants prend la parole, explique la manoeuvre de division et fait appel à la solidarité :

« Camarades, je vous propose d'accepter la proposition du patron. Mais ceux qui toucheront plus de huit heures tarif ordinaire reverseront le surplus qui sera immédiatement alloué aux camarades qui toucheront moins. L'argent restant, car il en restera, sera envoyé aux camarades malades. » Le vote fut unanime, la distribution se fit (j'en fus un des bénéficiaires), et la répartition fut triomphalement affichée à la porte de l'usine.

On voit que les militants ne font pas toujours appel à l'égoïsme comme on a tendance à le croire.

Ces militants accouchent la masse ouvrière des idées qu'elle porte sous forme d'aspirations vagues, et la provoquent à l'action. Ils sont implicitement reconnus comme chefs, ou plutôt comme entraîneurs, comme meneurs par la masse. Disons que la masse se reconnaît en eux. Ils ont vis-à-vis d'elle un rôle d'une importance primordiale.

En même temps qu'ils lui révèlent ce qu'elle pressent, ils cherchent à susciter en elle les initiatives, à la faire monter sur le plan de l'action et sur le plan des idées. Maîtres à penser, ils forment aussi des hommes d'action. Ils sont les promoteurs de la classe ouvrière entière, ils ont la charge et la responsabilité de la « promotion » ouvrière.

Il faut voir à quel point ces militants essaient de faire agir chacun, de confier des responsabilités ! Il ne faut pas croire qu'il soit difficile de faire partie d'un comité d'entreprise, d'une section syndicale, d'être délégué, etc. Toute bonne volonté est vite accueillie et la multitude des fonctions possibles montre le souci du mouvement ouvrier de faire participer le plus d'ouvriers possible à l'action, à l'initiative. Nous touchons ici du doigt l'importance du mouvement ouvrier :

— qui, depuis plus d'un siècle, élabore lentement le fonds d'idées, de conceptions communes à la classe ouvrière entière, qui est ainsi à la source de la culture ouvrière en même temps qu'il se préoccupe, par une pédagogie active, de faire passer cet enseignement dans la masse ;

— qui fournit à cette masse ses plus beaux exemples de vertus, son idéal moral ;

— qui y fait naître continuellement des personnalités, hommes d'action, d'initiative en même temps que types de grandeur morale, héros ouvriers, modèles vivants pour la masse.

De ces fortes personnalités militantes, syndicalistes ou politiques (je pense à celles du quartier), on peut dire que, s'ils ne font pas l'opinion publique, l'opinion ne peut se faire sans eux.

Un régime policier pourrait, par sa rigueur, détruire cette armature vivante de la société ouvrière (c'est sans doute le cas en Russie comme c'était le cas en Allemagne). Mais ce procédé négatif est semblable à l'occupation militaire d'un pays où l'armée prend en charge directement tout l'organisme civil. Atomiser la société ouvrière me semble une solution transitoire qui ne résout rien, mais retarde toute solution.

Nous nous trouvons devant le fait d'une société vivante, d'un organisme très complexe (délégués du personnel, sections syndicales, comités d'entreprise, cellules communistes d'entreprises et de quartiers, syndicats de locataires, comités d'intérêts de quartiers ouvriers, organisations de Femmes de France, U.J.R.F., et, j'ajoute, mouvement populaire des familles).

L'évangélisation du milieu ouvrier est l'évangélisation d'une société structurée, qu'il faut voir sous son aspect dynamique, vivant. Ce serait courir à l'échec que traiter une telle société comme un simple amalgame d'individualités.

LA PATRIE OUVRIÈRE

Nous avons reçu notre épanouissement tant culturel que moral de notre civilisation française, nous aurions mauvaise grâce à l'oublier et à ne pas payer notre pays d'un grand attachement. Mais on ne peut en dire autant d'un ouvrier : ce qu'il peut avoir de sécurité, le niveau de vie d'ailleurs encore si médiocre qu'il a conquis, son statut qui est le droit du travail, son monde d'idées et de conceptions, comme son idéal moral, il le ne le tient pas de la France, mais de cette classe ouvrière qui, par ses militants, l'a d'abord élevé sinon au-dessus de la pauvreté, du moins au-dessus de l'affreuse misère, grâce à une lutte constante et acharnée [1], qui, aussi, s'est élevée culturellement, socialement, politiquement.

Que des ouvriers deviennent de grands personnages dans la vie de la nation, qu'il s'agisse d'un Jouhaux, d'un Croizat ou d'un Billoux, c'est tout de même un fait étonnant. Nous sommes, à X..., six prêtres dont la culture n'est pas négligeable : aucun de nous pourtant ne pourrait rivaliser avec Cyprien et manier la langue française avec son brio. Et ces signes ne sont que des signes, on les comprend mieux quand on voit dans la moindre entreprise des militants capables d'organiser, de faire agir, d'expliquer aux individus comme à une foule, de discuter avec un patron cultivé, etc.

Si donc l'ouvrier tient tout son épanouissement du mouvement ouvrier [2], il ne faut pas s'étonner que, quasi instinctivement, il reporte sur la classe ouvrière l'attachement que, nous, nous portons à la France. La classe ouvrière est pour lui une patrie vivante.

Toutes les propagandes (même celle du parti communiste), ne pourront aller contre ce qu'il ressent ainsi profondément. Il est internationaliste d'instinct ; si on peut dire, en effet, que jamais le pays comme tel ne l'a aidé ni même compris, les classes ouvrières des autres pays l'ont appuyé. Les grandes grères françaises soutenues par les Trade Unions britanniques, la journée de neuf heures

---

1. C'est par sa propre lutte que la classe ouvrière a obtenu la réglementation du travail des enfants, puis la journée de dix heures, puis celle de huit heures. Par la lutte qu'elle a conquis les quarante heures, les congés payés, la sécurité sociale. Par la lutte qu'elle a l'espoir d'obtenir un jour un salaire de base suffisant et l'assurance de sa permanence par l'échelle mobile.

2. Certes, l'ouvrier a son salaire légal, la sécurité sociale, l'enseignement public par l'Etat, mais celui-ci n'a légiféré en ces matières que sous la pression ouvrière. Les campagnes ouvrières au cours de nombreuses années pour l'enseignement public obligatoire, les revendications pour les dix heures, pour les huit heures, pour les quarante heures, les congés payés, les contrats collectifs, etc.

obtenue par la Fédération du Livre grâce au secrétariat typographique international, etc., ont fait comprendre à la classe ouvrière française que la fraternité du travail qui dans les usines réunit les ouvriers de toutes nations pouvait se développer efficacement sur un plan mondial.

Nous n'avons eu (nous, c'est-à-dire deux chrétiens), aucun mal à faire adopter à mains levées l'admission des Allemands libérés dans notre caisse de solidarité d'usine. Le rapporteur communiste de la proposition de la C.G.T. (qui visait à les exclure), a été si écrasé par les mains levées pour l'admission, qu'il s'est abstenu lui-même et n'a pas voté contre. Il nous a suffi de faire appel à la solidarité internationale de la classe ouvrière : « Ce sont des ouvriers comme nous, camarades ! Une autre guerre peut nous amener à travailler chez eux par une volonté qui ne sera ni la leur, ni la nôtre. »

Il faut donc comprendre ce sentiment puissant, ce patriotisme ouvrier qui va à la classe ouvrière et se désintéresse des nations, si l'on veut évangéliser de façon réaliste le monde ouvrier.

L'AME OUVRIÈRE

1) Le monde ouvrier, monde en mouvement

Nous venons de parler de patrie ouvrière, mais le monde ouvrier n'est pas une société politique semblable à celle que décrit Aristote. Ce n'est pas une société « parfaite » : c'est tout le contraire ; c'est une société qui tend par aspiration et par mouvement vers un terme auquel elle n'est pas arrivée. Toute sa structure, comme sa mentalité, ses conceptions, dérivent de là, comme aussi sa formation qui se fait dans et par l'action du mouvement lui-même.

2) Nature des aspirations ouvrières

On se tromperait, il me semble, en voyant en elles le fruit d'une propagande, le simple reflet de théories issues de quelques cerveaux.

Voici une phrase de Louis Reybaud, enquêteur de l'Académie des Sciences morales et politiques. Il écrit en 1859 *(De la condition des ouvriers en soie) :*

> Plus j'étudie les faits, plus je demeure convaincu qu'à côté des passions de circonstances que les ouvriers puisaient en 1848 dans les livres ou dans les clubs, il en est de permanentes, très réfléchies et très profondes, où ils ne s'inspirent que d'eux-mêmes. C'est dans le régime lui-même de la manufacture que ces passions ont pris naissance et s'alimentent malgré les règlements, malgré les amendes, malgré le silence imposé et les servitudes multipliées jusqu'à la minutie, ou plutôt à raison de ces servitudes, de ce silence, de ces amendes ou de ces règlements.

Et voici ce qu'écrit un historien, Maxime Leroy, auteur d'une énorme enquête : *La Coutume ouvrière*.

> Le syndicalisme ouvrier est une oeuvre collective qui a jailli lentement, difficilement, douloureusement du plus profond de la vie professionnelle ; c'est *un empirisme* qui n'a jamais été l'illustration d'une doctrine. Il y a une philosophie syndicaliste sorélienne et il y a une philosophie syndicaliste ouvrière. Ceux qui veulent connaître la philosophie syndicale ouvrière doivent la chercher là où elle est née et où elle s'est développée avec toutes sortes de rudesses et de diversités, sous la forme d'une coutume...

Née de contraintes et de servitudes, l'aspiration qui soulève tout le monde ouvrier va à quelque chose de positif, à un monde nouveau, ce monde que le pape nommait récemment un monde de justice et de fraternité. La classe ouvrière a, sur ce monde, ses idées acquises, elles aussi, dans la lutte, et qui forment le fond de sa vision du monde. Le marxisme a raidi et, il faut le dire, étriqué cette vision restée cependant toujours vivante au coeur des ouvriers.

Nous vous demandons, Monseigneur, de ne pas vous étonner si l'idéal ouvrier que nous représentons semble différer nettement de l'idéal marxiste bien que les deux schémas en soient semblables. C'est que le marxisme ne nous semble qu'une expression d'ailleurs très matérialisée, durcie, étroite, des aspirations ouvrières vivantes. Un ouvrier exprimera souvent ses idées en termes communistes, et la discussion, l'action, révèlent par ailleurs combien sa mystique déborde la conceptualisation qu'il en donne. Ceci est d'une importance première pour l'apôtre qui veut et doit faire appel à ce qu'il y a de plus profond et de plus noble chez l'ouvrier.

3) Mystique d'un monde nouveau

La mystique d'un monde nouveau a une origine bien simple : elle est née de la trop grande souffrance et du besoin d'y échapper. Elle n'est pas seulement un rêve. L'ouvrier a le culte du réel, de la réalisation. Le rêve n'a pris corps qu'au cours même de l'action quand la classe ouvrière a pris conscience qu'elle était à la fois une force capable de s'imposer et une organisation qui en vaut beaucoup d'autres pour l'action et la réalisation.

L'ouvrier veut un monde juste. Le petit apprenti obligé d'abandonner l'école technique parce que ses parents ont besoin de son salaire, en garde sa vie entière une profonde ulcération de l'âme. Pour ma seule fonderie, c'était le cas du secrétaire de la cellule communiste qui, apprenti en sculpture sur bois, avait dû s'embaucher comme manoeuvre à quatorze ans et demi, à la mort de son père. C'était le cas d'un jeune mouleur remarquablement doué, qui avait dû abandonner l'école technique qui voulait le pousser jusqu'aux Arts et Métiers, parce que son père ne gagnait plus assez pour nourrir sa famille. Ce jeune est devenu un remarquable militant jociste, mais toute sa vie il se donnera avec ardeur à la lutte ouvrière pour la justice. Pouvoir partir à égalité devant la vie avec le fils de n'importe qui, pouvoir faire valoir les dons de la nature, telle est une des revendications profondes de l'ouvrier.

Le monde lui paraît divisé en deux classes. Dans l'une, vous pouvez étudier, vous acquerrez une situation qui permettra aussi à vos fils d'étudier : c'est la classe dirigeante, on y accède sans doute par le petit commerce, mais quel ouvrier peut acquérir un commerce par des voies honnêtes ? Il y a, certes, des exceptions rares et qui ne font que mettre en lumière la règle générale. Dans l'autre classe, on naît d'un ouvrier, on sera donc ouvrier.

L'ouvrier ne veut pas de cette société à deux étages. On lui sert des théories de travail économisé qui arrive à constituer le capital : il voit en fait, que le travailleur n'économise pas. C'est sa faute ?... En fait, par contre, la classe dirigeante est économe et critique la prodigalité ouvrière. C'est donc qu'elle est meilleure ? Et d'où vient que la vertu vous soit donnée dans une classe de la société, non dans l'autre, sinon sans doute de l'organisation même, de l'état même de ces classes ?

A vrai dire, l'ouvrier ne se fait pas tant de raisonnements. Il touche l'injustice du doigt quand il voit se promener dans l'usine le fils du patron qui n'est pas un aigle et qui prendra la succession, alors que son fils à lui aura peut-être de la difficulté à devenir un ouvrier qualifié.

Un vieux manoeuvre de soixante ans que je considère comme un vrai saint, me disait avec fierté : « Voilà presque cinquante ans que je travaille à ce métier : c'est trop pénible ! Mais, de toute ma vie, je n'ai pas mis les pieds au bistro ni au cinéma. On fait toujours un peu d'économies. Aux mauvaises périodes, quand il y a un coup dur, ça s'en va. On a plusieurs fois été gênés, mais on n'est pas tombés. Et tous mes fils, j'ai pu leur donner un métier ; ils ne seront pas comme moi... C'est trop pénible ! », répétait-il.

Il avait conscience d'un magnifique succès : avoir fait de ses deux filles et de ses trois fils des ouvriers et ouvrières qualifiés ; il avait notion que c'était une réussite. Il nous faut bien comprendre que son héroïsme n'est pas à la portée de tous. Je le revois encore, cet homme de soixante ans, en route chaque matin, avec son panier, vers l'usine située à une demi-heure de marche de chez lui, car il ne prenait jamais le tram.

Je cite ces cas minimes car c'est par une multitude de faits semblables que l'ouvrier prend conscience d'une injuste organisation de la société. En fait, il y a, pense-t-il, la classe privilégiée et celle qui ne l'est pas. Et, de classe privilégiée, il ne veut pas. Dans son monde de justice, il ne veut pas de privilège. Par le mot « société sans classes », Marx traduit une très réelle aspiration ouvrière. L'ouvrier n'est pas contre la hiérarchie, il a trop le réalisme de l'organisation du travail, mais il est absolument, et du plus profond de lui-même, contre le privilège.

Monde de fraternité !... La classe ouvrière est d'une simplicité émouvante ! Au travail, on s'appelle de son petit nom. L'accueil, à la maison, est plus que fraternel. « Vous êtes franc », ça veut dire qu'on ne fait pas de manières, qu'on rit quand on a envie de rire, qu'on ne garde pas pour soi ses ennuis, qu'on dit tout simplement les malheurs : une tuberculose comme un ennui avec la police ; quelqu'un dans la famille qui tourne mal, on ne le cache pas. Ainsi est l'ouvrier.

Les militants sont rudes et parlent rudement — mais on leur répond aussi durement, et ils n'en sont pas vexés. On les suit, mais non sans avoir discuté d'égal à égal : on leur reconnaît un rôle, mais on n'admet pas qu'il y ait des actifs et des passifs.

Je viens d'entrer à la formation professionnelle accélérée due à Croizat qui était un ouvrier métallurgiste et secrétaire du syndicat des métaux. Les moniteurs reçoivent une formation spéciale à Paris et la C.G.T. a été pour beaucoup dans cette organisation. Au stage de tourneur, nous avons un moniteur qui nous a dit : « Vous ne savez encore rien. Pendant trois semaines, je vous indiquerai tout et vous ferez comme je vous dirai. Mais ensuite, nous discuterons toujours ensemble de la manière d'exécuter un travail et nous choisirons la meilleure solution. » Ce moniteur a une autorité réelle, mais qui s'exerce dans la camaraderie.

Or, à l'usine, l'autorité n'est nullement de cette nature, et je reconnais que quiconque n'a pas été formé par la vie à ce genre d'autorité ne peut la découvrir, sauf intuition exceptionnelle. Les relations entre patrons, ingénieurs — et même le plus souvent entre contremaîtres et ouvriers — ne sont nullement de ce type. Cela ne correspond pas à l'idéal de fraternité confusément entretenu par l'ouvrier.

Qu'on demande à un ouvrier s'il est pour la gestion ouvrière, souvent, il ne saura pas trop que répondre. Il ne voit pas la chose de cette manière statique. Il croit à une injustice dans la répartition du profit, il voudrait pouvoir contrôler cela et s'opposer éventuellement à l'injustice, c'est tout. On peut donc dire que la gestion ouvrière est une revendication fondamentale chez les ouvriers, même s'ils ne s'expriment pas ainsi, parce qu'ils veulent le contrôle ouvrier. Je ne parle pas ici des difficultés de la chose ; nous disons seulement ce que sont les aspirations ouvrières réelles.

Un ouvrier sait pas mal de choses. Dans mon usine, au prix du bronze moulé, une grosse hélice pouvait se vendre, il y a un an environ, deux millions de francs (de douze à vingt tonnes de métal). La préparation du moule demandait au mouleur de trois semaines à cinq semaines de travail. Après quoi, le patron lui donnait une prime de mille francs. Dans cette même usine, se trouvaient les ouvriers qui avaient coulé les hélices du *Normandie*. Ils n'en avaient strictement retiré aucun bénéfice, et naturellement, ils n'avaient pas été invités à visiter le paquebot.

Il faut comprendre, me semble-t-il, que la volonté ferme de la classe ouvrière de réaliser un monde nouveau où le travailleur contrôle l'utilisation comme le fruit de son travail, n'est pas un simple mythe marxiste.

4) Libération du monde ouvrier

Enserré de tous côtés par la contrainte et l'injustice, l'ouvrier pense « libération » quand on n'a pas le droit de casser la croûte au milieu de cinq heures de travaux de force et qu'il faut se cacher pour le faire ; quand il est interdit de s'asseoir cinq minutes sur cinq heures, alors que, pour la marche infiniment moins pénible, le soldat se repose dix minutes par heure ; quand il faut, donc, pour se reposer, aller s'accroupir dans les cabinets ; quand il faut faire semblant de travailler à un moment creux où on a le temps de souffler, etc. On a évidemment envie de faire éclater le carcan du travail. Je ne cite là que des faits minimes choisis entre mille. Un mouleur de vingt-cinq ans me disait avec poésie, en me montrant derrière les murs de l'usine les maigres platanes du boulevard : « Dire que là derrière, il coule un fleuve de liberté ! . . . »

Mais il y a aussi tout ce qui forme l'ensemble de la vie du travailleur et la rend sans espoir d'amélioration pour ses enfants. Il y a le travail qui n'épanouit pas, fatigue, et vous laisse de mauvaise humeur et, pour le soir, bon tout juste à se coucher ! . . . Et si l'on veut seulement vivre, il faut à tout prix travailler en heures supplémentaires ou se trouver un travail pour le soir, le samedi, le dimanche. Il y a tant et tant de choses ! Il y en a eu autrefois tant d'autres que ne peuvent comprendre ceux qui n'y sont pas passés, parce que c'est la multitude des détails qui fait la vie, la peine, l'esclavage.

L'ouvrier ne compte donc que sur lui-même pour changer cela. Il sait que l'autre classe ne l'a jamais compris, il sait qu'il n'a rien obtenu, jamais, que par sa lutte ; il sait que la société tout entière l'écrase dans ses revendications. (Il faut avoir discuté avec l'inspecteur du travail pour s'en rendre compte, avoir vu qu'il ne fait jamais d'inspection sans avoir prévenu le patron et s'être mis d'accord avec lui ; que la visite d'un médecin pour questions sanitaires ne s'obtient qu'après des peines infinies, qu'il vient enfin, va voir le patron et s'en retourne sans avoir vu les ouvriers.)

L'ouvrier en arrive donc fatalement à l'idée de révolution. Chez lui, l'idée de révolution marxiste n'est sans doute pas profonde, mais celle de révolution tout court est une aspiration fondamentale. Demandez-lui s'il la veut violente, il vous dira : « Bien sûr que non, mais il ne faut pas croire que la classe bourgeoise lâchera le morceau comme ça, et il faudra bien l'y obliger. »

5) L'état de lutte et l'idée de la lutte des classes.

Lutte des classes ? Chez Marx, cela rend un son systématique. Chez l'ouvrier, c'est une constatation de fait : « On n'a jamais vu le patron lâcher quelque chose sans y être obligé. » « On n'a jamais vu une loi sociale arriver toute seule. » La lutte des classes est un fait qu'on accepte et un réalisme qu'on enseigne : « Ne t'y trompe pas, c'est la guerre ! Il ne faut pas être naïf. » C'est la leçon d'un siècle et plus de mouvement ouvrier.

6) Le sectarisme ouvrier. L'exclusivisme ouvrier.

Cela rend l'ouvrier exclusif, sectaire. Il ne compte que sur lui-même pour faire une société juste, et il se méfie évidemment de ceux qui, venus d'ailleurs que lui, voudraient prendre les rênes de l'attelage ouvrier. Un ouvrier chrétien disait avec raideur à un bourgeois chrétien (d'une bonne volonté magnifique) : « Les postes de direction, nous les voulons tous dans la société de demain. Vous, soyez des techniciens. »

C'est choquant, cela traduit pourtant chez eux la conviction suivante : seuls, ceux qui connaissent d'expérience vraie, de vie vécue, la vie ouvrière peuvent réaliser la société juste. Les autres embrouilleront tout. « Seuls nous sentons et pouvons sentir ce qu'il faut ; les autres nous apporteront des théories, des plans, et nous serons « marrons ». Trop de fois ils ont été grugés, ils ne veulent plus l'être. 1848 est une leçon que la classe ouvrière n'a jamais plus oubliée.

D'ailleurs, ce sectarisme tombe quand ils se trouvent devant quelqu'un qui les a compris. Fernand Pelloutier était bourgeois et a dirigé la Fédération des bourses du travail qui était alors la fédération de tous les syndicats (l'actuelle C.G.T.) ; le sectarisme n'est donc pas chez eux de principe.

ESSAI DE JUGEMENT DES ASPIRATIONS OUVRIÈRES

Nous avons essayé d'exprimer que le monde ouvrier est animé d'une vie, d'une civilisation absolument originale. Cette civilisation, comme toute autre, se perpétue par tradition, par contacts de vie. Cet arbre vigoureux a des racines profondes qui nous fait pressentir sa solidité.

Un jour, à l'usine, un ouvrier qui fixait sur le tableau *ad hoc* une affiche syndicale se voit retirer une demi-heure de salaire par le chef d'atelier parce qu'il le faisait pendant le travail. Le soir, assemblée générale. Un vieil ouvrier, qui d'ordinaire ne prend jamais la parole et ne vient même pas aux assemblées, s'avance :

« Camarades, ce qui vient d'arriver, c'est très grave, c'est la porte ouverte au règlement d'atelier. Vous n'avez pas connu ça, vous, le temps où on vous enlevait tant pour une fenêtre, tant pour une machine sale, tant pour siffler ou chanter, etc. Ça n'a l'air de rien. Il y en a parmi vous qui ont simplement proposé que le syndicat rembourse sa demi-heure au camarade ; ce n'est pas ça qu'il faut faire. Il faut cesser les heures supplémentaires jusqu'à ce que la demi-heure ait été remboursée par la direction ; sans ça, demain, on vous enlèvera une heure de salaire sous n'importe quel prétexte ! »

Ainsi les jeunes eux-mêmes ont-ils pu comprendre le danger du règlement d'atelier avec pénalités pécuniaires. Petit exemple, une fois de plus, qui montre comment les traditions se perpétuent dans le monde ouvrier, et quelle solidité cela donne aux conceptions ouvrières.

La vocation de la race française en Amérique

Le vingt-cinq juin seize cent quinze, à quelques pas d'ici, sur cette pointe de terre qui du pied de la falaise où nous sommes s'avance dans l'eau profonde de notre grand fleuve, se déroulait une scène jusque-là inconnue. A l'ombre de la forêt séculaire, dans une chapelle hâtivement construite, en présence de quelques Français et de leur chef, Samuel de Champlain, un humble fils de saint François, tourné vers un modeste autel, faisait descendre sur cette table rustique le Fils éternel de Dieu, et lui consacrait par l'acte le plus saint de notre religion les premiers fondements d'une ville et le berceau d'un peuple.

Ce peuple, depuis lors, a grandi. Cette ville a prospéré, et voici qu'à une distance d'à peu près trois siècles la nation, issue de cette semence féconde, s'assemble, non plus au pied de la falaise, mais sur ses hauteurs, pour renouveler son acte de consécration religieuse et retremper sa vie dans le sang de l'Agneau divin.

Quelles transformations et quels contrastes ! Tout autour, malgré l'immurabilité des grandes lignes qui forment le cadre du tableau, la nature a reçu l'empreinte de l'esprit et de la main de l'homme ; le désert s'est animé ; les solitudes

---

Mgr Louis-Adolphe Paquet, prof. fac. théologie, Univ. Laval. Sermon prononcé à l'occasion des noces d'or de la Société Saint-Jean-Baptiste de Québec, in *Bréviaire du Patriote canadien-français,* Montréal, Bibliothèque de l'Action Française, (Editions de l'Action Nationale), 1925. Commenté par le chan. Emile Chartier, doyen de la fac. des Lettres, U. de M. 323, 1P, catalogue 6157, p. 49-59.

se sont peuplées. Plus près de nous, au lieu de tentes mobiles où s'abritait la barbarie, l'oeil contemple de massifs châteaux et d'artistiques édifices; des tours, des flèches altières ont remplacé la cime des pins; toute une civilisation déjà adulte a surgi; et le fondateur de Québec, du haut de ce monument que lui élevait naguère la reconnaissance publique, fier de son oeuvre, plus fier encore des progrès merveilleux qui en ont marqué la durée, peut plonger dans l'avenir un regard plein d'espoir et saluer avec confiance l'aube blanchissante de jours nouveaux et de destinées de plus en plus glorieuses.

Mes Frères, c'est pour envisager ce même avenir que nous sommes ici ce matin. Le cor résonnant de nos fêtes patriotiques a retenti, et des quatre coins de la Province, des extrémités du pays, je pourrais presque dire, de tous les points de l'Amérique où la race française a planté son drapeau, vous êtes accourus en foule, la tête haute, le coeur vibrant. On ne pouvait répondre à l'appel avec plus d'unanimité ni avec plus d'enthousiasme.

Aussi bien, le moment est solennel. Et sous ces airs de fête et à travers cet éclat de nos communes réjouissances, je vois des esprits qui s'inquiètent, des regards qui interrogent, des fronts sur lesquels se traduisent de soucieuses pensées; j'entends d'une part, des clameurs vagues et confuses, et, de l'autre, comme l'écho d'émotions contenues et de secrets frémissements passant dans l'âme de la nation. Que signifie cela?

C'est que, mes Frères, dans notre marche historique, nous sommes parvenus à une de ces époques où les peuples prennent conscience d'eux-mêmes, de leur vitalité et de leur force. C'est que, en assistant aux manifestations grandioses provoquées par d'heureux anniversaires de notre vie intellectuelle et sociale, nous sommes en même temps et plus spécialement peut-être conviés à de véritables assises nationales. C'est que, dans ces assises, il s'agit pour nous d'étudier et d'approfondir le problème de nos destinées et de proclamer une fois de plus, sans forfanterie comme sans faiblesse, prudemment, sagement, ce que nous avons été, ce que nous sommes, ce que nous devons et voulons être.

Voilà pourquoi je vous citais tout à l'heure ces paroles de nos lettres sacrées: *Populum istum formavi mihi; laudem meam narrabit.* C'est moi qui ai formé ce peuple, et je l'ai établi pour qu'il publie mes louanges. Dans ce langage, en effet, d'une si haute signification, et à travers ces accents inspirés, j'aperçois des indices de la noble mission confiée à notre nationalité; je crois découvrir, à cette lumière, la sublime vocation de la race française en Amérique.

I

Y-a-t-il donc, mes Frères, une vocation pour les peuples ?

Ceux-là seuls peuvent en douter qui écartent des événements de ce monde la main de la Providence et abandonnent les hommes et les choses à une aveugle fatalité. Quant à nous qui croyons en Dieu, en un Dieu sage, bon et puissant, nous savons comment cette sagesse, cette bonté et cette puissance se révèlent dans le gouvernement des nations ; comment l'Auteur de tout être a créé des races diverses, avec des goûts et des aptitudes variés, et comment aussi il a assigné à chacune de ces races, dans la hiérarchie des sociétés et des empires, un rôle propre et distinct. Une nation sans doute peut déchoir des hauteurs de sa destinée. Cela n'accuse ni impuissance ni imprévoyance de la part de Dieu ; la faute en est aux nations elles-mêmes qui, perdant de vue leur mission, abusent obstinément de leur liberté et courent follement vers l'abîme.

Je vais plus loin, et j'ose affirmer que non seulement il existe une vocation pour les peuples, mais qu'en outre quelques-uns d'entre eux ont l'honneur d'être appelés à une sorte de sacerdoce. Ouvrez la Bible, mes Frères, parcourez-en les pages si touchantes, si débordantes de l'esprit divin, depuis Abraham jusqu'à Moïse, depuis Moïse jusqu'à David, depuis David jusqu'au Messie figuré par les patriarches, annoncé par les prophètes et sorti comme une fleur de la tige judaïque, et dites-moi si le peuple hébreu, malgré ses hontes, malgré ses défaillances, malgré ses infidélités, n'a pas rempli sur la terre une mission sacerdotale.

Il en est de même sous la loi nouvelle. Tous les peuples sont appelés à la vraie religion, mais tous n'ont pas reçu une mission religieuse. L'histoire tant ancienne que moderne le démontre : il y a des peuples voués à la glèbe, il y a des peuples industriels, des peuples marchands, des peuples conquérants, il y a des peuples versés dans les arts et les sciences, il y a aussi des peuples apôtres. Ah ! reconnaissez-les à leur génie rayonnant et à leur âme généreuse : ce sont ceux qui, sous la conduite de l'Eglise, ont accompli l'oeuvre et répandu les bienfaits de la civilisation chrétienne ; qui ont mis la main à tout ce que nous voyons de beau, de grand, de divin dans le monde ; qui par la plume, ou de la pointe de l'épée, ont buriné le nom de Dieu dans l'histoire ; qui ont gardé comme un trésor, vivant et impérissable, le culte du vrai et du bien. Ce sont ceux que préoccupent, que passionnent instinctivement toutes les nobles causes ; qu'on voit frémir d'indignation au spectacle du faible opprimé ; qu'on voit se dévouer, sous les formes les plus diverses, au triomphe de la vérité, de la charité, de la justice, du droit, de la liberté. Ce sont ceux, en un mot, qui ont mérité et méritent encore l'appellation glorieuse de champions du Christ et de soldats de la Providence.

Or, mes Frères, — pourquoi hésiterais-je à le dire ? — ce sacerdoce social, réservé aux peuples d'élite, nous avons le privilège d'en être investis ; cette vocation religieuse et civilisatrice, c'est, je n'en puis douter, la vocation propre, la vocation spéciale de la race française en Amérique. Oui, sachons-le bien, nous ne sommes pas seulement une race civilisée, nous sommes des pionniers de la civilisation; nous ne sommes pas seulement un peuple religieux, nous sommes des messagers de l'idée religieuse; nous ne sommes pas seulement des fils soumis de l'Eglise, nous sommes, nous devons être du nombre de ses zélateurs, de ses défenseurs et de ses apôtres. Notre mission est moins de manier des capitaux que de remuer des idées; elle consiste moins à allumer le feu des usines qu'à entretenir et à faire rayonner au loin le foyer lumineux de la religion et de la pensée.

Est-il besoin que je produise des marques de cette vocation d'honneur? La tâche, mes Frères, est facile: ces marques, nous les portons au front, nous les portons sur les lèvres, nous les portons dans nos coeurs!

Pour juger de la nature d'une oeuvre, d'une fondation quelconque, il suffit très souvent de reporter les yeux sur les débuts de cette oeuvre, sur l'auteur de cette fondation. La vie d'un arbre est dans ses racines; l'avenir d'un peuple se manifeste dans ses origines. Quelle est donc la nation-mère à laquelle nous devons l'existence? quel a été son rôle, son influence intellectuelle et sociale? Déjà vos coeurs émus ont désigné la France; et, en nommant cette patrie de nos âmes, ils évoquent, ils ressuscitent toute l'histoire du christianisme. Le voilà le peuple apôtre par excellence, celui dont Léon XIII dans un document mémorable a pu dire: « La très noble nation française, par les grandes choses qu'elle a accomplies dans la paix et dans la guerre, s'est acquis envers l'Eglise catholique des mérites et des titres à une reconnaissance immortelle et à une gloire qui ne s'éteindra jamais. » Ces paroles si élogieuses provoqueront peut-être un sourire hésitant sur les lèvres de ceux qui ne considèrent que la France maçonnique et infidèle. Mais, hâtons-nous de l'ajouter, dix ans, vingt ans, cent ans même de défections, surtout quand ces défections sont rachetées par l'héroïsme du sacrifice et le martyre de l'exil, ne sauraient effacer treize siècles de foi généreuse et de dévouement sans égal à la cause du droit chrétien.

Quand on descend d'une telle race, quand on compte parmi ses ancêtres des Clovis et des Charlemagne, des Louis IX et des Jeanne d'Arc, des Vincent de Paul et des Bossuet, n'est-on pas justifiable de revendiquer un rôle à part et une mission supérieure? Par une heureuse et providentielle combinaison, nous sentons circuler dans nos veines du sang français et du sang chrétien. Le sang français seul s'altère et se corrompt vite, plus vite peut-être que tout autre; mêlé au sang chrétien, il produit les héros, les semeurs de doctrines spirituelles et fécondes, les artisans glorieux des plus belles oeuvres divines.

C'est ce qui explique les admirables sentiments de piété vive et de foi agissante dont furent animés les fondateurs de notre nationalité sur ce continent d'Amérique, et c'est dans ces sentiments mêmes que je trouve une autre preuve de notre mission civilisatrice et religieuse.

Qui, mes Frères, ne reconnaîtrait cette mission, en voyant les plus hauts personnages dont notre histoire s'honore, faire de l'extension du royaume de Jésus-Christ le but premier de leurs entreprises et marquer, pour ainsi dire, chacune de leurs actions d'un cachet religieux ? Qui n'admettrait, qui n'admirerait cette vocation, en voyant, par exemple, un Jacques Cartier dérouler d'une main pieuse sur la tête de pauvres sauvages les pages salutaires de l'Evangile ; en voyant un Champlain ou un Maisonneuve mettre à la base de leurs établissements tout ce que la religion a de plus sacré : en voyant encore une Marie de l'Incarnation et ses courageuses compagnes, à peine débarquées sur ces rives, se prosterner à terre et baiser avec transport cette patrie adoptive qu'elles devaient illustrer par de si héroïques vertus ? Est-ce donc par hasard que tant de saintes femmes, tant d'éminents chrétiens, tant de religieux dévoués se sont rencontrés dans une pensée commune et ont posé, comme à genoux, les premières pierres de notre édifice national ? Est-ce par hasard que ces pierres, préparées sous le regard de Dieu et par des mains si pures, ont été baignées, cimentées dans le sang des martyrs ? L'établissement de la race française dans ces contrées serait-il une méprise de l'histoire, et le flot qui nous déposa sur les bords du Saint-Laurent n'aurait-il apporté au rivage que d'informes débris, incapables de servir et d'accomplir les desseins du ciel dans une oeuvre durable ?

Non, mes Frères, et ce qui le prouve mieux encore que tout le reste, c'est l'influence croissante exercée autour d'elle par la France d'Amérique sur les progrès de la foi et de la vraie civilisation.

Chose digne de remarque, et qui jette une belle lumière sur la mission d'un peuple : chaque fois que nos ancêtres, dans leurs courses d'explorations et même dans leurs guerres, vinrent en contact avec les rudes enfants des bois, ce fut pour les civiliser plutôt que pour les dominer ; ce fut pour les convertir, et non pour les anéantir. Que n'ai-je le temps de rappeler les travaux de nos évêques, en particulier de l'immortel Laval, de nos prêtres, de nos missionnaires, de nos découvreurs, de tous nos apôtres ? C'est d'ici qu'est partie l'idée religieuse qui plane aujourd'hui sur une large portion de l'Amérique septentrionale. C'est ici qu'ont jailli ces sources de doctrine, de vertu, de dévouement, dont les ondes se sont propagées d'un océan à l'autre, et, devançant nos grandes routes de feu, ont porté aux races étrangères les trésors de christianisme dont la nôtre est dépositaire.

Et cette influence si étendue jadis, si puissante et si bienfaisante, menacerait-elle maintenant de décroître ? Aurait-elle du moins perdu, par le fait d'influences rivales, son caractère propre et ce cachet de spiritualisme qui l'a rendue si remarquable dans le passé ? Ah ! demandez-le, mes Frères, aux vénérables prélats qui, par leur présence au milieu de nous, ajoutent à ces fêtes tant de lustre, et dont le sceptre, semblable à la verge de Moïse, a fait surgir comme par miracle de la bruyère inculte ou de l'épaisse forêt d'innombrables paroisses et de florissants diocèses. Demandez-le à cette Université, l'orgueil de notre patrie, dont l'enseignement projeté par un double foyer rayonne avec tant d'éclat, et qui après cinquante ans d'existence voit accourir vers elle, des diverses parties de ce continent, des milliers d'anciens élèves, sa joie et sa couronne. Demandez-le à tous ceux des nôtres que le souffle de l'émigration a dispersés loin de nous, soit dans d'autres provinces, soit sur le territoire de la vaste république américaine, et dont les groupes compacts, toujours catholiques, toujours français, resserrés autour de l'Eglise et de l'école paroissiale, émergent ça et là, comme de solides rochers au-dessus de la mer déferlante et houleuse. Demandez-le enfin à nos frères acadiens, chez qui le patriotisme, l'adhérence à la foi, l'attachement à la langue et l'indomptable ténacité, n'ont été égalés que par le malheur, et que Dieu récompense de tant de fidélité par une progression constante dans le nombre et dans l'influence.

Populum istum formavi mihi ; laudem meam narrabit.

C'est moi, dit le Seigneur, qui ai formé ce peuple ; je l'ai établi pour ma gloire, dans l'intérêt de la religion et pour le bien de mon Eglise ; je veux qu'il persévère dans sa noble mission, qu'il continue à publier mes louanges.

Oui, faire connaître Dieu, publier son nom, propager et défendre tout ce qui constitue le précieux patrimoine des traditions chrétiennes, telle est bien notre vocation. Nous en avons vu les marques certaines, indiscutables. Ce que la France d'Europe a été pour l'ancien monde, la France d'Amérique doit l'être pour ce monde nouveau. Mais dans l'état social où nous sommes, à quel prix, mes Frères, et par quels moyens remplirons-nous efficacement cette mission ? Quels sont les droits qu'elle comporte ? quels sont les devoirs qu'elle impose ? Voilà ce dont il me reste à vous entretenir.

II

Pour exercer parmi les nations le rôle qui convient à sa nature et que la Providence lui a assigné, un peuple doit rester lui-même ; c'est une première et absolue condition, que rien ne saurait remplacer. Or, un peuple ne reste lui-même que par la liberté de sa vie, l'usage de sa langue, la culture de son génie. Il ne m'appartient pas de discuter ici l'avenir politique de mon pays. Mais ce que je tiens à dire, ce que je veux proclamer bien haut en présence de cette patriotique assemblée, c'est que le Canada français ne répondra aux desseins de Dieu et à sa sublime vocation que dans la mesure où il gardera sa vie propre, son caractère individuel, ses traditions vraiment nationales.

Et qu'est-ce donc que la vie d'un peuple ? Vivre, c'est exister, c'est respirer, c'est se mouvoir, c'est se posséder soi-même dans une juste liberté ! La vie d'un peuple, c'est le tempérament qu'il tient de ses pères, l'héritage qu'il en a reçu, l'histoire dont il nourrit son esprit, l'autonomie dont il jouit et qui le protège contre toute force absorbante et tout mélange corrupteur.

Qu'on ne s'y trompe pas : la grandeur, l'importance véritable d'un pays dépend moins du nombre de ses habitants ou de la force de ses armées, que du rayonnement social de ses oeuvres et de la libre expansion de sa vie. Qu'était la Grèce dans ses plus beaux jours ? un simple lambeau de terre, comme aujourd'hui, tout déchiqueté, pendant aux bords de la Méditerranée, et peuplé à peine de quelques millions de citoyens. Et cependant qui l'ignore ? de tous les peuples de l'antiquité, nul ne s'est élevé si haut dans l'échelle de la gloire ; nul aussi n'a porté si loin l'empire de son génie et n'a marqué d'une plus forte empreinte l'antique civilisation. J'oserai le déclarer : il importe plus à notre race, au prestige de son nom et à la puissance de son action, de garder dans une humble sphère le libre jeu de son organisme et de sa vie que de graviter dans l'orbite de vastes systèmes planétaires.

Du reste, la vie propre ne va guère sans la langue ; et l'idiome béni que parlaient nos pères, qui nous a transmis leur foi, leurs exemples, leurs vertus, leurs luttes, leurs espérances, touche de si près à notre mission qu'on ne saurait l'en séparer. La langue d'un peuple est toujours un bien sacré ; mais quand cette langue s'appelle la langue française, quand elle a l'honneur de porter comme dans un écrin le trésor de la pensée humaine enrichi de toutes les traditions des grands siècles catholiques, la mutiler serait un crime, la mépriser, la négliger même, une apostasie. C'est par cet idiome en quelque sorte si chrétien, c'est par cet instrument si bien fait pour répandre dans tous les esprits les clartés du vrai et les splendeurs du beau, pour mettre en lumière tout ce qui ennoblit, tout ce qui éclaire, tout ce qui orne et perfectionne l'humanité, que nous pourrons jouer un rôle de plus en plus utile à l'Eglise, de plus en plus honorable pour nous-mêmes.

Et ce rôle grandira, croîtra en influence, à mesure que s'élèvera le niveau de notre savoir et que la haute culture intellectuelle prendra chez nous un essor plus ample et plus assuré. Car, on a beau dire, mes Frères, c'est la science qui mène le monde. Cachées sous le voile des sens ou derrière l'épais rideau de la matière, les idées abstraites demeurent, il est vrai, invisibles ; mais semblables à cette force motrice que personne ne voit et qui distribue partout avec une si merveilleuse précision la lumière et le mouvement, ce sont elles qui inspirent tous les conseils, qui déterminent toutes les résolutions, qui mettent en branle toutes les énergies. Voilà pourquoi l'importance des universités est si considérable, et pourquoi encore les réjouissances qui auront lieu demain sont si étroitement liées à notre grande fête nationale et en forment, pour ainsi dire, le complément nécessaire.

Ah ! l'on me dira sans doute qu'il faut être pratique, que pour soutenir la concurrence des peuples modernes il importe souverainement d'accroître la richesse publique et de concentrer sur ce point tous nos efforts. De fait, tous en conviennent, nous entrons dans une ère de progrès : l'industrie s'éveille ; une vague montante de bien-être, d'activité, de prospérité, envahit nos campagnes ; sur les quais de nos villes, la fortune souriante étage ses greniers d'abondance et le commerce, devenu chaque jour plus hardi, pousse vers nos ports la flotte pacifique de ses navires géants.

A Dieu ne plaise, mes Frères, que je méprise ces bienfaits naturels de la Providence, et que j'aille jusqu'à prêcher à mes concitoyens un renoncement fatal aux intérêts économiques dont ils ont un si vif souci. La richesse n'est interdite à aucun peuple ni à aucune race ; elle est même la récompense d'initiatives fécondes, d'efforts intelligents et de travaux persévérants .

Mais prenons garde ; n'allons pas faire de ce qui n'est qu'un moyen, le but même de notre action sociale. N'allons pas descendre du piédestal où Dieu nous a placés, pour marcher au pas vulgaire des générations assoiffées d'or et de jouissances. Laissons à d'autres nations, moins éprises d'idéal, ce mercantilisme fiévreux et ce grossier naturalisme qui les rivent à la matière. Notre ambition, à nous, doit tendre et viser plus haut ; plus hautes doivent être nos pensées, plus hautes nos aspirations. Un publiciste distingué a écrit : « Le matérialisme n'a jamais rien fondé de grand ni de durable. » Cette parole vaut un axiome. Voulons-nous, mes Frères, demeurer fidèles à nous-mêmes, et à la mission supérieure et civilisatrice qui se dégage de toute notre histoire, et qui a fait jusqu'ici l'honneur de notre race ? Usons des biens matériels, non pour eux-mêmes, mais pour les biens plus précieux qu'ils peuvent nous assurer ; usons de la richesse, non pour multiplier les vils plaisirs des sens, mais pour favoriser les plaisirs plus nobles, plus élevés de l'âme ; usons du progrès, non pour nous étioler dans le béotisme qu'engendre trop souvent l'opulence, mais pour donner à nos esprits des ailes plus larges et à nos coeurs un plus vigoureux élan.

Notre vocation l'exige. Et plus nous nous convaincrons de cette vocation elle-même, plus nous en saisirons le caractère vrai et la puissante portée moralisatrice et religieuse, plus aussi nous saurons trouver dans notre patriotisme ce zèle ardent et jaloux, ce courage éclairé et généreux qui, pour faire triompher un principe, ne recule devant aucun sacrifice. L'intelligence de nos destinées nous interdira les molles complaisances, les lâches abandons, les résignations faciles.

Soyons patriotes, mes Frères ; soyons-le en désirs et en paroles sans doute, mais aussi et surtout en action. C'est l'action commune, le groupement des forces, le ralliement des pensées et des volontés autour d'un même drapeau qui gagne les batailles. Et quand faut-il que cette action s'exerce ? quand est-il nécessaire de serrer les rangs ? Ah ! chaque fois que la liberté souffre, que le droit est opprimé, que ce qui est inviolable a subi une atteinte sacrilège; chaque fois que la nation voit monter à l'horizon quelque nuage menaçant, ou que son coeur saigne de quelque blessure faite à ses sentiments les plus chers.

N'oublions pas non plus que tous les groupes, où circule une même sève nationale, sont solidaires. Il est juste, il est opportun que cette solidarité s'affirme; que tous ceux à qui la Providence a départi le même sang, la même langue, les mêmes croyances, le même souci des choses spirituelles et immortelles, resserrent entre eux ces liens sacrés, et poussent l'esprit d'union, de confraternité sociale, aussi loin que le permettent leurs devoirs de loyauté politique. Les sympathies de race sont comme les notions de justice et d'honneur: elles ne connaissent pas de frontières.

Enfin, mes Frères, pour conserver et consolider cette unité morale dont l'absence stériliserait tous nos efforts, rien n'est plus essentiel qu'une soumission filiale aux enseignements de l'Eglise et une docilité parfaite envers les chefs autorisés qui représentent parmi nous son pouvoir. Cette docilité et cette soumission sont assurément nécessaires à toutes les nations chrétiennes; elles le sont bien davantage à un peuple qui, comme le nôtre, nourri tout d'abord et, pour ainsi dire, bercé sur les genoux de l'Eglise, n'a vécu que sous son égide, n'a grandi que par ses soins pieux, et poursuit une mission inséparable des progrès de la religion sur ce continent. Plus une société témoigne de respect, plus elle accorde d'estime, de confiance et de déférence au pouvoir religieux, plus aussi elle acquiert de titres à cette protection, parfois secrète, mais toujours efficace, dont Dieu couvre, comme d'un bouclier, les peuples fidèles. Quelle garantie pour notre avenir! et combien le spectacle de ce jour est propre à affermir notre foi et à soutenir nos meilleures espérances! L'Eglise et l'Etat, le clergé et les citoyens, toutes les sociétés, toutes les classes, tous les ordres, toutes les professions, se sont donné la main pour venir au pied de l'autel, en face de Celui qui fait et défait les empires, renouveler l'alliance étroite conclue non loin d'ici, à la naissance même de cette ville, entre la patrie et Dieu. Et pour que rien ne manquât à la solennité de cet acte public, la Providence a voulu qu'un représentant direct de Sa Sainteté Léon XIII, que d'illustres visiteurs, des fils distingués de notre ancienne mère-patrie, rehaussent par leur présence l'éclat et la beauté de cette cérémonie.

Eh! bien, mes Frères, ce pacte social dont vous êtes les témoins émus, cet engagement national auquel chacun, ce semble, est heureux de souscrire par la pensée et par le coeur, qu'il soit et qu'il demeure à jamais sacré! Qu'il s'attache comme un signe divin au front de notre race! C'est la grande charte qui doit désormais nous régir. Cette charte, où sont inscrits tous les droits, où sont reconnues toutes les saintes libertés, qu'elle soit promulguée partout, sur les portes de nos cités, sur les murs de nos temples, dans l'enceinte de nos parlements et de nos édifices publics! Qu'elle dirige nos législateurs, qu'elle éclaire nos magistrats, quelle inspire tous nos écrivains ! Qu'elle soit la loi de la famille, la loi de l'école, la loi de l'atelier, la loi de l'hôpital ! Qu'elle gouverne, en un mot, la société canadienne tout entière.

De cette sorte, notre nationalité, jeune encore, mais riche des dons du ciel, entrera d'un pas assuré dans la plénitude de sa force et de sa gloire. Pendant qu'autour de nous d'autres peuples imprimeront dans la matière le sceau de leur génie, notre esprit tracera plus haut, dans les lettres et les sciences chrétiennes, son sillon lumineux. Pendant que d'autres races, catholiques elles aussi, s'emploieront à développer la charpente extérieure de l'Eglise, la nôtre par un travail plus intime et par des soins plus délicats préparera ce qui en est la vie, ce qui en est le coeur, ce qui en est l'âme. Pendant que nos rivaux revendiqueront, sans doute dans des luttes courtoises, l'hégémonie de l'industrie et de la finance, nous, fidèles à notre vocation première, nous ambitionnerons avant tout l'honneur de la doctrine et les palmes de l'apostolat.

Nous maintiendrons sur les hauteurs le drapeau des antiques croyances, de la vérité, de la justice, de cette philosophie qui ne vieillit pas parce qu'elle est éternelle ; nous l'élèverons fier et ferme, au-dessus de tous les vents et de tous les orages ; nous l'offrirons aux regards de toute l'Amérique comme l'emblème glorieux, le symbole, l'idéal vivant de la perfection sociale et de la véritable grandeur des nations.

Alors, mieux encore qu'aujourd'hui, se réalisera cette parole prophétique qu'un écho mystérieux apporte à mes oreilles et qui, malgré la distance des siècles où elle fut prononcée, résume admirablement la signification de cette fête : *Eritis mihi in populum, et ego ero vobis in Deum.* Vous serez mon peuple, et moi je serai votre Dieu.

Ainsi soit-il, avec la bénédiction de Mgr l'Archevêque !

De la production de la conscience

Les pensées de la classe dominante sont aussi, à toutes les époques, les pensées dominantes, autrement dit la classe qui est la puissance *matérielle* dominante de la société est aussi la puissance dominante *spirituelle*. La classe qui dispose des moyens de la production matérielle dispose, du même coup, des moyens de la production intellectuelle, si bien, que l'un dans l'autre, les pensées de ceux à qui sont refusés les moyens de production intellectuelle sont soumises du même coup à cette classe dominante. Les pensées dominantes ne sont pas autre chose que l'expression idéale des rapports matériels dominants, elles sont ces rapports matériels dominants saisis sous forme d'idées, donc l'expression des rapports qui font d'une classe la classe dominante ; autrement dit, ce sont les idées de sa domination. Les individus qui constituent la classe dominante possèdent, entre autres choses, également une conscience, et en conséquence ils pensent ; pour autant qu'ils dominent en tant que classe et déterminent une époque historique dans toute son ampleur, il va de soi que ces individus dominent dans tous les sens et qu'ils ont une position dominante, entre autres, comme êtres pensants aussi, comme producteurs d'idées, qu'ils règlent la production et la distribution des pensées de leur époque ; leurs idées sont donc les idées dominantes de leur époque. Prenons comme exemple un temps et un pays où la puissance royale, l'aristocratie et la bourgeoisie se disputent le pouvoir et où celui-ci est donc partagé ; il apparaît que la pensée dominante y est la doctrine de la division des pouvoirs qui est alors énoncée comme une « loi éternelle ».

Nous retrouvons ici la division du travail que nous avons rencontrée précédemment comme l'une des puissances capitales de l'histoire. Elle se manifeste aussi dans la classe dominante sous forme de division entre le travail intellectuel et le travail matériel, si bien que nous aurons deux catégories d'individus à l'intérieur de cette même classe. Les uns seront les penseurs de cette classe (les idéologues actifs, qui réfléchissent et tirent leur substance principale de l'élaboration de l'illusion que cette classe se fait sur elle-même), tandis que les autres auront une attitude plus passive et plus réceptive en face de ces pensées et de ces illusions, parce qu'ils sont, dans la réalité, les membres actifs de cette classe et qu'ils ont moins de temps pour se faire des illusions et des idées sur leurs propres personnes. A l'intérieur de cette classe, cette scission peut même aboutir à une certaine opposition et à une certaine hostilité des deux parties en présence. Mais dès que survient un conflit pratique où la classe tout entière est menacée, cette opposition tombe d'elle-même, tandis que l'on voit s'envoler l'illusion que les idées dominantes ne seraient pas les idées de la classe dominante et qu'elles auraient un pouvoir distinct du pouvoir de cette classe. L'existence d'idées révolutionnaires à une époque déterminée suppose déjà l'existence d'une classe révolutionnaire et nous avons dit précédemment tout ce qu'il fallait sur les conditions préalables que cela suppose.

Admettons que, dans la manière de concevoir la marche de l'histoire, on détache les idées de la classe dominante de cette classe dominante elle-même et qu'on en fasse une entité. Mettons qu'on s'en tienne au fait que telles ou telles idées ont dominé à telle époque, sans s'inquiéter des conditions de la production ni des producteurs de ces idées, en faisant donc abstraction des individus et des circonstances mondiales qui sont à la base de ces idées. On pourra alors dire, par exemple, qu'au temps où l'aristocratie régnait, c'était le règne des concepts d'honneur, de fidélité, etc., et qu'au temps où régnait la bourgeoisie, c'était le règne des concepts de liberté, d'égalité, etc. C'est ce que s'imagine la classe dominante elle-même dans son ensemble. Cette conception de l'histoire commune à tous les historiens, tout spécialement depuis le XVIIIe siècle, se heurtera nécessairement à ce phénomène que les pensées régnantes seront de plus en plus abstraites, c'est-à-dire qu'elles affectent de plus en plus la forme de l'universalité. En effet, chaque nouvelle classe qui prend la place de celle qui dominait avant elle est obligée, ne fût-ce que pour parvenir à ses fins, de représenter son intérêt comme l'intérêt commun de tous les membres de la société ou, pour exprimer les choses sur le plan des idées : cette classe est obligée de donner à ses pensées la forme de l'universalité, de les représenter comme étant les seules raisonnables, les seules universellement valables. Du simple fait qu'elle affronte une classe, la *classe* révolutionnaire se présente d'emblée non pas comme classe, mais comme représentant la société tout entière, elle apparaît comme la masse entière de la société en face de la seule classe dominante. Cela lui est possible parce qu'au début son intérêt est vraiment encore intimement lié à l'intérêt commun de toutes les autres classes non-dominantes et parce que, sous la pression de l'état de choses antérieur, cet intérêt n'a pas encore pu se développer comme intérêt particulier d'une classe particulière. De ce fait, la victoire de cette classe est utile aussi à beaucoup d'individus des autres classes qui, elles, ne parviennent pas à la domination ; mais elle l'est uniquement dans la mesure où elle met ces individus en état d'accéder à la classe dominante. Quand la bourgeoisie française renversa la domination de l'aristocratie, elle permit par là à beaucoup de prolétaires de s'élever au-dessus du prolétariat, mais uniquement en ce sens qu'ils devinrent eux-mêmes des bourgeois. Chaque nouvelle classe n'établit donc sa domination que sur une base plus large que la classe qui dominait précédemment, mais, en revanche, l'opposition entre la classe qui domine désormais et celles qui ne dominent pas ne fait ensuite que s'aggraver en profondeur et en acuité. Il en découle ceci : le combat qu'il s'agit de mener contre la nouvelle classe dirigeante a pour but à son tour de nier les conditions sociales antérieures d'une façon plus décisive et plus radicale que n'avaient pu le faire encore toutes les classes précédentes qui avaient brigué la domination.

Toute l'illusion qui consiste à croire que la domination d'une classe déterminée est uniquement la domination de certaines idées, cesse naturellement d'elles-même, dès que la domination de quelque classe que ce soit cesse d'être la forme du régime social, c'est-à-dire qu'il n'est plus nécessaire de représenter un intérêt particulier comme étant l'intérêt général ou de représenter « l'universel » comme dominant.

Une fois les idées dominantes séparées des individus qui exercent la domination, et surtout des rapports qui découlent d'un stade donné du mode de production, on obtient ce résultat que ce sont constamment les idées qui dominent dans l'histoire et il est alors très facile d'abstraire, de ces différentes idées « *l*'idée », c'est-à-dire l'idée par excellence, etc., pour en faire l'élément qui domine dans l'histoire et de concevoir par ce moyen toutes ces idées et concepts isolés comme des « autodéterminations » *du* concept qui se développe tout au long de l'histoire. Il est également naturel ensuite de faire dériver tous les rapports humains du concept de l'homme, de l'homme représenté, de l'essence de l'homme, de *l*'homme en un mot. C'est ce qu'a fait la philosophie spéculative. Hegel avoue lui-même, à la fin de la *Philosophie de l'histoire* qu'il « examine la seule progression du *concept* » et qu'il a exposé dans l'histoire la « véritable *théodicée* » (p. 446). Et maintenant on peut revenir aux producteurs du « concept », aux théoriciens, idéologues et philosophes, pour aboutir au résultat que les philosophes, les penseurs en tant que tels, ont de tout temps dominé dans l'histoire, — c'est-à-dire à un résultat que Hegel avait déjà exprimé, comme nous venons de le voir. En fait, le tour de force qui consiste à démontrer que l'esprit est souverain dans l'histoire (ce que Stirner appelle la hiérarchie) se réduit aux trois efforts suivants :

1° Il s'agit de séparer les idées de ceux qui, pour des raisons empiriques, dominent en tant qu'individus matériels et dans des conditions empiriques, de ces hommes eux-mêmes et de reconnaître en conséquence que ce sont des idées ou des illusions qui dominent l'histoire.

2° Il faut apporter un ordre dans cette domination des idées, établir un lien mystique entre les idées dominantes successives, et l'on y parvient en les concevant comme des « autodéterminations du concept ». (Le fait que ces pensées sont réellement liées entre elles par leur base empirique rend la chose possible ; en outre, comprises en tant que pensées *pures et simples*, elles deviennent des distinctions que produit la pensée elle-même par scissiparité.)

3° Pour dépouiller de son aspect mystique ce « concept qui se détermine lui-même », on le transforme en une personne — « la conscience de soi » — ou, pour paraître tout à fait matérialiste, on en fait une série de personnes qui représentent « le concept » dans l'histoire, à savoir les « penseurs », les « philosophes », les idéologues qui sont considérés à leur tour comme les fabricants de l'histoire, comme le « comité des gardiens », comme les dominateurs. Du même coup, on a éliminé tous les éléments matérialistes de l'histoire et l'on peut tranquillement lâcher la bride à son destrier spéculatif.

Dans la vie courante, n'importe quel *shopkeeper* sait fort bien faire la distinction entre ce que chacun prétend être et ce qu'il est réellement ; mais notre histoire n'en est pas encore arrivée à cette connaissance vulgaire. Pour chaque époque, elle croit sur parole ce que l'époque en question dit d'elle-même et les illusions qu'elle se fait sur soi.

Cette méthode historique, qui régnait surtout en Allemagne, et pour cause, il faut l'expliquer en partant du contexte : l'illusion des idéologues en général, par exemple, elle est liée aux illusions des juristes, des politiciens (et même des hommes d'Etat en activité parmi eux), il faut donc partir des rêveries dogmatiques et des idées biscornues de ces gars-là, illusion qui s'explique tout simplement par leur position pratique dans la vie, leur métier et la division du travail.

Karl Marx et Friedrich Engels, *L'Idéologie allemande*, Paris, Editions sociales, Paris, III°, 1968, p. 74-81.

Portrait mythique du colonisé

NAISSANCE DU MYTHE

Tout comme la bourgeoisie propose une image du prolétaire, l'existence du colonisateur appelle et impose une image du colonisé. Alibis sans lesquels la conduite du colonisateur, et celle du bourgeois, leurs existences mêmes, sembleraient scandaleuses. Mais nous éventons la mystification, précisément parce qu'elle les arrange trop bien.

Soit, dans ce portrait-accusation, le trait de paresse. Il semble recueillir l'unanimité des colonisateurs, du Libéria au Laos, en passant par le Maghreb. Il est aisé de voir à quel point cette caractérisation est *commode*. Elle occupe bonne place dans la dialectique ennoblissement du colonisateur — abaissement du colonisé. En outre, elle est *économiquement fructueuse*.

Rien ne pourrait mieux légitimer le privilège du colonisateur que son travail ; rien ne pourrait mieux justifier le dénuement du colonisé que son oisiveté. Le portrait mythique du colonisé comprendra donc une incroyable paresse. Celui du colonisateur, le goût vertueux de l'action. Du même coup, le colonisateur suggère que l'emploi du colonisé est peu rentable, ce qui autorise ces salaires invraisemblables.

Il peut sembler que la colonisation eût gagné à disposer d'un personnel émérite. Rien n'est moins certain. L'ouvrier qualifié, qui existe parmi les similicolonisateurs, réclame une paie trois ou quatre fois supérieure à celle du colonisé ; or il ne produit pas trois ou quatre fois plus, ni en quantité ni en qualité : *il est plus économique d'utiliser trois colonisés qu'un Européen.* Toute entreprise demande des spécialistes, certes, mais un minimum, que le colonisateur importe, ou recrute parmi les siens. Sans compter les égards, la protection légale, justement exigés par le travailleur européen. Au colonisé, on ne demande que ses bras, et il n'est que cela : en outre, ces bras sont si mal cotés, qu'on peut en louer trois ou quatre paires pour le prix d'une seule.

A l'écouter, d'ailleurs, on découvre que le colonisateur n'est pas tellement fâché de cette paresse, supposée ou réelle. Il en parle avec une complaisance amusée, il en plaisante ; il reprend toutes les expressions habituelles et les perfectionne, il en invente d'autres. Rien ne suffit à caractériser l'extraordinaire déficience du colonisé. Il en devient lyrique, d'un lyrisme négatif : le colonisé n'a pas un poil dans la main, mais une canne, un arbre, et quel arbre ! un eucalyptus, un thuya, un chêne centenaire d'Amérique ! un arbre ? non, une forêt ! etc.

Mais, insistera-t-on, le colonisé est-il vraiment paresseux ? La question, à vrai dire, est mal posée. Outre qu'il faudrait définir un idéal de référence, une norme, variable d'un peuple à l'autre, peut-on accuser de paresse un peuple tout entier ? On peut en soupçonner des individus, même nombreux dans un même groupe ; se demander si leur rendement n'est pas médiocre ; si la sous-alimentation, les bas salaires, l'avenir bouché, une signification dérisoire de son rôle social, ne désintéresse pas le colonisé de sa tâche. Ce qui est suspect, c'est que l'accusation ne vise pas seulement le manoeuvre agricole ou l'habitant des bidonvilles, mais aussi le professeur, l'ingénieur ou le médecin qui fournissent les mêmes heures de travail que leurs collègues colonisateurs, enfin *tous* les individus du groupement colonisé. Ce qui est suspect, c'est l'*unanimité* de l'accusation et la *globalité* de son objet ; de sorte qu'aucun colonisé n'en est sauvé, et n'en pourrait jamais être sauvé. C'est-à-dire : *l'indépendance de l'accusation de toutes conditions sociologiques et historiques.*

En fait, il ne s'agit nullement d'une notation objective, donc différenciée, donc soumise à de probables transformations, mais d'une *institution* : par son accusation, le colonisateur institue le colonisé en être paresseux. Il décide que la paresse est *constitutive* de l'essence du colonisé. Cela posé, il devient évident que le colonisé, quelque fonction qu'il assume, quelque zèle qu'il y déploie, ne serait jamais autre que paresseux. Nous en revenons toujours au racisme, qui est bien une substantification, au profit de l'accusateur, d'un trait réel ou imaginaire de l'accusé.

Il est possible de reprendre la même analyse à propos de chacun des traits prêtés au colonisé.

Lorsque le colonisateur affirme, dans son langage, que le colonisé est un débile, il suggère par là que cette déficience appelle la protection. D'où, sans rire — je l'ai entendu souvent — la notion de protectorat. Il est dans l'intérêt même du colonisé qu'il soit exclu des fonctions de direction ; et que ces lourdes responsabilités soient réservées au colonisateur. Lorsque le colonisateur ajoute, pour ne pas verser dans la sollicitude, que le colonisé est un arriéré pervers, aux instincts mauvais, voleur, un peu sadique, il légitime ainsi sa police et sa juste sévérité. Il faut bien se défendre contre les dangereuses sottises d'un irresponsable ; et aussi, souci méritoire, le défendre contre lui-même ! De même pour l'absence de besoins du colonisé, son inaptitude au confort, à la technique, au progrès, son étonnante familiarité avec la misère : pourquoi le colonisateur se préoccuperait-il de ce qui n'inquiète guère l'intéressé ? Ce serait, ajoute-t-il avec une sombre et audacieuse philosophie, lui rendre un mauvais service que de l'obliger aux servitudes de la civilisation. Allons ! Rappelons-nous que la sagesse est orientale, acceptons, comme lui, la misère du colonisé. De même encore, pour la fameuse ingratitude du colonisé, sur laquelle ont insisté des auteurs dits sérieux : elle rappelle à la fois tout ce que le colonisé doit au colonisateur, que tous ces bienfaits sont perdus, et qu'il est vain de prétendre amender le colonisé.

Il est remarquable que ce tableau n'ait pas d'autre nécessité. Il est difficile, par exemple, d'accorder entre eux la plupart de ces traits, de procéder à leur *synthèse objective*. On ne voit guère pourquoi le colonisé serait à la fois mineur et méchant, paresseux et arriéré. Il aurait pu être mineur et bon, comme le bon sauvage du XVIIIe siècle, ou puéril et dur à la tâche, ou paresseux et rusé. Mieux encore, les traits prêtés au colonisé s'excluent l'un l'autre, sans que cela gêne son procureur. On le dépeint en même temps frugal, sobre, sans besoins étendus et avalant des quantités dégoûtantes de viande, de graisse, d'alcool, de n'importe quoi ; comme un lâche, qui a peur de souffrir et comme une brute qui n'est arrêtée par aucune des inhibitions de la civilisation, etc. Preuve supplémentaire qu'il est inutile de chercher cette cohérence ailleurs que chez le colonisateur lui-même. A la base de toute la construction, enfin, on trouve une dynamique unique : celle des exigences économiques et affectives du colonisateur, qui lui tient lieu de logique, commande et explique chacun des traits qu'il prête au colonisé. En définitive, ils sont tous *avantageux* pour le colonisateur, même ceux qui, en première apparence, lui seraient dommageables.

LA DÉSHUMANISATION

Ce qu'est véritablement le colonisé importe peu au colonisateur. Loin de vouloir saisir le colonisé dans sa réalité, il est préoccupé de lui faire subir cette indispensable transformation. Et le mécanisme de ce repétrissage du colonisé est lui-même éclairant.

Il consiste d'abord en une série de négations. Le colonisé *n'est pas* ceci, *n'est pas* cela. Jamais il n'est considéré positivement ; ou s'il l'est, la qualité concédée relève d'un *manque* psychologique ou éthique. Ainsi pour l'hospitalité arabe, qui peut difficilement passer pour un trait négatif. Si l'on y prend garde on découvre que la louange est le fait de touristes, d'Européens de passage, et non de colonisateurs, c'est-à-dire d'Européens installés en colonie. Aussitôt en place, l'Européen ne profite plus de cette hospitalité, arrête les échanges, contribue aux barrières. Rapidement il change de palette pour peindre le colonisé, qui devient jaloux, retiré sur soi, exclusif, fanatique. Que devient la fameuse hospitalité ? Puisqu'il ne peut la nier, le colonisateur en fait alors ressortir les ombres, et les conséquences désastreuses.

Elle provient de l'irresponsabilité, de la prodigalité du colonisé, qui n'a pas le sens de la prévision, de l'économie. Du notable au fellah, les fêtes sont belles et généreuses, en effet, mais voyons la suite ! Le colonisé se ruine, emprunte et finalement paye avec l'argent des autres ! Parle-t-on, au contraire, de la modestie de la vie du colonisé ? de la non moins fameuse absence de besoins ? Ce n'est pas davantage une preuve de sagesse, mais de stupidité. Comme si, enfin, tout trait reconnu ou inventé *devait* être l'indice d'une négativité.

Ainsi s'effritent, l'une après l'autre, toutes les qualités qui font du colonisé un homme. Et l'humanité du colonisé, refusée par le colonisateur, lui devient en effet opaque. Il est vain, prétend-il, de chercher à *prévoir* les conduites du colonisé (« Ils sont imprévisibles ! » ... « Avec eux, on ne sait jamais ! »). Une étrange et inquiétante impulsivité lui semble commander le colonisé. Il faut que le colonisé soit bien étrange, en vérité, pour qu'il demeure si mystérieux après tant d'années de cohabitation ... ou il faut penser que le colonisateur a de fortes raisons de tenir à cette illisibilité.

Autre signe de cette dépersonnalisation du colonisé : ce que l'on pourrait appeler *la marque du pluriel.* Le colonisé n'est jamais caractérisé d'une manière différentielle ; il n'a droit qu'à la noyade dans le collectif anonyme. (« *Ils* sont ceci ... *Ils* sont tous les mêmes »). Si la domestique colonisée ne vient pas un matin, le colonisateur ne dira pas qu'*elle* est malade, ou qu'*elle* triche, ou qu'*elle* est tentée de ne pas respecter un contrat abusif. (Sept jours sur sept ; les domestiques colonisés bénéficiant rarement du congé hebdomadaire, accordé aux autres.) Il affirmera qu'on « ne peut pas compter sur *eux* ». Ce n'est pas une clause de style. Il refuse d'envisager les événements personnels, particuliers, de la vie de sa domestique ; cette vie dans sa spécificité ne l'intéresse pas, sa domestique n'existe pas comme *individu.*

Enfin le colonisateur dénie au colonisé le droit le plus précieux reconnu à la majorité des hommes : la liberté. Les conditions de vie, faites au colonisé par la colonisation, n'en tiennent aucun compte, ne la supposent même pas. Le colonisé ne dispose d'aucune issue pour quitter son état de malheur : ni d'une issue juridique (la naturalisation) ni d'une issue mystique (la conversion religieuse) : Le colonisé n'est pas libre de se choisir colonisé ou non colonisé.

Que peut-il lui rester, au terme de cet effort obstiné de dénaturation ? Il n'est sûrement plus un *alter ego* du colonisateur. C'est à peine encore un être humain. Il tend rapidement vers l'objet. A la limite, ambition suprême du colonisateur, il devrait *ne plus exister qu'en fonction des besoins du colonisateur, c'est-à-dire s'être transformé en colonisé pur.*

On voit l'extraordinaire efficacité de cette opération. Quel devoir sérieux a-t-on envers un animal ou une chose, à quoi ressemble de plus en plus le colonisé ? On comprend alors que le colonisateur puisse se permettre des attitudes, des jugements tellement scandaleux. Un colonisé conduisant une voiture, est un spectacle auquel le colonisateur refuse de s'habituer ; il lui dénie toute normalité, comme pour une pantomime simiesque. Un accident, même grave, qui atteint le colonisé, fait presque rire. Une mitraillade dans une foule colonisée lui fait hausser les épaules. D'ailleurs, une mère indigène pleurant la mort de son fils, une femme indigène pleurant son mari, ne lui rappellent que vaguement la douleur d'une mère ou d'une épouse. Ces cris désordonnés, ces gestes insolites, suffiraient à refroidir sa compassion, si elle venait à naître. Dernièrement, un auteur nous racontait avec drôlerie comment, à l'instar du gibier, on rabattait vers de grandes cages les indigènes révoltés. Que l'on ait imaginé puis osé construire ces cages, et peut-être plus encore, que l'on ait laissé les reporters photographier les prises, prouve bien que, dans l'esprit de ses organisateurs, le spectacle n'avait plus rien d'humain.

LA MYSTIFICATION

Ce délire destructeur du colonisé étant né des exigences du colonisateur, il n'est pas étonnant qu'il y réponde si bien, qu'il semble confirmer et justifier la conduite du colonisateur. Plus remarquable, plus nocif peut-être, est l'écho qu'il suscite chez le colonisé lui-même.

Confronté en constance avec cette image de lui-même, proposée, imposée dans les institutions comme dans tout contact humain, comment n'y réagirait-il ? Elle ne peut lui demeurer indifférente et plaquée sur lui de l'extérieur, comme une insulte qui vole avec le vent. Il finit par la reconnaître, tel un sobriquet détesté mais devenu un signal familier. L'accusation le trouble, l'inquiète d'autant plus qu'il admire et craint son puissant accusateur. N'a-t-il pas un peu raison ? murmure-t-il. Ne sommes-nous pas tout de même un peu coupables ? Paresseux, puisque nous avons tant d'oisifs ? Timorés, puisque nous nous laissons opprimer. Souhaité, répandu par le colonisateur, ce portrait mythique et dégradant finit, dans une certaine mesure, par être accepté et vécu par le colonisé. Il gagne ainsi une certaine réalité et *contribue au portrait réel du colonisé.*

Ce mécanisme n'est pas inconnu : c'est une mystification. L'idéologie d'une classe dirigeante, on le sait, se fait adopter dans une large mesure par les classes dirigées. Or toute idéologie de combat comprend, partie intégrante d'elle-même, une conception de l'adversaire. En consentant à cette idéologie, les classes dominées confirment d'une certaine manière, le rôle qu'on leur a assigné. Ce qui explique, entre autres, la relative stabilité des sociétés; l'oppression y est, bon gré mal gré, tolérée par les opprimés eux-mêmes. Dans la relation coloniale, la domination s'exerce de peuple à peuple, mais le schéma reste le même. La caractérisation et le rôle du colonisé occupent une place de choix dans l'idéologie colonisatrice; caractérisation infidèle au réel, incohérente en elle-même, mais nécessaire et cohérente à l'intérieur de cette idéologie. Et à laquelle le colonisé donne son assentiment, troublé, partiel, mais indéniable.

Voilà la seule parcelle de vérité dans ces notions à la mode : complexe de dépendance, colonisabilité, etc... Il existe, assurément — à un point de son évolution —, une certaine adhésion du colonisé à la colonisation. Mais cette adhésion est le résultat de la colonisation et non sa cause; elle naît *après* et non avant l'occupation coloniale. Pour que le colonisateur soit complètement le maître, il ne suffit pas qu'il le soit objectivement, il faut encore qu'il croie à sa légitimité; et, pour que cette légitimité soit entière, il ne suffit pas que le colonisé soit objectivement esclave, il est nécessaire qu'il s'accepte tel. En somme le colonisateur doit être reconnu par le colonisé. Le lien entre le colonisateur et le colonisé est ainsi destructeur et créateur. Il détruit et recrée les deux partenaires de la colonisation en colonisateur et colonisé : l'un est défiguré en oppresseur, en être partiel, incivique, tricheur, préoccupé uniquement de ses privilèges, de leur défense à tout prix; l'autre en opprimé, brisé dans son développement, composant avec son écrasement.

De même que le colonisateur est tenté de s'accepter comme colonisateur, le colonisé est obligé, pour vivre, de s'accepter comme colonisé.

Albert Memmi, *Portrait du colonisé, suivi du portrait du colonisateur,* J.J. Pauvert, 1966, p. 117-126.

Je suis un Nègre *

Tout enfant noir éprouve un choc terrible quand il découvre que sa couleur le fait mépriser ou redouter, et ce traumatisme affecte toute son existence. Le Professeur Edward K. Weaver a effectué un sondage parmi une centaine d'écoliers d'Atlanta, âgés de 6 à 12 ans. Voici certaines de leurs réaction :

— I learned that I was a Negro from my Dad, who, in the presence of whites, always acted inferior and agreed with whatever they would say.

— At church, I would always hear someone speak of « the Negro race », and I began to wonder, « What is the Negro race ? » The preacher would sometimes use the audience for an example and say « We Negroes » or « We must unite as a race... » I knew I was surrounded by people of dark skin. It was then I discovered that I, too, was a Negro.

— As I passed a group of white boys, one of them called out, « Oh, it's gonna rain, here comes a black cloud. » Since that day I have thought of myself as just a Negro and not just another person.

— One day a neighboring white girl and I were playing house. We quarreled over who was to be the mama. During the quarrel she said, « I don't want a nigger for a mama ». I called her a « nigger » right back and went home. Later her mother came over to our house and made the girl apologize. We played together again but I never felt the same to her.

* *La saveur et la brièveté de ces textes nous ont incité à les conserver dans la langue originale.*

Extrait de Fabre, Michel, *Les Noirs américains,* Paris. Armand Colin, 1967, coll. U2, no 5, p. 229-231.

— One day, as my brother and I were throwing rocks at each other, my grandmother returned home from work unexpectedly. « You'll get put in jail if you hurt those white kids over there », she warned sternly. « *They*'ll get put in jail if they hurt *us* », we told her back.

— When I was about six years old we went to visit the city farm. The man at the door said, « Niggers enter through the next door ». I asked my mother why we couldn't enter through the door the other people used and she said, « We are Negroes ». « Why are we Negroes ? » I asked. She said, « Because we are colored ». Since my mother is very fair skinned, I asked her if she was a Negro. She said, « Yes », and I realized I was a Negro, too.

— One day I drank some water at a white neighbor's house. I noticed that she gave me a cup to drink from, while all of her own children drank from a dipper. « Why can't I drink from that dipper ? » I asked. She said, « Oh ! You're a nigger, you have to use our nigger cup. »

— When I was six, a white boy ran over me with a bike because I didn't get out of his way. He broke my collar bone. The boy's parents refused to pay the doctor's bills. My father got angry and said, « That's what dirty whites do to the Negroes ». Up till then I had not realized how different that boy was from me.

— I was on a trip to New York. When we reached Washington, the conductor told us to change cars. An old lady said loudly, « I'm afraid of these darkies ; will one of you gentlemen sit with me ? » I knew from then on I was different.

— In a café, I ordered a hamburger. The man told me that he was sorry but he didn't serve nigras. My mother later told me that whites don't care to eat with Negroes. I could not understand this since my mother was the cook for a white family.

— At the grocery, the grocer waited on all the white folks first, even those who came in long after mother and I had. Finally he waited on us. When I asked my mother why, she said it was because they were white and we were Negro and had to be last.

— My great grandfather would tell me stories of his days as a slave. This explained to me why Negroes are called niggers and are afraid of the whites.

— A group of white people got on the bus and the driver ordered, « All niggers move to the back ! » My mother moved to the back and so dit I. With this came my first realization that I was a Negro.

— This poem describes how I felt :

Once riding in Old Baltimore
    Heart filled, head filled with glee,
I saw a Baltimore an
    Keep looking straight at me.

Now I was eight and very small
    And he was no whit bigger,
And so I smiled, but he poked out
    His tongue at me and called me nigger.
I saw the whole of Baltimore
    From May until December
Of all the things that happened there
    That's all that I remember.[1]

— I discovered that I was a Negro when I noticed that the white and colored children didn't attend the same schools and churches. Until then I thought all people were the same and that white people were just very fair Negroes.

— I can remember when I was real small how children in the downtown department stores would be drawn away from me by their mothers and told that I was a black African cannibal, and that black was evil.

— During my early years I had long talks with my grandfather. He told me of the experiences of the Negro during slavery, how Negroes were bought and sold and mistreated by the whites, and how they longed for freedom. It was then I realized the predicament of my ancestors and that I was a descendant of the noble Negro race.

Ralph Ginzburg (edit.), « When Negroes Become Niggers »,
Fact, November, 1964.

---

1. Ce poème de Countee Cullen s'intitule « Incident » (*Color*, Harper and Row, 1925).

L'idéal de vie proposé

Les manuels d'histoire veulent former la jeunesse ; dans l'un d'eux, nous pouvons lire :

> Edifier un ouvrage vraiment formateur fut le principal souci [des auteurs de ce manuel]. En théorie, tout le monde convient de la primauté de l'éducation sur l'instruction. Mais comme cette dernière offre des résultats palpables, pouvant se résoudre en notes scolaires, elle détrône indûment, trop souvent du moins, la véritable formation. C'est contre cette tentation que les auteurs ont voulu réagir (FEC, 4).

Les auteurs s'appliquent donc à proposer aux étudiants un idéal de vie. Ils s'y prennent de deux façons, d'abord par les recommandations directes (« faites ceci, ne faites pas cela ; ceci est bien, cela est mal »), puis par le blâme ou la louange que sert au moins indirectement la matière historique. Les auteurs anglais s'en tiennent à cette deuxième méthode et, à mesure que le niveau des études s'élève, ils sermonnent de moins en moins. Les auteurs français ont recours aux deux méthodes et plus les élèves grandissent, plus on multiplie les exhortations.

Pour mieux observer le comportement des auteurs en ce domaine, nous avons d'abord établi une liste des qualités sur lesquelles les manuels insistaient davantage. Certaines de ces qualités appartiennent en propre à l'individu, d'autres à la vie sociale : c'est cette division qui a déterminé notre plan.

Marcel Trudel et Geneviève Jain, in *Ecole et société au Québec*, Montréal, HMH, 1970, p. 115-121.

1. *Les qualités de l'individu*

Tous les manuels accordent une place de premier plan au courage, qu'il soit physique ou moral. Les auteurs anglais ont tendance à donner la vedette à l'audace, à la hardiesse et à la force d'âme ; leur slogan préféré serait le « daring leadership ». Les auteurs français s'attachent plus volontiers à la bravoure physique, à la vaillance, à l'énergie, à la force morale ; quand Plante écrit « Un homme vaut par sa morale » (208), il donne le ton. Les uns et les autres rappellent que le courage n'est pas une vertu qui s'acquiert d'un coup, mais qu'elle est le fruit de la ténacité (voir, par exemple, Careless, Hamilton, Blakeley, Ballantyne, Rogers, Brown, Plante, FEC, Laviolette, Charles, tous auteurs pour qui le courage et la ténacité sont des thèmes majeurs).

A cette idéalisation du courage correspond l'idéalisation de la vie de travail, de la vie rude, d'une vie faite d'efforts constants. Etre économe et industrieux, écrit Blakeley ici et là dans son *Nova Scotia*, est une garantie de succès pour l'avenir ; c'est ce que recommandent aussi Plante, Filteau et Laviolette. Pour Ballantyne, il y a une distinction essentielle entre la richesse acquise par accident et la richesse, la seule vraie, qui trouve sa source dans le travail ; dans *Canada in the World Today*, on s'élève contre l'immoralité de la vie luxueuse de l'aristocratie française aux XVIIe et XVIIIe siècles, qui, paraît-il, contraste avec la solidité et le sens du devoir que l'on trouve à la même époque dans la classe moyenne en Angleterre.

Sur ce point, ce sont les auteurs français qui donnent le plus dans le détail, et le plus fréquemment. La vie rude et difficile, écrivent-ils à l'adresse des étudiants, est un idéal qu'il faut tendre à pratiquer, que l'on prenne pour modèle celle des anciens Romains (Filteau, *Hér.*), ou celle des Acadiens d'avant la Conquête (Charles). Cette vie a pour symbole les mains « rudes, gercées et grillées » des mères canadiennes (Filteau, *Civ.*, 57) ; son but est un bonheur simple, d'autant plus facile à atteindre que l'on se contente de peu (FEC, 48, 101). Pour que la leçon soit bien comprise, ces auteurs s'en prennent longuement au luxe, à la vie confortable des aristocrates et des riches, en visant surtout la noblesse française (Filteau, *Civ.*, 123 ; Plante, 64,151, 201, 253 ; Charles, 83). Le faste et le luxe corrompent la moralité et l'intégrité des hommes simples, et aussi des grands, tel Laurier : « Cette âme noble se laisse griser par les splendides déploiements de ce pageant. Le premier ministre proclame son loyalisme et engage son pays dans le rouage de la défense commune de l'Empire » (Plante, 342,398).

Une autre qualité nécessaire à l'individu, et qui vient donner un but au courage et à la ténacité, consiste, pour les auteurs anglais, à tendre son rêve vers l'avenir (McInnis, Ballantyne, Rogers et Brown), sans quoi le courage et la ténacité portent à vide. Comme l'écrit Ballantyne :

> All people at sometime dream of an ideal they want to grasp. Some of them, like the Upper Canadians, place their dream in the unknown future and try to struggle toward it. Others, like the Lower Canadians, place it in the familiar past and try to get back to what they fondly imagine to have been « the good old days » [...] Their dream was in the past, not in the future (Ballantyne, 60 et suiv.; voir aussi 153).

Dans les manuels français on parle plutôt d'une mission à remplir, ce qui est assez différent : tendre son rêve vers l'avenir est le fait de l'individu qui exerce son libre arbitre, qui entreprend, la mission vient de l'extérieur, de l'autorité, s'imposer à un individu. Les auteurs parlent d'ailleurs de cette mission en termes religieux : c'est la *gesta Dei per Francos* (Filteau *Civ.*, 469 ; voir aussi FEC, 6 et suiv.).

Autre vertu, l'individualisme, mais celle-ci n'est prônée d'une façon systématique que par les auteurs anglais. Sur ce thème, ils exaltent le sens de l'initiative et la confiance en soi, qui manquent tant aux Français (Careless, 59, 71, 102 ; Rogers, 10), le « rugged individualism » et le « leadership » (Hamilton) : tout est permis au chef, pourvu qu'il accomplisse son rêve (Hamilton, 38, 45, 76, 83, 159).

Certes, des manuels français, comme *La Nouvelle-France,* de Charles, *Mon pays,* des FEC, et même *Mon Pays,* de Plante, font l'éloge de l'émulation, mais celle-ci n'est pas vraiment l'individualisme. Contre ce dernier, tous les auteurs se liguent, à la suite, dirait-on, de Filteau. Celui-ci trouve moyen de ne parler ni de Socrate ni de Galilée, dans son *Héritage du vieux monde* (73, 377) ; dans *Civilisation,* il déclare à maintes reprises que le groupe est supérieur à l'individu (27, 78, 375, 484), que la liberté de pensée et l'individualisme des Américains sont déplorables (372, 411, 412) et va jusqu'à condamner l'individualisme économique (101, 375).

L'esprit d'aventure est une autre qualité à laquelle les auteurs anglais (par exemple, McInnis, Hamilton et Ballantyne) attachent beaucoup d'importance, alors que les auteurs français la dénoncent avec la dernière énergie. C'est le cas, en particulier, du coureur de bois : les auteurs anglais se contentent de l'étudier d'un simple point de vue historique, tandis que les auteurs français le rejettent sans aucun ménagement, sans aucune nuance :

> Ensorcelés par l'aventure, [les coureurs de bois] lâcheront la proie pour l'ombre, sacrifiant à un gain facile mais éphémère une fructueuse carrière de laboureurs (Plante, 82).
>
> Maître de ses activités, il se croit le plus heureux des hommes [...] Le coureur de bois retire une somme rondelette de la vente de ses produits. Il l'emploie à se vêtir comme les nobles du pays. Lorsqu'il fréquente la société, il affiche des bas de soie, une culotte de velours, une chemise brodée et un chapeau à plume. Il porte l'épée et affecte de passer pour un gentilhomme. Il méprise les gens des villes, ces séden-

> taires qui n'ont pas comme lui parcouru les Pays d'en Haut ! [...] Ses économies dissipées, le coureur de bois n'a qu'un désir : repartir vers la grande aventure (FEC, 108 et suiv.).
> Les coureurs de bois vagabonds professionnels en rupture avec la vie civilisée [...] L'essor des familles et même de la nation a été retardé et entravé par ces vies sans foyers et désastreuses pour elles-mêmes surtout au point de vue de la morale (Filteau, *Civ.*, 97).

Si l'on voulait énumérer les vertus qui leur tiennent à coeur, il suffirait presque de prendre la contrepartie de ce que les auteurs français reprochent aux coureurs de bois. En tout cas, la première, la plus estimée, est à n'en point douter le désintéressement ; par exemple, si nos pères ont tiré quelque gain de la traite de fourrures, c'est un peu comme une concession qu'ils ont bien voulu faire à la nécessité du *primum vivere* : « Sans doute, s'occupaient-ils du trafic des fourrures, puisqu'ils fallait bien amasser quelque argent pour subvenir aux besoins de la maisonnée » (Laviolette, 321 ; ailleurs, on s'exprime sur le même ton : Plante, 18, 39, 281 ; Filteau, *Civ.*, 14, 27, 376, 471).

Cette vertu de désintéressement fait considérer l'ambition personnelle comme regrettable (Charles, 183), et la cupidité, croit-on, mène à la trahison (Filteau, *Civ.*, 196). Cet état d'esprit n'apparaît dans aucun manuel anglais.

On trouve aussi, parmi les vertus particulièrement en vedette chez les auteurs français, l'esprit de sacrifice : alors qu'un seul manuel anglais en fait état (Ballantyne), tous les manuels français en parlent comme d'un élément essentiel à la formation morale. Cet esprit s'étend jusqu'à la mortification personnelle, au sacrifice du bien-être physique et de l'argent ; nous sommes ici en plein contexte religieux (Plante, 139).

Enfin, ces manuels français insistent continuellement sur les bonnes moeurs ; ce thème revient sans cesse dans les manuels du niveau secondaire, comme si les auteurs cherchaient à prémunir les élèves contre les tentations de leur âge. Ils condamnent, par exemple, l'alcoolisme ; ils rédigent, en termes volontairement vagues et voilés, des avertissements contre la liberté sexuelle. L'histoire finit par prendre l'allure d'une leçon de catéchisme.

2. *Les qualités sociales*

A côté des vertus qui doivent être le fait de l'individu, il y a celles que l'on peut appeler sociales et que nous jugeons beaucoup plus importantes pour les fins de notre enquête.

La première que nous retenons est le respect de l'autorité établie, thème d'importance majeure dans tous les manuels. Les auteurs anglais, pour leur part, mettent au premier plan l'obéissance aux lois et au gouvernement, l'horreur de la révolte et de toutes les formes de violence ; dans un seul manuel, on revient là-dessus jusqu'à huit fois (Ballantyne, 57, 59, 107, 126, 149, 151, 169, 196). On n'insiste pas moins dans les autres manuels : on brode à plaisir sur les thèmes du devoir envers la patrie, de la loyauté, du changement de gouvernement par des moyens pacifiques.

Dans les manuels anglais, on semble entendre par *loyauté* les devoirs envers l'Angleterre et son souverain, tandis que, dans les manuels français, on ne la met guère en vedette qu'à l'occasion des conflits de 1775 et de 1812 ; alors que dans les manuels français, on considère la loyauté comme une chose acquise sur laquelle il n'est pas besoin de revenir, dans les manuels anglais on perçoit sans cesse le besoin de la réaffirmer à tous moments. La loyauté est là comme un devoir qui vient se surajouter au patriotisme.

Respect de l'autorité établie et loyauté vont de pair avec le respect de la loi et de l'ordre ; qu'on en juge par l'importance qu'on accorde, dans les manuels anglais, à la Gendarmerie royale (*Royal Canadian Mounted Police*), alors que celle-ci passe inaperçue dans les manuels français. Brown écrira, par exemple, en commentant la devise de cet organisme, « Maintiens le Droit » :

> These three French words, when translated into English, mean « Maintain the right ». But ever since the force was first formed in 1873, it has had such a fine record for keeping law and order that the motto we usually hear is « the Mountie always gets his man » (Brown, 327).

Rogers écrit de son côté : « It means « Maintain the right », but perhaps it can be better translated as « Wherever I am, there is law and order » (Rogers, 180).

Ce n'est pas que les auteurs français négligent le respect dû à l'autorité, bien au contraire, mais ils attribuent à l'autorité beaucoup plus que le simple maintien de l'ordre. L'autorité est, chez eux, le fondement le plus solide de la société, dont la stabilité doit être préservée avant toute chose. Le gouvernement n'est pas le seul à détenir cette autorité essentielle à la société, mais la détiennent aussi à un degré souverain les chefs religieux, la famille et même l'élite (voir, par exemple, Plante, 182, 277, 336 ; Filteau, *Civ.*, 27, 78, 80, 375, 484 ; FEC, 98, 116, 256, 267, 273, 278 ; Charles, 35, 110, 113, 132).

A cette qualité sociale, on en ajoute une autre dans les manuels anglais : l'empressement à coopérer dans la poursuite de buts supérieurs, comme le bien de la nation, la préservation des valeurs humaines. Cet esprit de coopération ne recule pas devant le compromis (Saywell, 93 ; Rogers, 193-355) ; il faut cultiver la modération (McInnis, 327 ; Careless, 314-319 ; Ballantyne, vol. II, 107, 128, 151, 156, 186, 195), l'équité (Ballantyne, vol. II, 101, 170) et la tolérance (Rogers, 27, 36, 320). Ces deux dernières vertus, l'équité et la tolérance, sont présentées aux élèves de langue anglaise comme le fruit de l'héritage anglais (Rogers, 154).

Quand les auteurs français abordent ce même sujet, ils adoptent plutôt une attitude négative. Au lieu de prêcher la tolérance et l'équité, ils attaquent la tendance des Anglais à user du droit du plus fort (Plante, 314, 321), à se comporter en vainqueurs (Plante, 235, 255), à s'abandonner au fanatisme religieux ou racial (Filteau, *Civ.*, 204, 227, 316, 318, 321, 343, 352). Pour ces auteurs, le compromis est sinistre : il ne signifie plus transaction mais abdication adjecte (Plante, 87, 178, 285 ; Filteau, *Civ.*, 187, 232, 319, 325, 341) ; seul le manuel des FEC (230) fait exception.

Il s'ensuit que les manuels français mettent fort à l'honneur la combativité et l'esprit de résistance. Pour eux, ceux qui entretiennent des relations avec le vainqueur sont indignes du groupe ethnique. Nous en avons un exemple frappant dans le jugement porté sur les seigneurs dont les enfants se sont alliés aux Anglais par mariage :

> Ecartés des fonctions publiques qu'ils avaient occupées durant le régime français, dépourvus de vocation terrienne et de goût pour le travail quotidien, ils vivaient du labeur des colons ou courtisaient le vainqueur, en lui livrant [leurs] fils et [leurs] filles. Désormais, ils ne seront plus les chefs de la nation (Plante, 201).

Il faut lutter contre tous les abus d'où qu'ils viennent (Plante, 145, 252), il faut combattre pour obtenir ce qu'on veut (Plante, 137, 258). Filteau se montre encore plus insistant ; il adjure les jeunes Canadiens de rejeter leur mentalité de vaincus :

> Etienne Parent, un instant prostré lui-même, se reprenait pour lancer dans le *Canadien* ce mot d'ordre : « Un peuple ne doit jamais donner sa démission. » Malgré les apparences, la victoire était beaucoup plus proche qu'elle ne le semblait (Filteau, *Civ.*, 245 ; voir aussi 143, 318, 342, 463).

Filteau les presse de soutenir une lutte continuelle (*Civ.*, 227, 354, 359, 393, 483) et de prendre leur revanche, ne serait-ce qu'au point de vue économique (301, 389).

Si la combativité est surtout le fait des manuels français du secondaire, le culte de la famille et des ancêtres y transparaît à toutes les pages et à tous les niveaux d'enseignement. Dans les manuels anglais on ne fait que le sous-entendre ; on met plutôt l'accent sur les liens pour ainsi dire familiaux qui unissent colonie et mère patrie, et sur la fraternité qui doit régner entre les diverses nations du Commonwealth. En quoi consistent donc ces vertus familiales prônées par les auteurs français ? Elles sont faites d'abord d'un sentiment de révérence à l'égard des ancêtres et du caractère sacré de l'héritage (FEC, 98, 117, 304, 306 ; Laviolette, 4 ; Filteau, *Civ.*, 63, 64, 117, 206, 359, 471 ; Charles, 115).

Elles supposent une soumission absolue à l'autorité paternelle, un hommage quasi religieux à la mère qui joue un rôle prééminent dans la préservation, non seulement des liens familiaux dans le temps et dans l'espace, mais aussi des valeurs humaines et morales. Le culte de la famille est à la base d'un conservatisme qui s'exprime, dans les manuels français, par la répétition incessante des mots d'ordre : « Gardons, conservons, préservons ! »

Toutes ces vertus sociales et individuelles que l'on propose à l'attention de la jeunesse sont-elles appelées, selon les manuels, à s'épanouir de préférence dans un cadre idéal ? Nous pensons, en particulier, à la vie agricole, qui continue, dans bien des littératures, à être présentée comme le milieu idéal pour la pratique des vertus. Les auteurs français (car ce sont eux qui persistent d'ordinaire à y voir une sorte de paradis) brossent un tableau idéal de la vie agricole du passé, magnifient son rôle historique, regrettent le « bon vieux temps » (voir, par exemple, Plante 336 ; Filteau, *Civ.*, 372), s'en prennent aux conditions de vie qui dérivent d'une société industrielle et commerciale. Un seul, toutefois, souscrit entièrement à l'idéal agriculturiste et prône le retour à la terre : Laviolette, dans *L'épopée canadienne,* dont l'avant-dernier chapitre, consacré à la colonisation, se lit comme un tract publicitaire adressé aux jeunes gens auxquels il ne laisse point d'alternative : il ne décrit qu'un seul genre de vie, l'agriculture, description qu'il complète par une image édifiante (318).

RÉFÉRENCES

1. *Note* : Pour les cinquième et sixième années : Guy Laviolette, f.i.c., *L'épopée canadienne,* Frères Charles et Léon, é.c., *La Nouvelle-France,* Marjorie W. Hamilton, *Pirates and Pathfinders,* Phyllis Ruth Blakeley, *Nova Scotia, A Brief History.*

   Pour les septième et huitième années : F.E.C., *Mon pays,* Rogers-Adams-Brown-Simonson-Leckie-Robertson, *Canada in the World Today,* Brown-Harman-Jeanneret, *The Story of Canada,* Ballantyne-Gallagher, *Canada's Story for Young Canadians.* Pour les neuvième et dixième années : Gérard Filteau, *L'héritage du vieux monde,* Saywell-Ricker-Rose, *The Modern Era.*

   Pour les onzième, douzième et treizième années : Martel-Plante, *Mon Pays,* Gérard Filteau, *La civilisation catholique et française au Canada,* J.M.S. Careless, *Canada. A story of Challenge,* Edgar McInnis, *North American Nations.* (P.W.B. et G.R.)

L'idéal arapesh

Nous venons de suivre le garçon et la fille arapesh au long de leur enfance. Nous les avons vus franchir le cap de la puberté, puis se marier. Nous avons observé la façon dont ils ont été formés selon une certaine représentation de la personnalité normale. La nature humaine, selon eux, ne saurait être mauvaise, donc exiger d'être bridée ou freinée. L'opposition des sexes ne fait que traduire celle qui existe dans le domaine surnaturel entre les fonctions mâles et femelles, sans qu'il en résulte nécessairement une différence de nature. Au contraire, hommes et femmes doivent être foncièrement doux, sensibles, serviables, toujours prêts à se sacrifier pour ceux qui sont plus jeunes ou plus faibles. C'est là leur plus grande satisfaction. Les parents trouvent un plaisir sans égal à accomplir les tâches que nous définirions comme spécifiquement maternelles, à combler l'enfant de soins tendres et minutieux, à le suivre pas à pas dans sa marche vers la maturité. Rien d'égoïste dans leur joie. Ni dans le respect dû aux parents au cours de leur vie, ni après, par le culte des ancêtres, les parents n'imposent de contrainte excessive. L'enfant n'est pas un moyen par lequel l'individu s'assure d'une survie, il n'est pas un gage, si fragile soit-il, d'immortalité. Dans certaines sociétés, l'enfant est simplement un bien, sans doute le plus précieux de tous, plus précieux que les maisons ou les terres, que les porcs ou les chiens, mais cependant un bien du même ordre, qui entre dans le décompte des possessions, et dont on peut se vanter près d'autrui. Une telle conception n'a aucun sens pour les Arapesh, dont l'instinct de propriété, même en ce qui concerne les

---

Mead, Margaret, *Moeurs et sexualité en Océanie*, Paris, Plon, 1963, p. 119-129.

objets matériels les plus simples, est complètement dominé, au point de presque disparaître, par le sentiment qu'ils ont des besoins des autres, et de leurs obligations à leur égard.

Pour l'Arapesh, le monde est un jardin que l'on se doit de cultiver, non pour soi-même, par orgueil ou vanité, non à des fins de thésaurisation ou d'usure, mais pour que puissent pousser les ignames, grossir porcs et chiens, et surtout grandir les enfants. De cette attitude fondamentale découlent bien des traits qui leur sont propres : l'absence de conflit entre générations, l'ignorance de la jalousie et de l'envie, le prix qu'ils attachent à la coopération. Celle-ci est facile quand chacun se trouve invité à exécuter de bon coeur un projet élaboré en commun, dont aucun des participants ne tirera un bénéfice personnel. Ce qui sans doute est le plus frappant dans leur conception de l'individu, c'est qu'ils attribuent aux hommes la même attitude douce et « maternelle » que nous attribuons aux femmes.

Les Arapesh, en outre, n'ont que fort peu le sentiment qu'il soit nécessaire de lutter en ce bas monde. La vie est un labyrinthe où il faut trouver son chemin ; aucun démon ne menace, ni du dedans, ni de dehors ; ce qui importe est de trouver le chemin, d'observer les règles qui aideront à le découvrir et à s'y tenir. Les prescriptions qui s'appliquent aux rapports entre la sexualité et le principe de croissance sont nombreuses et complexes. Dès l'âge de six ans, l'enfant doit commencer à les apprendre. Dès le début de la puberté, il doit prendre sur lui de les observer. Devenu adulte, il les respectera de façon méticuleuse pour que ses ignames poussent, pour que le gibier n'échappe pas à ses pièges et ses lacets, pour que, nombreux, les enfants naissent sous son toit. Il n'est pas, en cette vie, de problème plus important, l'âme n'étant rongée par aucun mal qu'il soit nécessaire de vaincre.

Les Arapesh reportent la responsabilité de tous leurs malheurs, accidents et incendies, maladies et morts, sur ceux qui ne partagent pas leur attitude douce et tranquille à l'égard de la vie, c'est-à-dire sur les hommes des Plaines. Leurs protecteurs surnaturels, les *marsalais,* châtient sans sévérité excessive : il faut avoir manqué à l'une des règles qu'il est nécessaire d'observer pour vivre en paix avec les forces de la terre, il faut n'avoir pas tenu soigneusement séparées les fonctions naturelles de la femme et les forces surnaturelles qui assistent l'homme. Les gens des Plaines, eux, tuent, pour le profit et par haine. Ils tirent avantage de la plus petite brèche qui puisse entamer le mur d'affection dont s'entoure généralement la communauté arapesh. Le moindre ressentiment aboutit, par eux, à la maladie ou la mort, ce à quoi aucun Arapesh ne songe jamais. Que les Arapesh se défendent de toute mauvaise intention de ce genre, est évident dès qu'il s'agit de mort. Des procédés divinatoires leur permettraient de révéler la responsabilité de tel ou tel autre membre de la communauté, de désigner celui qui a confié aux hommes des Plaines la « chose sale » du défunt.

Cependant, ils reculent devant l'accusation. Sans doute accomplissent-ils les rites divinatoires, mais jamais ils ne trouvent de coupable. S'il y a eu querelle, on s'est réconcilié depuis longtemps ; il est impensable qu'elle ait été assez violente pour provoquer la mort. Non, cette mort est sûrement le fait d'un maître-chanteur mécontent, à moins qu'une communauté lointaine ait payé un sorcier pour venger anonymement un de ses morts. Lorsqu'un jeune homme meurt, en pays arapesh, on évite de désigner un responsable dans la communauté même, et d'en tirer vengeance : on paie un homme des Plaines pour tuer un autre jeune homme dans un village éloigné. Ainsi l'on pourra, selon la tradition, répondre au fantôme : « Retourne-t'en, tu es vengé. » Ceux qui vivent au loin, ceux que l'on ne connaît pas, ceux à qui l'on n'a jamais donné de feu ou de nourriture, ceux-là sont capables de tout : on peut les haïr et, en même temps qu'eux, les sorciers arrogants, méprisants, insolents, qui affichent sans pudeur leur cruauté et sont prêts à tuer, contre rémunération. Ainsi, grâce à l'homme des Plaines, grâce aussi à cette formule de vengeance magique, lointaine et impersonnelle, les Arapesh parviennent à bannir de chez eux le meurtre et la haine ; et il leur est possible d'appeler du nom de « frère » quelque cinquante des leurs, et de partager en confiance la nourriture de n'importe lequel d'entre eux. D'un seul coup, ils abolissent la hiérarchie des distinctions entre parent proche, parent éloigné, ami, relation, parent par alliance, etc... Ils font table rase des nuances qui, dans la plupart des communautés, s'attachent à tous les rapports humains. Ils ne connaissent que deux catégories extrêmes : les amis et les ennemis. Cette dichotomie radicale les amène, à se livrer, comme malgré eux, à des pratiques de sorcellerie, chaque fois que se manifeste la moindre hostilité à leur égard. Ce recours à la sorcellerie s'explique par la façon dont ils ont acquis ce comportement confiant et affectueux : n'ayant pas reçu de coups pendant leur enfance, ils n'ont pas appris à réagir à l'agressivité des autres. Aussi, dans la vie adulte, l'hostilité s'exprime-t-elle de façon incontrôlée et incohérente. Les Arapesh ne conçoivent pas qu'il puisse exister un tempérament naturellement violent, qui exige d'être calmé ; des jaloux auxquels on doive apprendre à partager ; des égoïstes et des avares dont il faille desserrer les doigts. Ils attendent de chacun un comportement doux et aimable — qui ne fait défaut qu'à l'enfant et l'ignorant. Quant à l'agressivité, elle est censée s'éveiller seulement pour la défense d'autrui.

Ce dernier point se trouve illustré de façon frappante dans les querelles qui naissent à la suite de l'enlèvement d'une femme. Comme l'on est persuadé qu'un beau-frère ne reprend jamais sa soeur, un tel incident dégénère en querelle entre deux communautés, celle à laquelle appartient la femme par son mariage et celle par laquelle elle a été enlevée. Ce n'est généralement pas le mari qui prend l'initiative d'exiger le retour de sa femme, de revendiquer ses droits ; c'est l'un de ses parents, le plus souvent du côté maternel. Il peut, lui, discuter d'une façon parfaitement désintéressée. Le frère d'une mère, ou le fils du frère d'une mère, laisse ainsi éclater son courroux : « Pourquoi me tairais-je quand la femme du fils de la soeur de mon père lui a été enlevée ? Qui l'a élevée et nourrie ? Lui. Qui a payé des anneaux pour l'avoir ? Lui, lui encore ! Lui, le fils de la soeur de mon père. Et voyez-le maintenant. Sa femme est partie, laissant la place vide et le feu mort au foyer. Je n'en supporterai pas davantage. Je rassemblerai des hommes. Nous prendrons des sagaies, des arcs et des flèches. Nous ramènerons cette femme qui a été volée, etc... » Alors, d'autant plus indigné qu'il est désintéressé, ce défenseur de l'homme insulté réunit quelques-uns des parents du mari et, avec eux, se rend chez les ravisseurs de la femme. La lutte qui s'ensuit a déjà été décrite. On la relate toujours dans les mêmes termes : « Alors La'abe, furieux de voir son cousin blessé, lança une sagaie qui atteignit Yelusha. Mais Yelegen, furieux parce que Yelusha, le fils du frère de son père, avait été blessé, lança une sagaie qui frappa Iwamini. Alors Madje, furieux parce que son demi-frère avait été blessé, etc. » Ce qui est important dans cet échange de sagaies, c'est que l'on ne se bat jamais pour soi-même, mais toujours pour défendre quelqu'un d'autre. Parfois, le courroux suscité par l'enlèvement d'une épouse prendra une forme plus arbitraire. Le champion du mari enlèvera à son tour une femme mariée appartenant à la communauté coupable et la donnera à quelqu'un d'autre. Ce vertueux brigandage est considéré par les Arapesh comme un acte déraisonnable dépassant la mesure ; et cependant, du fait qu'il a été inspiré par une saine colère se manifestant au bénéfice d'autrui, il leur apparaît difficilement répréhensible. Estimer la colère justifiable lorsqu'elle embrasse une cause non égoïste, voilà encore une réaction « maternelle ». Une mère qui cherche dispute pour des motifs personnels est blâmée ; une mère qui se bat jusqu'à la mort pour son petit est un exemple dont nous cherchons l'enseignement dans l'histoire naturelle et auquel nous-mêmes applaudissons.

Ce sont encore des individus, dont nous qualifierions le tempérament de spécifiquement féminin, auxquels il est fait appel pour jouer les rôles de commandement et de prestige. Le jeune homme doué qui devient un « haut personnage » assume cette lourde et désagréable tâche dans l'intérêt de la communauté, non dans le sien propre. C'est pour la communauté qu'il organise des fêtes, qu'il jardine, chasse, élève des porcs. S'il entreprend de longues expéditions, commerce avec d'autres tribus, c'est à seule fin que ses frères, ses neveux et ses fils puissent avoir de plus jolies danses, de plus beaux masques, des chants plus gracieux. C'est malgré lui qu'il est poussé au premier rang, doit frapper du pied comme s'il y prenait plaisir, s'exprimer comme s'il parlait sérieusement — jusqu'au moment où, ayant atteint un certain âge, il pourra cesser de feindre la violence, l'agressivité et l'arrogance.

Les relations entre parents et enfants, entre mari et femme, ne reposent pas davantage sur les différences de tempérament. Ce sont l'âge, l'expérience, la responsabilité qui donnent l'autorité aux parents vis-à-vis des enfants, à l'époux vis-à-vis de l'épouse. On est aussi disposé à accepter les remontrances d'une mère que celles d'un père, et personne ne considère que l'homme est plus sage que la femme par la seule vertu de sa masculinité. Le système matrimonial, l'évolution plus lente reconnue aux femmes, les longues périodes de vulnérabilité que sont leurs grossesses, et qui retardent le moment où leurs relations avec le surnaturel peuvent être presque identiques à celles des hommes — tout cela tend à préserver la notion d'une différence entre hommes et femmes uniquement fondée sur l'inégalité des âges, de l'expérience et de la responsabilité.

Dans les rapports sexuels, où tant d'arguments, considérations anatomiques et analogies avec le royaume animal tendent à prouver que le mâle est normalement l'initiateur, l'agresseur, les Arapesh ne reconnaissent pas davantage l'existence de tempéraments différents. Une scène dont la conclusion sera l'union sexuelle débutera peut-être par l'homme faisant les premières avances en « prenant les seins » de la femme, mais ce pourra tout aussi bien être celle-ci qui « prendra les joues de l'homme ». Les Arapesh, d'ailleurs, vont encore plus loin à l'encontre de l'idée que nous nous faisons traditionnellement des sexes. Nous pensons que le désir sexuel est spontané chez l'homme, latent seulement chez la femme : ils refusent cette spontanéité du désir aux uns comme aux autres et, s'il doit y avoir des exceptions, s'attendent à les rencontrer chez les femmes. Ils estiment que l'homme aussi bien que la femme ne peuvent avoir de réactions sexuelles que dans une situation que la société considère comme adéquate à cet effet. C'est pourquoi, s'ils jugent nécessaire de chaperonner des fiancés trop jeunes, parce que les rapports sexuels nuiraient à leur santé, ils ne pensent pas qu'il soit utile de surveiller les jeunes gens en général. Sauf dans les cas de séduction préméditée, qui ont d'autres mobiles que la simple satisfaction des sens, les réactions sexuelles sont lentes et sont l'aboutissement, non la cause, d'une affection profonde. D'autre part, étant donné que, pour les Arapesh, l'activité sexuelle est le résultat d'une stimulation extérieure plutôt que d'un désir spontané, l'homme, comme la femme, se trouve désarmé devant un acte de séduction. Devant le geste affectueux et amoureux qui réconforte et rassure en même temps qu'il stimule et excite les sens, le garçon et la fille restent sans défense. Les parents mettent en garde leurs fils encore plus que leurs filles contre le danger qu'ils courent en s'exposant à des avances amoureuses : « Ta chair tremblera, tes genoux fléchiront, tu céderas », voilà ce qu'on leur prédit. Ne pas choisir, mais être choisi, est pour eux une tentation irrésistible.

Telle est donc la conception idéale que se font les Arapesh de la nature humaine, conception à laquelle ils veulent voir se conformer chaque nouvelle génération. Pour quiconque connaît les hommes, ce tableau peut paraître un rêve, le reflet d'un âge d'innocence. Inévitablement, on est amené à demander : « Mais est-ce vrai de tous les Arapesh ? N'y a-t-il réellement chez eux aucune violence, aucun égoïsme, aucun appétit sexuel prononcé ? Leur « moi » est-il vraiment incapable d'ignorer impitoyablement autrui ? Ont-ils des glandes différentes des autres hommes ? Leur régime alimentaire est-il si pauvre que tous leurs instincts agressifs restent engourdis ? Les hommes ont-ils un physique aussi féminin que la personnalité qu'on leur prête ? Comment peut-il se faire qu'une société considère hommes et femmes comme doués d'un tempérament identique, tempérament que nous considérons, nous, comme le plus généralement et le plus spécifiquement féminin, incompatible en fait avec un naturel viril authentique. »

A certaines de ces questions, on peut répondre de façon catégorique. Il n'y a aucune raison de croire que le tempérament des Arapesh est dû à leur régime alimentaire. Les gens des Plaines qui parlent la même langue et appartiennent, au fond, à la même civilisation, ont une nourriture encore moins variée et plus pauvre en protéines. Et pourtant c'est un peuple violent et agressif, dont l'éthique contraste vivement avec celle de leurs voisins montagnards. Physiquement, l'Arapesh moyen n'est pas plus « féminin » que les hommes des peuples dont je traiterai ultérieurement. Le tempérament Arapesh ne présente pas non plus l'uniformité qui caractériserait un type local issu d'unions consanguines. Il y a des différences très nettes entre les individus, beaucoup plus marquées que, par exemple, chez les Samoans — où la nature humaine est conçue comme une matière rebelle, qu'il convient de modeler selon une forme déterminée. Parce qu'ils considèrent l'homme comme foncièrement bon, et ignorent l'existence d'instincts anti-sociaux, de facteurs psychologiques de désagrégation, les Arapesh laissent le champ libre à l'épanouissement de tout individualisme atypique.

Dans le même sens joue l'inconsciente liberté laissée à chacun de s'occuper comme il lui plaît. Certes, tout le monde, plus ou moins, cultive un jardin. Mais, le reste du temps, l'un sera toujours à la chasse, tandis que l'autre ne touchera jamais ni arc ni sagaie ; celui-ci partira en de lointaines expéditions commerciales, celui-là ne bougera jamais de son village ; un autre travaillera le bois ou peindra sur écorce et son voisin se contentera de le regarder faire. En ce domaine, la société n'exerce aucune pression. Tout ce qu'elle exige, c'est que les jeunes soient élevés, nourris, abrités, et, exceptionnellement, que certains assument la responsabilité de jouer un rôle de direction. Autrement, l'adolescent s'occupe comme bon lui semble. La fille, de même, peut apprendre à faire des sacs en filets et des jupes de fibre aux motifs savants ; elle peut, si elle le préfère, devenir experte dans l'art de tresser des ceintures et des bracelets ; mais elle peut, tout aussi bien, ne rien savoir faire de tout cela. Des hommes comme des femmes, les Arapesh n'exigent aucune capacité technique, aucun talent particulier ; ce qui leur importe, c'est que chacun ait les réactions affectives attendues de lui, un caractère qui trouve dans la coopération et l'altruisme son expression la plus parfaite. C'est la personnalité, non les aptitudes individuelles qui comptent pour eux, comme le montre parfaitement l'usage qu'ils font des ossements de leurs morts. Ils exhument, en effet, les restes des hommes qui ont eu, parmi eux, quelque réputation, et ils les utilisent à des fins magiques, pour s'assurer de bonnes chasses ou de belles récoltes d'ignames, ou encore se protéger dans les combats. Ce ne sont pas cependant les ossements d'un chasseur émérite qu'on emploie dans les magies de chasse, ni ceux d'un fougueux batailleur qui servent à protéger dans une rixe éventuelle : ce sont ceux d'un homme doux, sage et sérieux qui conviendront pour tous ces usages sans distinction. C'est bien sur le caractère, dans le sens où ils l'entendent, que les Arapesh veulent pouvoir se reposer, non sur quelque chose d'aussi capricieux, d'aussi imprévisible que des talents personnels. S'ils laissent à un don le loisir de se développer, il ne lui accordent aucun privilège. Le chasseur heureux, le peintre doué, laisseront un souvenir à la mesure de la conformité de leurs sentiments avec les dominantes morales de la société, non de leurs exploits cynégétiques ou de l'éclat de leurs couleurs. Une telle attitude amortit l'influence qu'un individu particulièrement apte pourrait exercer sur la société, mais ne diminue en rien ses possibilités d'expression originale. Etant donné qu'il n'existe pas de vraies techniques traditionnelles, il lui faut toujours innover : le champ est d'autant plus vaste, qui s'ouvre ainsi à sa personnalité.

Pas plus chez les enfants que chez les adultes l'on ne recueille l'impression d'une uniformité des tempéraments. La violence, l'agressivité, l'acquisivité se manifestent avec des variations de degré aussi marquées que dans un groupe d'enfants américains, mais la tonalité, pour ainsi dire, est différente. L'enfant arapesh le plus « actif », éduqué dans le sens d'une passivité, d'une douceur qui nous sont étrangères, est beaucoup moins agressif qu'un enfant américain normalement « actif ». Mais le contraste entre le plus « actif » et le moins « actif » reste le même, bien qu'il s'exprime en termes beaucoup plus modérés. Il serait certainement plus marqué si les Arapesh étaient plus conscients de leurs buts éducatifs, si la passivité et la placidité de leurs enfants étaient le résultat d'une pression systématique, qui contiendrait et découragerait l'enfant exceptionnellement « actif ». Il est possible par contre d'établir un contraste entre ce plan de l'activité, et celui de l'amour confiant porté à tous ceux désignés d'un terme de parenté. On sait que les Arapesh font, en revanche, un effort précis d'éducation pour développer l'affection et la confiance de l'enfant à l'égard des membres de la famille : aussi les différences individuelles sont-elles moindres en ce domaine que chez les sociétés où cet effort est absent. En fait, bien que l'amplitude des variations entre les tempéraments respectifs des enfants puisse être approximativement la même, quel que soit le peuple que l'on considère, chaque société peut modifier — et n'hésite pas à le faire — les rapports de ces variations entre elles. Elle peut d'abord complètement étouffer l'expression d'un trait de caractère ou, au contraire, l'encourager sans réserve : ainsi les enfants conservent la même position relative à l'égard de ce trait de caractère ; seules les limites supérieures et inférieures de son expression ont été modifiées. La société peut aussi infléchir dans un sens ou dans un autre les manifestations du tempérament, donner la préférence à une certaine « variété », décourager, interdire pénaliser même celles qui s'en écartent trop ou s'y opposent. Enfin, la société peut se contenter d'approuver et de récompenser à un bout de l'échelle, d'interdire et de châtier à l'autre bout, et parvenir ainsi à un degré élevé d'uniformité.

La première méthode est celle qui, chez les Arapesh, produit cette passivité, qui vient recouvrir les enfants comme un linceul. Elle est la conséquence des jeux de lèvres, de la journée épuisante dans le froid suivie de la chaude soirée devant le feu, de l'absence de groupes d'enfants nombreux, de l'éducation enfin qui enseigne une attitude d'acceptation, et décourage l'initiative. Tous les enfants subissent ces mêmes influences ; chacun y réagit différemment : l'échelle a été modifiée, mais les variations à l'intérieur du groupe restent plus ou moins constantes.

A l'égard de l'égotisme sous toutes ses formes, la réaction arapesh est du second type, que l'individu recherche la considération et la popularité ou qu'il tente de se faire une réputation par ses biens ou son autorité. Ils récompensent l'enfant serviable, celui qui est toujours prêt à courir ici ou là, selon le bon plaisir de chacun. Ils désapprouvent, condamnent même tout autre comportement, chez les enfants comme chez les adultes. Ainsi encouragent-ils un certain aspect du tempérament, un aspect limite, aux dépens des autres, et les rapports internes, au sein du groupe d'enfants, s'en trouvent modifiés.

Enfin, comme je l'ai noté plus haut, dans leur comportement à l'égard des membres de la famille, par l'importance qu'ils donnent à la nourriture et à la croissance, les Arapesh suivent la troisième voie. Ils tendent, dans ces domaines, à être beaucoup moins dissemblables les uns des autres que leur tempérament ne l'exigerait au départ : la gamme des variations se trouve resserrée, et l'on n'enregistre pas simplement un déplacement des limites inférieures et supérieures.

Telles sont les différentes voies que suit l'éducation arapesh pour façonner, modifier le tempérament des enfants. Ceux-ci, pris en tant que groupe, si on les compare à d'autres peuples primitifs, sont plus passifs, plus réceptifs, plus portés à s'enthousiasmer pour les exploits des autres, moins enclins à se lancer spontanément dans des activités artistiques ou techniques. Exceptionnel aussi est leur besoin de sécurité confiante, cette réaction affective — de l'espèce « tout ou rien » — qui exige de voir en chacun ou un parent que l'on doit aimer, ou un ennemi qu'il faut craindre et fuir. Il n'y a absolument aucune place chez les Arapesh pour certains types humains : le violent, le jaloux, l'ambitieux, l'égoïste, celui enfin pour qui les aventures, les connaissances ou l'art ont une signification en soi. La question demeure donc de savoir ce qui arrive à de tels individus dans une communauté qui est trop tolérante pour les traiter en criminels, mais trop enracinée dans sa douillette routine pour permettre à leur personnalité de s'épanouir.

Ceux qui souffrent le plus, ceux qui s'accommodent le moins facilement du système social et le comprennent le plus mal, sont, chez les hommes comme chez les femmes, les violents et les agressifs. Le contraste est évident avec notre propre société, où l'homme doux, dénué d'agressivité, est écrasé, la femme violente et agressive, condamnée et stigmatisée. Chez les Arapesh, l'un et l'autre sexes pâtissent de leur singularité puisqu'aucune distinction n'est faite entre les tempéraments masculin et féminin.

Les hommes souffrent un peu moins que les femmes. Tout d'abord, l'on ne s'aperçoit pas aussi rapidement qu'ils sont différents des autres puisque l'on tolère les accès de colère chez les garçons beaucoup plus que chez les filles. La fille qui, de rage, se roule par terre sous prétexte que son père ne veut pas l'emmener avec lui, se fait davantage remarquer ; on la réprimande un peu plus sévèrement, parce qu'elle ne se conduit pas comme les autres petites filles. Elle apprend donc plus tôt, ou bien à se maîtriser ou, au contraire, à se laisser aller sans contrainte à son humeur. On se forme une opinion sur son caractère plus tôt aussi que sur celui du garçon. A l'heure où son frère, libre, non fiancé encore, court la brousse sur la trace de quelque péramèle, les parents de son futur mari évaluent déjà en elle ses qualités d'épouse. Un garçon, d'autre part, reste près de ses parents et de ses proches, qui se sont accoutumés à ses crises de rage et de bouderie ; une fille, en revanche, passe, fort jeune, à un âge impressionnable, dans un nouveau foyer, où chacun sera plus sensible à ses imperfections affectives. La fille violente donc, a, un peu plus tôt que le garçon, le sentiment d'être différente des autres, celui d'avoir tort. C'est ce sentiment qui, selon toute probabilité, l'amènera à se renfermer, à bouder, à se déchaîner soudain en d'inexplicables accès de colère ou de jalousie. Quel que soit son âge, sa conduite ne sera jamais considérée comme normale, comme riche de quelque promesse ; aussi sa personnalité s'en trouve-t-elle altérée plus tôt, et d'une façon plus définitive.

L'israélisation

La santé, la beauté des enfants israéliens sont impressionnantes. Ils sont environ 600 000, dans le groupe d'âge de 3 ans à 14 ans : 425 000 juifs, les autres, Arabes (chrétiens ou musulmans) ou Druses. Je n'oublierai pas les fêtes enfantines de Pourim dans un kibboutz de la vallée de Ylzréel, dans les chikounim nord-africains de Beit Shean et d'Afuleh, les défilés de carnaval dans les rues embouteillées de Tel-Aviv. A Hadar Hacarmel, autour de mon hôtel, de tous côtés, se pressent de bon matin, vers un joyeux rendez-vous à travers la pinède ensoleillée dominant la baie de Haifa, des théories de pierrots, de « gommeux » en frac, de cow-boys, de seigneurs Henri III, de gitans et de gitanes, de Carmens et de demoiselles en crinolines accompagnées de mousquetaires, mais aussi d'Esthers couronnées de carton et de Moïses à la barbe neigeuse, porteurs de lourdes grappes, symboles de l'arrivée des juifs en terre de Canaan. Travestis avec goût (Hadar Hacarmel est un quartier résidentiel aisé), ils se hâtent vers l'école où, ce vendredi matin, avant le sabbat, leurs maîtres les attendent pour inaugurer la grande fête.

Ailleurs, dans les quartiers peuplés d'immigrés de fraîche date, dans les faubourgs de Tel-Aviv parcourus d'une grouillante *Adloyada*, les costumes sont plus sommaires, mais la joie des enfants n'est pas moins éclatante.

A R., les enfants sont, comme dans tous les kibboutzim, répartis par classe d'âge, dans « leurs » maisons. Depuis plusieurs semaines, les parents, après leur travail, ont mis au point des numéros. Assis face au public, deux nains barbus à buste énorme agitent leurs courtes jambes, habilement truquées, au rythme d'une dispute endiablée. Les rondes qui entraînent parents et enfants, tous déguisés, mêlent des couples où maris et femmes viennent souvent de deux continents différents et sont originaires de vingt nations. Les « grands », de 13 à 16 ans, ont préparé sans aide aucune un spectacle complet où les parents se rendent après avoir quitté la maison des petits, confiés à leurs éducatrices. Vraiment, Pourim ne m'a pas laissé croire que les joies de la famille périclitent au kibboutz. Au lieu d'être une fête limitée à une cellule, repliée sur elle-même, restreinte à quelques « petits amis » parcimonieusement et socialement sélectionnés, comme le veulent souvent les traditions de l'individualisme bourgeois, il s'agit ici d'une grande kermesse où jeunes et adultes sont mêlés dans la détente et la joie collectives. Le lendemain, je retrouverai les uns et les autres, les enfants parcourant leur jardin, leur zoo où ils ont convié les parents à admirer un chamois capturé dans les monts de Moab, un poney, des moutons, des paons, des oies. Les enfants, comparés à leurs parents, ont souvent les cheveux et le teint plus clairs. Le « creuset » aura, parmi ses multiples effets, celui d'effacer des distinctions psysiques entre achkenazes et sephardites, apparentes et irritantes, de part et d'autre, aux yeux de beaucoup, et hâtera ainsi la fusion des communautés.

Mais il rencontre des corps réfractaires. La fusion des communautés est une opération difficile pour laquelle, on le verra, toutes les conditions, aujourd'hui encore, ne sont pas réunies.

Parmi les éléments favorables à son action, l'Armée et le monopole linguistique de l'hébreu sont les plus puissants. La connaissance de l'hébreu est la condition nécessaire et, lorsqu'elle est acquise, le signe de l'intégration. Les *oulpanim*, cours « intensifs » d'hébreu, d'une durée de quatre à six mois, couvrent de leur réseau les villes, les kibboutzim et les moshavim. Des instructeurs volontaires se rendent au domicile de nouveaux immigrants, souvent analphabètes. On publie des journaux, des magazines en hébreu « de base », rendu plus facile par l'adjonction de voyelles. La radio émet des programmes spéciaux à l'usage des débutants. J'ai constaté qu'au regard de certains Israéliens aphkenazes, c'est une mauvaise note que de ne pas connaître l'hébreu ; ignorer par surcroît le yiddish est une circonstance aggravante, un signe inquiétant capable de restreindre l'hospitalité si généreusement et couramment pratiquée dans le pays.

A Eilath viennent s'asseoir à ma table d'hôtel, dans la salle à manger comble, deux Israéliens, un Polonais émigré en 1937 et son compagnon plus jeune, un sabra dont les parents sont venus d'Ukraine. Ils savent un peu l'anglais et nous pouvons ainsi communiquer. Mais ils m'entendent converser en français avec les jeunes serveuses, l'une Marocaine, l'autre Egyptienne (qui toutes deux parlent l'hébreu), et en sont visiblement agacés. « Ici, personne ne s'occupe d'où viennent les gens, me lance le Polonais. Ici, il faut oublier sa langue d'origine ! »

En Israël, de telles réactions ne sont pas exceptionnelles. Pour être un bon Israélien, il faut oublier son pays natal, tirer un trait sur lui, sur sa langue première. Quiconque demeure trop attaché à sa patrie de la Galouth, quelle qu'elle soit, risque de paraître suspect, aux yeux de certains patriotes du nouvel Etat.

Sans doute ces comportements jaloux sont-ils nécessaires. Ils constituent un des ingrédients du ciment capable d'unir des éléments aussi disparates et, tout d'abord, d'assurer entre eux une communication, de les rendre assimilables. La rupture avec les origines s'affirme par un autre signe : l'hébraïsation des patronymes qui prend l'importance d'un vaste courant. Certains rechignent et continuent de s'appeler Nussbaum et Abramovitch. Ils sont de plus en plus rares, surtout parmi les techniciens, les cadres des professions libérales. Beaucoup de juifs ont remplacé leurs noms à consonance allemande, russe, polonaise par d'autres hébraïques. Ben Gourion avait depuis longtemps donné l'exemple. Les prénoms assortis sont empruntés aux personnages illustres et même obscurs de l'Ancien Testament. En feuilletant un annuaire des téléphones, on voit défiler la postérité complète d'Abraham, énumérée dans la Genèse, et les héros de l'histoire du peuple juif, de Yehuda jusqu'à Bar Kochba. L'hébraïsation accélérée, manifestée, par tous ces signes, a parfois pour revers (ou pour inévitable compagne) une sorte de chauvinisme qui contredit l'universalité juive, prise dans son acception religieuse ou simplement laïque, humaniste. L'hébraïsation est le levain puissant qui brasse et fabrique chaque jour la nation israélienne. L'hébraïsation est aussi le bulldozer qui, sur les ruines du cosmopolitisme et de l'internationalisme juifs, assure les fondements d'un jeune Etat, d'une culture à la fois millénaire et nouvelle.

Mais le patriotisme israélien doit être, par ailleurs, compris, expliqué jusque dans ses manifestations parfois excessives, comme une réaction de défense. Cette collectivité de deux millions d'habitants, écartelée en partis, divisée sur les problèmes des rapports entre la religion et l'Etat, sur le rôle du collectivisme, des syndicats, sur leur politique à l'égard du monde arabe, ces hommes que j'ai vus parfois s'affronter en d'âpres querelles, — se lèveraient, je crois, comme un seul, en cas de danger, pour défendre leur terre et leurs libertés. Le monde arabe est désuni, mais il finira bien par s'unir. Nasser veut écraser Israël dans un étau. A la veille de son onzième anniversaire [1], le jeune Etat semble voué à de dures épreuves. Ces filles et garçons heureux, cette belle jeunesse sauvée des camps de la mort, leur est-elle maintenant promise par une atroce ruse de l'histoire qui l'a concentrée, exposée, dans ce Refuge ?

L'israélisation est-elle partout et toujours également efficace ? Non, bien sûr. Mais elle est impérieuse, fortifiée de sentiments communs, craintes et espoirs, auxquels presque tous participent. J'ai rencontré des juifs d'origine allemande, établis en Israël depuis trente ans et qui, de prime abord, ne semblaient guère différents de certains d'entre eux que j'avais connus durant mes séjours dans l'Allemagne d'avant 1933 : même style de vêtements, mêmes attitudes, gestes, intonations vocales. Cette impression superficielle est particulièrement frappante

---

1. Ce chapitre a été écrit en avril 1964.

dans le quartier Hadar Hacarmel, à Haifa, où de tous côtés, dans les rues, les cafés, les magasins, on entend converser en allemand. S'agit-il d'une résistance au « creuset » ? La réalité est plus complexe. Dans ce district résidentiel, sur les pentes du mont Carmel, vivent beaucoup de gens, ayant largement dépassé la cinquantaine, qui ont bénéficié des dommages de guerre versés par l'Allemagne fédérale aux victimes du nazisme. Ils ont conservé leur genre de vie, des habitudes qui étaient celles de leur famille dans leur pays d'origine, parlent allemand entre eux et même pour communiquer avec leurs petits-enfants, souvent contre le gré de la génération intermédiaire, pour qui l'hébreu est devenu la langue courante et dominante.

Ces « retraités », venus jouir d'une fin de vie paisible dans ce beau site, ont, pour la plupart, durement travaillé pendant plus d'un quart de siècle, et leurs *patterns* germaniques ne signifient pas qu'ils soient moins attachés, moins intégrés de coeur et d'esprit à Israël que d'autres immigrants. W. T... en est, dans les milieux intellectuels, un exemple : qui ne ferait que l'entrevoir le prendrait pour un stéréotype du *Herr Professor* des Universités allemandes de naguère, solennel et un peu guindé. Sous ces apparences, ce bon juriste est un ardent militant et conseiller écouté d'une Fédération kibboutzique, un socialiste, bon teint, un patriote israélien dont l'ardeur n'est pas toujours tempérée d'esprit critique ; ses deux fils vivent dans un kibboutz de Galilée, où ils ont fait souche. La plupart des sabras que j'ai rencontrés parmi les étudiants, nés de parents allemands, sont assimilés, physiquement et mentalement israélisés, comme l'était Bathseba, la jeune soldate. Dans les villes et même dans certains kibboutzim subsistent des groupes, unis par des liens d'origine, où gens de Riga, de Lwow, de Vilna, de Bucarest, de Francfort se rencontrent, et entretiennent des « subcultures » déclinantes. Ces groupes mourront avec leurs membres actuels. A moins d'une catastrophe, d'un nouvel Exode conduisant à une nouvelle Diaspora, l'israélisation est irréversible.

George Friedman, *Fin du peuple juif ?*, Paris, Gallimard, Idées, no 74, 1965, p. 32-38.

Prostitution

Lorsque le Casino Bellevue a fermé ses portes, quatre mois après mes débuts comme danseuse dans cet établissement, j'ai bien réfléchi à mon avenir et à la suite des expériences acquises par le passé dans les divers milieux (employée de bureau, mannequin, danseuse), je me suis dit fort simplement :

« Bon, c'est ça. Il faut que tu prennes une décision une fois pour toutes et tu viens de constater qu'en tentant de mener une vie honnête ici dans le Canada, non seulement tu crèves, ou du moins tu réussis à peine à vivoter, mais tu ne cesses également de recevoir des propositions de toutes sortes de hauts dirigeants qui devraient suivre la loi à la lettre. Ce sont les premiers à dévier des principes qui régissent la majorité. L'argent, « la grosse argent », ce n'est pas toi qui l'as, mais les autres, ceux qu'on appelle les patrons et qui peuvent tout se payer ce qu'ils veulent parce qu'ils ont des « gros sous » et en grande quantité. »

C'est à ce moment-là, à la suite de cette réflexion, que j'ai décidé de ne plus être « honnête » dans le sens pudique du mot. C'est évidemment une façon de parler parce que si je fais exception de l'interne — maintenant célèbre psychiatre — qui m'a déflorée (en d'autres termes celui qui a pris ma « cerise ») lorsque j'étais étudiante-infirmière à l'hôpital Saint-Luc, les autres hommes d'affaires qu'on dit honnêtes ont tout tenté dans la mesure du possible et même souvent de l'impossible, c'est-à-dire par des menaces à peine voilées, pour obtenir mes faveurs ou encore m'entraîner à les offrir à certains de leurs clients.

Je ne dirai pas ici que certains ne sont pas arrivés à leurs fins, car ce serait évidemment mentir. Mais chose certaine, s'ils ont atteint leur but à l'époque, ce n'était pas parce que je voulais vendre mes charmes. Je voulais arriver dans la vie, je voulais réussir et à mes yeux, il fallait absolument passer par ce chemin sans quoi tu te trouvais réduite à passer ta vie dans le cadre des petites employées de bureau à $50 ou $60 par semaine. Excusez une expression fort grivoise, mais bien connue, on a toujours dit et répété que « c'est le c... qui mène le monde » et ma précoce expérience me démontrait la vérité de ce dicton.

Au cours de ma vie officiellement honnête, j'ai pu le constater avec des hommes fort bien vus dans la haute société. J'ai cité quelques exemples dans les chapitres précédents. Je sais fort bien que ces hommes — s'ils lisent ce livre, — se reconnaîtront, mais ils constateront également que j'ai eu la décence de cacher leur identité comme je le ferai également tout au long de cette autobiographie, car si on m'a salie, ce n'est pas mon intention d'agir de même envers certains qui le mériteraient parfois bien...

Comme je l'ai dit, à l'école, on me considérait comme très intelligente et les religieuses disaient que je pourrais aller ainsi d'une frontière à l'autre, d'un extrême à l'autre, soit dans le bien, soit dans le mal.

Lorsque j'ai commencé comme employée de bureau, je n'avais qu'un seul but : démontrer à mes patrons ma réelle valeur pour obtenir promotion sur promotion par mes qualifications. Parce que j'étais belle à l'époque, eux ne désiraient qu'une seule chose : passer quelques nuits torrides en ma compagnie. Ils ne regardaient pas mon travail, mon efficacité, ils pensaient à mon corps, à mes charmes. A leurs yeux, c'est tout ce qui comptait. J'ai constaté que jamais je ne progresserais par mon talent professionnel et que même si j'acceptais les avances reçues, ils trouveraient rapidement un moyen pour me congédier après avoir obtenu satisfaction pour ne pas avoir d'embêtements d'une façon ou d'une autre, soit au bureau, soit dans leur vie familiale. En refusant systématiquement, j'en étais réduite à demeurer toute ma vie petite employée de bureau. Je me suis dit que partout où j'irais, ce serait la même chose, les mêmes conditions, les mêmes résultats.

C'est la raison pour laquelle j'ai changé de domaine. Constatant à l'époque que j'avais du charme, je me suis dit que je pourrais certainement réussir comme mannequin, mais encore là mes commerçants supposément honnêtes et fort religieux me soulignaient avec finesse et candeur l'idée que si je ne suivais pas le courant, c'était la fin de ma carrière dans ce champ. Oh, ils ne payaient pas, ils faisaient des cadeaux. C'est une nuance importante, car la prostituée, c'est celle qui perçoit de l'argent. La fille honnête, c'est celle à qui l'on donne un gage d'amitié. Combien de filles honnêtes à Montréal rencontrent un homme pour la première fois dans un cabaret, une discothèque ou un restaurant, se font payer plusieurs consommations qui valent au total beaucoup plus que le prix d'une fille de joie, un repas gastronomique pour arriver au même résultat. Aux yeux de la police, elles sont dans la légalité tandis que nous, nous sommes traînées comme des criminelles. Y a-t-il pourtant une si grande différence ? Dites-le moi donc. A mon avis, il y en a une seule. Nous allons voir le médecin régulièrement tandis que la « courailleuse » ne se préoccupe guère des maladies vénériennes.

o o o

C'est en réfléchissant à tout ça qu'à la suite de la fermeture du Casino Bellevue, j'ai décidé de passer de l'autre côté de la barrière et de devenir ce qu'on considère dans les milieux dit « bien pensants » une fille malhonnête, même si, à ce moment-là, en prenant cette décision, je me sentais beaucoup plus franche envers moi-même que par le passé.

C'est facile de me lancer la pierre aujourd'hui, et plusieurs personnes se plaisent à le faire avec un malin plaisir. Aux yeux de la société et de la loi qui régit les gens, ils ont raison, mais avant de me massacrer comme ils le font, ils devraient absolument se renseigner pour en savoir plus sur ce monde dit interlope où l'on évolue et ils constateraient vite que nos meilleurs clients, ce ne sont pas les gangsters, les bandits, les voleurs, mais des hommes bien vus dans la société qui cherchent à l'occasion un petit-à-côté, quelque chose de différent de la routine.

Du jour au lendemain, je suis donc devenue ce qu'on appelle une prostituée, une femme qui exerce le plus vieux métier du monde, celui que les lois, quelles qu'elles soient, n'ont pu réussir à supprimer.

J'étais dans une classe à part, une illégale, dit-on, mais vous verrez que ce n'est pas toujours le cas.

Martha Adams, *Martha Adams*, Montréal, Ed. du Jour, 1972, p. 141-144.

Homogénéité et flexibilité de la norme sociale

La comparaison entre le nombre idéal d'enfants et le nombre désiré nous a permis de maintenir l'hypothèse que la norme définissant les comportements qui se rapportent à la fécondité est une norme opérante, c'est-à-dire que les personnes s'y conforment largement. Cette constatation laisse supposer que l'existence de cette norme sociale est reconnue par les membres de la société, tout au moins par les personnes que nous avons interrogées et qui représentent deux groupes sociaux. Nous chercherons maintenant à préciser jusqu'à quel point il y a uniformité d'opinion dans la définition du nombre d'enfants qu'idéalement la famille comprendrait. Une mesure de cette uniformité nous est fournie par le calcul de l'écart-type.

HOMOGÉNÉITÉ DANS LA DÉFINITION DE LA NORME SOCIALE

L'écart-type mesure la dispersion des données autour de la moyenne arithmétique ou, inversement, le degré d'homogénéité des données. Rappelons que la moyenne arithmétique du nombre idéal est de 4.45 enfants. L'écart à partir de cette moyenne est de 1.19.[1] Cette dispersion nous paraît faible ce qui indiquerait une assez grande uniformité d'opinions dans la définition du compor-

1. Le consensus par rapport aux aspirations personnelles ou au nombre désiré ne retient pas ici notre attention, parce que cette notion est périphérique dans l'analyse théorique à laquelle nous procédons. Notons, toutefois, que l'écart des aspirations personnelles est de 1.45 pour une moyenne de 4.06. Il nous semble normal que les aspirations personnelles soient plus dispersées qu'une définition objective de la norme, car les premières tiennent compte, par définition, des conditions variables de vie dans chaque famille.

tement idéal. En effet, soixante-huit pour cent des épouses (X ± 1 sigma) situent la famille idéale entre 3.26 et 5.64 enfants; quatre-vingt-quinze pour cent (X ± 2 sigma) situent le nombre idéal d'enfants dans une famille entre 2.07 et 6.83 enfants.

On peut donc affirmer qu'il existe une norme sociale qui définit ce qu'est le nombre idéal d'enfants dans une famille; les définitions numériques de cette norme, telles que données par les individus, sont relativement homogènes.

FLEXIBILITÉ DE LA NORME SOCIALE

Nous avons souligné déjà que la norme sociale de fécondité est une norme régulatrice et non une norme qui impose un comportement précis. Le concept de norme régulatrice implique, d'une part, une marge permise de variation dans le comportement et, d'autre part, des limites en deçà et au-delà desquelles le comportement est jugé comme une déviation de la norme et appelle une sanction négative. Nous tenterons de fixer les limites de la marge de déviation en nous servant d'une double mesure: la majorité des opinions émises sur la taille de la famille idéale et les définitions, par les personnes interviewées, de la petite famille et de la famille nombreuse.

La marge qui recouvre la majorité des définitions individuelles représente, dans une distribution normale, les fréquences qui nous donnent une estimation acceptable de la moyenne. Or, si on se réfère au tableau 3, on voit que la presque totalité des opinions émises, soit 96.5%, situent la famille idéale entre trois et six enfants, inclusivement. Deux enfants et sept enfants représentent les cas extrêmes de la distribution et ne peuvent être considérés comme représentatifs de la norme. Statistiquement, on peut dire que les seuils de déviation se situent à 2.06 sigma en deçà de la moyenne, et à 2.14 au-delà.

Nous essaierons maintenant de préciser les seuils de déviation de la norme par l'analyse des définitions de la petite famille et de la famille nombreuse que nous ont données les femmes interrogées. Nous postulons en effet que la famille idéale étant une famille de dimension moyenne, la petite famille et la famille nombreuse représentent des déviations de la norme. Dans le questionnaire que nous avons utilisé, les épouses devaient établir jusqu'à combien d'enfants une famille est petite et à compter de combien d'enfants une famille est nombreuse. Les résultats sont présentés aux tableaux 1 et 2.

Tableau 1. Définition de la petite famille[a]

Nombre d'enfants	Fréquence	Pourcentage
0	1	1.2
1	9	11.2
2	56	70.0
3	13	16.2
4	1	1.2
Total	80	99.8

[a] Question. — Jusqu'à combien d'enfants inclusivement peut-on dire qu'une famille est une petite famille ?

Tableau 2. Définition de la famille nombreuse[a]

Nombre d'enfants	Fréquence	Pourcentage
3	1	1.2
4	4	5.0
5	18	22.5
6	28	35.0
7	23	28.8
8	4	5.0
9	1	1.2
10	1	1.2
Total	80	99.9

[a] Question. — A compter de combien d'enfants peut-on dire qu'une famille est une famille nombreuse ?

Soixante-dix pour cent des épouses s'accordent à dire qu'une famille de deux enfants est une petite famille ; la mesure de dispersion (sigma) autour de la moyenne de 2.05 n'est que de .61.

La famille nombreuse commence, en moyenne, à 6.11 enfants, mais les opinions sont moins uniformes que dans la définition de la petite famille. Bien que six enfants soit le nombre choisi le plus fréquemment, soit par trente-cinq pour cent des épouses, sept enfants et cinq enfants sont mentionnés avec des fréquences appréciables, respectivement par vingt-neuf pour cent et vingt-deux pour cent des épouses ; la dispersion moyenne (sigma) est de 1.17.

Il y a donc un fort consensus pour fixer à deux le nombre d'enfants qui constituent une petite famille ; les opinions sont plus diversifiées quant à la définition de la famille nombreuse qui, selon les épouses, commence à cinq, six ou sept enfants.

Si on rapproche les deux mesures utilisées dans cette section pour définir les seuils de déviation, on arrive aux conclusions suivantes :

1. La limite inférieure de déviation est fixée, d'une façon qui semble assez précise, à deux enfants. Ce chiffre correspond à la fois à la définition statistique basée sur la majorité des opinions émises, et à la définition relativement homogène de la petite famille, telle que précisée par les personnes interrogées.

2. La limite supérieure de déviation n'est pas aussi précise. D'autre part, selon la majorité des opinions émises, la famille de sept enfants et plus ne correspond pas à l'image de la famille idéale, et la famille de six enfants est inclue dans la marge de variations permises, bien que marginalement. D'autre part, si on prend comme indice de déviation la limite où commence la famille nombreuse, on voit que non seulement une famille de six et sept enfants est considérée comme nombreuse, mais que même une famille de cinq enfants est définie comme telle par un nombre appréciable d'épouses. Le seuil au-delà duquel, selon la norme sociale, il y aurait trop d'enfants est donc assez imprécis.

Si nos conclusions sur l'existence d'une norme sociale perçue et reconnue par la majorité des personnes interrogées, de même que nos conclusions sur la marge de variation permise à l'intérieur des seuils de déviation, correspondent à la réalité sociale que nous tentons de cerner, les deux hypothèses suivantes devraient être confirmées :

1. Les épouses qui désirent une petite famille et celles qui désirent une famille nombreuse se percevront comme déviantes.

2. Le sentiment de déviation sera plus fort chez les épouses qui désirent une petite famille que chez les épouses qui désirent une famille nombreuse, car la limite inférieure de déviation est définie avec précision et la limite supérieure de déviation est plus vague.

L'analyse qualitative que nous ferons plus loin prouvera que les épouses qui désirent une petite famille se perçoivent, en effet, comme déviantes, mais que tel n'est pas l'optique des épouses qui désirent une famille nombreuse.

ANALYSE SELON LA TAILLE DE LA FAMILLE DÉSIRÉE

Nous analyserons maintenant le matériel qualitatif dans une autre perspective. Nous nous demanderons comment les motifs invoqués par les femmes pour justifier leurs aspirations varient selon que celles-ci désirent une petite famille, une famille moyenne ou une famille nombreuse. Nous voulons voir, en particulier, si le matériel qualitatif dont nous disposons nous permet de confirmer les hypothèses élaborées.

Nous avions conclu, en effet, que les seuils de déviation de la norme sociale définissant la dimension idéale de la famille se situent à deux enfants d'une part, et à six ou sept enfants d'autre part. Si les familles de deux enfants et moins et de six ou sept enfants et plus représentent des déviations de la norme, les femmes qui ont ces aspirations devraient chercher à justifier ces déviations (1re hypothèse). Nous avions aussi prévu que la limite inférieure de déviation étant très précise et la limite supérieure plutôt imprécise, les femmes qui désirent une petite famille se percevront plus aisément comme déviantes que les femmes qui désirent une famille nombreuse (2me hypothèse).

Nous avons fait une étude des vingt cas déviants : neuf épouses qui désirent une petite famille, soit deux enfants et moins, et onze épouses qui désirent une famille nombreuse, soit six enfants et plus.

Nous résumerons chacun des cas, en citant le matériel qualitatif. Voyons d'abord les cas où une petite famille est désirée.

Dimension désirée : petite famille

Cas # 27. Un enfant. Ouvrier, cinq ans de mariage. La santé de l'épouse a été fort ébranlée lors de la naissance du premier enfant ; elle est sous les soins constants du médecin. « On ne pourra pas en avoir plus qu'un autre. »

Cas # 36. Deux enfants. Ouvrier, onze ans de mariage. Le mari est très malade, et, selon les médecins, peut mourir d'ici quelques années. « C'est beau une belle famille, mais il vaut mieux avoir le nombre qu'on peut faire vivre. Dans mon cas, il vaut mieux ne pas en avoir d'autres : je vis dans une inquiétude continuelle. »

Cas # 44. Un enfant. Ouvrier, onze ans de mariage. « Avant notre mariage, mon mari ne voulait pas d'enfant. Il avait fait la guerre, avait vu trop de misères. Il se disait toujours : si je me marie, je n'aurai pas d'enfant. Mais finalement, une fois marié, il en a voulu un. Moi, j'en voudrais un autre. »

Cas # 73. Un enfant. Bourgeois, onze ans de mariage. « Tous les deux on voulait des enfants. Mais après le premier, j'ai failli mourir et l'enfant aussi a été très malade. Alors, mon mari n'était pas prêt pour en avoir un autre. On a attendu. J'ai encore été très malade, alors on m'a rendu stérile. »

Cas # 78. Deux enfants. Bourgeois, onze ans de mariage. Ne désirent plus d'enfant car « plus que cela, ça coûte trop cher. »

Cas # 96. Deux enfants. Bourgeois, cinq ans de mariage. « Actuellement, sur le plan psychologique, deux enfants, c'est ma limite. L'accord mutuel et l'épanouissement est plus important que d'avoir des enfants. Avec plus, je ne pourrais créer un climat heureux. »

Cas # 21. Un enfant. Ouvrier, cinq ans de mariage. « On en veut deux, peut-être trois si on peut leur donner une situation, une instruction poussée et une bonne éducation. Davantage, cela poserait des problèmes sur ce plan. »

Cas # 48. Deux enfants. Ouvrier, onze ans de mariage. « On en voulait tous les deux... Mais on n'en veut plus... mon mari trouve que cela coûte trop cher... Il est un peu égoïste. Aussi, je suis très malade enceinte. »

Cas # 40. Un enfant. Ouvrier, onze ans de mariage. L'épouse donne comme nombre idéal deux enfants, et aussi deux comme nombre désiré. Les époux ont de fortes ambitions financières ; aucun sentiment de déviation.

Résumons ces neuf cas où une petite famille est désirée. Cinq épouses s'excusent de désirer une petite famille : deux (# 73 et # 27) à cause de leur état de santé, une (# 36) parce que le mari est malade, et deux (# 48 et # 44) parce que leur mari ne veut pas avoir d'autres enfants. Trois autres épouses (# 78, # 96 et # 21), pour des motifs d'ordre pécuniaire ou psychologique, désirent limiter leur famille à deux enfants ; le contexte ne nous permet pas de déceler s'il y a, ou non, un sentiment de déviation. La dernière épouse (# 40) est nettement orientée vers la petite famille et ne sent pas le besoin d'excuser cette tendance.

L'analyse des dossiers donne au lecteur l'impression qu'au moins cinq des neuf épouses qui désirent une petite famille veulent justifier leurs aspirations.

Voyons maintenant quelle est l'attitude des onze épouses qui désirent une famille nombreuse.

Dimension désirée : famille nombreuse

Rapportons d'abord les raisons alléguées par chacune des onze épouses.

Cas # 37. Huit enfants. Ouvrier, onze ans de mariage. « On ne met pas de limites. On en aura douze si ça ne s'arrête pas avant. Mon mari et moi, on est d'accord : on aime les enfants et on en veut, même si on aimerait les avoir un peu plus espacés. »

Cas # 88. Trois enfants. Bourgeois, cinq ans de mariage. « Avoir six enfants, c'est un idéal qui peut se réaliser. Six enfants, ça donne plus de vie sociale dans la famille, il y a moins d'égoïsme. On était sept chez moi et j'ai bien aimé cela. Mon mari veut une bonne famille : le nombre que je voudrai. Mais il n'est pas aussi catégorique que moi. »

Cas # 75. Deux enfants, dont une adoption. Bourgeois, onze ans de mariage. « J'en veux six... Si on en perd un, il en reste cinq... c'est pour plus tard ; quand les plus vieux partent, il en reste à la maison. C'est plus gai. »

Cas # 61. Six enfants. Bourgeois, onze ans de mariage. « Je veux six enfants, j'en aurai probablement huit. C'est basé sur ma foi, sur ma conception de la vie. L'enfant peut se développer plus facilement dans une grande famille. Mon mari et moi, nous avons horreur de prévoir. Il faut faire confiance à la vie. »

Cas # 49. Deux enfants. Ouvrier, onze ans de mariage. « J'en veux six. Quatre enfants, ce n'est pas assez ; plus, c'est difficile. Six, ça fait une belle famille. Mon mari est d'accord. »

Cas # 38. Cinq enfants. Ouvrier, onze ans de mariage. L'épouse, enceinte, attend un sixième enfant. Le dernier enfant a six ans. « Je voudrais une fille. Si je n'ai pas de fille je serai vraiment déçue. Mais là, c'est tout. Je dirai au prêtre que c'est assez. Ce serait mon rêve d'en avoir dix, mais il faut les élever. »

Cas # 19. Un enfant. Ouvrier, cinq ans de mariage. « On n'a jamais fixé de nombre... je dirais six. C'est ce qu'on pourra faire instruire. Mon mari aime les enfants à la folie... lui, il dirait bien dix. »

Cas # 95. Deux enfants. Bourgeois, cinq ans de mariage. « On désire cinq ou six enfants parce qu'on peut donner le maximum à chaque enfant. Moins que cinq, ça ne fait pas assez d'enfants. »

Cas # 15. Quatre enfants. Ouvrier, cinq ans de mariage. « Je n'en veux pas moins que cinq ou six. Six, c'est suffisant car on peut encore s'en occuper. On veut une bonne famille. On a acheté grand pour ça ; il y a un deuxième étage qu'on peut finir. »

La lecture de ces neuf cas laisse une impression très constante : ces épouses désirent une famille nombreuse parce que telle est leur inclination personnelle ou leur conviction. On n'a pas l'impression qu'elles cherchent à s'excuser. Une dixième épouse désire six enfants mais ajoute une restriction : « Si on ne peut en élever six, comme on aimerait, on en aura au moins quatre. » La onzième et dernière épouse désire huit enfants, mais le mari a refusé toute conception après la deuxième naissance. Dans ce cas, l'épouse réagit peut-être à l'attitude du mari en exprimant comme nombre désiré un chiffre qui peut sembler excessif.

On pourrait expliquer l'attitude de ces onze épouses par le fait que celles-ci n'auraient pas intériorisé la norme sociale définissant les seuils de déviation. Dans ce cas, leur définition d'une grande famille inclurait plus d'enfants que pour la plupart des épouses. Mais tel n'est pas le cas puisqu'elles définissent la famille nombreuse comme ayant en moyenne 6.09 enfants, la moyenne générale étant de 6.11 enfants.

Il faut donc conclure que la forte majorité des femmes qui désirent une famille nombreuse n'ont pas l'impression de dévier de la norme sociale de fécondité. Par contre, on a vu que la majorité des épouses qui désirent une petite famille sentent le besoin de se justifier, ce qui indique qu'elles se perçoivent comme déviantes. Il semble donc que la norme sociale qui définit les aspirations de fécondité fixe d'une façon précise et contraignante le nombre minimum d'enfants que doit avoir un couple. La même précision et la même contrainte ne semblent pas se retrouver dans la définition du nombre maximum d'enfants qui soit socialement acceptable.

La majorité des épouses désirent toutefois une famille qu'on peut définir comme moyenne : soixante-sept pour cent des épouses interrogées désirent une famille de trois ou quatre enfants.

Colette Carisse, *Planification des naissances en milieu canadien-français*, Montréal, PUM, 1964, p. 54-59, 94-99.

Les "déviations en affaire" et les "crimes en col blanc"

HISTORIQUE

Dès 1872, au Congrès international sur la prévention et la répression du crime, tenu à Londres, E.C. Hill reconnaissait l'importance grandissante du *crime dans le domaine des affaires* par la coopération des agents d'immeubles, des agents de placement, des manufacturiers... et d'autres personnes « honnêtes ». Le professeur Morris, en 1935, reprenait le thème afin de parler, selon son expression même, des « criminels de la haute ». Identifier ces « criminels » serait difficile, écrivait-il, car « nos notions d'éthique, en général, sont fortement ébranlées par l'universalité, tout compte fait, des pratiques malhonnêtes, sinon illégales, du monde des affaires ». Il n'en demeure pas moins vrai que ces « criminels de la haute » existent concrètement. Morris ajoutait également avec justesse :

« Contrairement aux criminels de la pègre, les criminels de la haute n'ont jamais, en tant que groupe, été stigmatisés, et la désapprobation du public ne s'est jamais portée sur eux. La police les a rarement malmenés ou mis en prison en tant que tels, de sorte qu'ils n'ont jamais pu être examinés, étudiés uniformément, et identifiés comme un type spécial d'êtres humains. Au contraire, ils ont toujours été dispersés parmi nous, comme amis et membres des mêmes associations professionnelles et religieuses. Ils ont même donné des fonds pour l'étude et le traitement des délinquants juvéniles, et ils ont fait passer des lois pour contrecarrer les méfaits du crime. La seule différence entre eux et ceux qui sont honnêtes parmi les gens de leur classe, est une question de moindre sensibilité éthique sur certains points, due, c'est possible, à leur nature et à leurs relations étroites avec le modèle criminel qui est le leur. *Il est douteux qu'ils* se *considèrent comme criminels.* Leur attitude n'est pas autocritique, et ils acceptent assez naïvement la « bonne opinion » que les autres manifestent à leur égard »[1].

Le grand mouvement de départ de la recherche scientifique sur les « criminels de la haute » devait venir, cependant, durant la période de 1940-1950, des Etats-Unis. Sutherland, à l'occasion de son allocution présidentielle devant la Société américaine de sociologie, en 1939, employa alors l'expression « *crime en col blanc* » pour désigner *l'activité illégale des personnes de niveau socio-économique supérieur, en relation avec les pratiques normales de leurs affaires.* Si un courtier tue l'amant de sa femme, ce n'est pas un crime en col blanc, car cette conduite n'est pas directement reliée aux activités professionnelles du violateur ; mais s'il viole une loi et qu'il est condamné dans ses rapports d'affaires, ce courtier est un criminel en col blanc[2]. L'étiquette de Sutherland fit sensation, les uns criant à la découverte, les autres critiquant l'aspect non scientifique et moralisateur du concept. Mais l'esprit des chercheurs avait été stimulé d'une façon ou d'une autre, une série d'études et de recherches devait en résulter, et la connaissance criminologique, s'enrichir de nouvelles données pertinentes. C'était là, d'ailleurs, le but de Sutherland, qui maintenait que les explications causales de la criminalité concentrées sur la pauvreté, les taudis, et la désorganisation familiale — entre autres — donnaient une fausse image de la réalité, car elles reflétaient des conclusions fondées exclusivement sur des études dans les classes inférieures de la population, alors que des conclusions valables ne pouvaient se baser que sur une étude globale de l'ensemble des criminels, quelle que soit leur classe sociale. « Ses études, disait-il, ne prétendaient qu'à combler cette lacune en concentrant l'attention du chercheur sur le crime en col blanc ».

Un point précis à retenir avant toute discussion des recherches de Sutherland et d'autres auteurs, porte sur sa définition du « crime ». Cette définition est plus extensible que le strict point de vue légal, mais elle est toutefois très logiquement conforme à l'esprit des lois. La thèse de Sutherland est la suivante : étant donné que les délinquants en col blanc font partie de la classe supérieure de la société, et qu'ils sont très respectés dans leurs communautés, ils ont toujours réussi, au cours des années, à influencer le modèle des législations qui sont forgées pour réglementer le champ sans cesse croissant du monde économique, industriel et commercial. C'est ainsi que les procédures légales et judiciaires élaborées pour des fins de contrôle du monde des affaires ne sont tombées que rarement sous la juridiction des cours de justice criminelle. Ce qui remplace les poursuites pénales se résume à des auditions devant des commissions régulatrices, à des poursuites civiles pour dommages, et à diverses autres procédures en dehors du contrôle d'une poursuite en cour criminelle et d'une condamnation.

---

1. Morris, A., *Criminology* (N.Y., Longmans, 1935), pp. 153-158.
2. Sutherland, E. H., « White Collar Criminality », *5, American Sociological Review,* p. 1-12 (1940).

Les sanctions civiles imposées pour ce genre de « crime » vont des amendes aux mises en demeure de cesser telles ou telles activités, des injonctions aux arrangements. De telles violations civiles, selon Sutherland, sont pourtant, en fait, des « crimes », car : *a)* la loi reconnaît ces violations comme *dommageables au bien public ; b) des sanctions légales, appropriées,* sont *prescrites* pour de telles violations ; et *c)* la conduite des infracteurs est habituellement « volontaire » et « intentionnelle », en ce sens qu'elle n'est nullement accidentelle et qu'elle s'est exercée « en pleine connaissance de cause »[3].

L'emploi du terme « crime en col blanc » devient alors justifié du point de vue de la recherche scientifique[4], mais demeure si ambigu, si incertain et prête tellement à controverse d'un point de vue « social », puisqu'il n'y a jamais eu de définition officielle ou légale, que certains chercheurs ne l'acceptent qu'en rapport avec des violations du code criminel[5]. Afin d'éviter cette ambiguïté, les études récentes se sont orientées vers une étude des « déviations professionnelles » *(Occupational Deviant)*[6] où les infractions contre le code criminel, contre le code civil, et même celles qui ne sont pas illégales, mais qui sont des violations allant à l'encontre du code éthique reconnu comme légitime par les membres d'une profession, sont analysées séparément, mais dans un cadre analytique global qui s'efforce de trouver les différentes causes de certains groupes de violations. Nous avons nous-même tenté ailleurs d'établir une typologie analytique afin de concilier les différentes approches du problème, et de faire un pas en avant si possible dans la recherche[7]. Il nous semble cependant préférable, dans le cadre de cet article, de ne pas reprendre cette discussion, et d'employer le terme « *crime en col blanc* » — qui est mieux connu que tout autre — mais dans une perspective recouvrant les *trois champs mentionnés,* soit : 1) les violations criminelles ; 2) les violations civiles, et 3) les déviations éthiques. Nous ne voulons également pas entrer ici dans des discussions théoriques, mais rapporter

---

3. Sutherland, E. H., « Crime and Business », 217, *The Annals,* p. 112-118 (1941) ; aussi : « Is White Collar Crime Crime ? », 10, *American Sociological Review,* p. 132-139 (1945) ; *White Collar Crime* (N.Y. Dryden Press, 1949).

4. Hartung, F., « White Collar Crime : Its Significance for Theory and Practice. », 17, *Federal Probation,* p. 30-36 (1953) ; aussi : D. J. Newman, « White Collar Crime », 23, *Law and Contemporary Problems,* p. 735-753 (1958).

5. Caldwell, R. G., « A *Reexamination* of the Concept of White Collar Crime », 22, *Federal Probation,* p. 30-36 (1958) ; P. W. Tappen, « Who is the Criminal », 12, *American Sociological Review,* p. 96-102 (1947) ; G. Geis, « Toward a Declineation of White Collar Offenses », 32, *Sociological Inquiry,* p. 160-171 (1962).

6. Quinney, E. R., « The Study of White Collar Crime ; toward a Reorientation in Theory and Practice », 55, *J. Crim, Law, C. and P. S.,* p. 208-214 (1964).

7. Normandeau, A., « A Prospects and Problems of Occupational Deviant Behavior Typology : A Redefinition and an Extension of the Concept of White Collar Crime » (rapport miméographié, Université de Pennsylvanie, 1965).

pour le lecteur qui ne les connaîtrait pas le résultat de certaines recherches dans ce domaine. Nous examinerons successivement les violations en regard des lois antitrust, une étude de Sutherland sur les multiples violations de 70 corporations, parmi les plus étendues, la publicité frauduleuse, les assurances, les détournements de fonds, la corruption et le patronage, le non-paiement des taxes, la profession médicale, la profession légale et, finalement, les crimes en col bleu. Nous nous inspirons évidemment des études américaines car aucune étude n'a été faite encore en Europe dans ce domaine.

LOIS ANTITRUST

Un des cas les plus récents, en même temps que des plus significatifs impliqua en 1961, devant un jury de Philadelphie, 29 compagnies d'équipement et d'accessoires électriques parmi les plus importantes, dont la General Electric et la Westinghouse. Quarante-cinq membres de leur exécutif furent légalement jugés. Le crime dont ils étaient accusés consistait en une « conspiration et violation des statuts juridiques fédéraux concernant les trusts et la fixation des prix et des productions d'équipement ». Ces administrateurs furent accusés d'illégalités concernant des ventes d'équipement électrique dont le montant dépassait 1 750 000 000 dollars chaque année. En pratique, cela signifie que le gouvernement et les acheteurs privés ont été trompés au sujet du jeu normal de l'offre et de la demande, et ont dû payer des sommes d'argent indues. Tout compte fait, évidemment, puisque le gouvernement est un acheteur important, le fardeau retombe sur les payeurs de taxes. Aussi, faisant suite aux poursuites criminelles contre ces compagnies, divers corps publics fédéraux, provinciaux et locaux intentèrent contre elles des poursuites civiles se chiffrant par des millions de dollars.

Des amendes du montant de $ 1 924 000 furent prononcées par la Cour fédérale, dont $ 437 000 contre General Electric et $ 372 000 contre Westinghouse. Sept membres se trouvant aux postes de commande et aux responsabilités dans les échelons professionnels des compagnies furent condamnés à 30 jours de prison, et vingt-quatre autres subirent des condamnations à la prison avec sursis.

Les salaires de ces condamnés allaient de $ 25 000 à $ 135 000 par année.

Les sentences de prison frappant ces membres des conseils « de la haute », et la sévérité des amendes constituèrent des précédents dans la petite histoire répressive des crimes en col blanc. En prononçant les sentences, le juge Ganey releva : « C'est une inculpation de choc dans un vaste secteur de notre économie, car l'enjeu de la partie est la survivance d'un type d'économie qui a conduit notre pays vers les plus hauts sommets, et qui s'appelle le système d'entreprise privée ». Le juge notait que la Cour n'avait pas encore suffisamment de preuves pour condamner les « échelons supérieurs » des compagnies de produits électriques, mais il ajoutait : « Nous serions naïfs... de croire que ces violations... ayant duré si longtemps et ayant affecté une si large couche de l'industrie, impliquant des millions et des millions de dollars, aient été inconnues des principaux responsables de la marche des compagnies »[8].

Les réflexions recueillies au procès démontrent clairement toutefois que, même si le gouvernement a clairement établi que la violation des lois antitrust est un crime et non seulement une erreur de jugement, les « criminels de la haute » ne se considèrent nullement comme criminels. Ils ne cessèrent de répéter, l'un après l'autre : « Mais, qu'est-ce que j'ai fait ? Nous ne faisions rien de mal — nous tentions seulement d'éviter les prix coûteux. *Après tout, les affaires sont les affaires.* Il faut bien vivre. Nous ne sommes pas des saints. »

ÉTUDE DE 70 CORPORATIONS OU SOCIÉTÉS

Une recherche originale faite par Sutherland[9] au sujet des violations de la loi par 70 des plus grosses corporations minières, manufacturières et commerciales, au cours d'une période de 40 ans, dévoila les pratiques économiques illégales suivantes : restriction du commerce ; publicité trompeuse ; violations de brevets, de marques de fabrique, et de droits d'auteur ; pratiques injustifiables relatives au droit des travailleurs, tels qu'ils sont définis par la *National Labor Relations Law* et d'autres lois ; rabais non autorisés ; fraude financière et violation d'un trust ; violations de certaines réglementations durant la guerre, et d'autres activités répréhensibles. L'étude des dossiers révéla que chaque corporation, sans exception, avait violé une ou plusieurs lois, la moyenne étant de 13 décisions juridiques contraires par corporation, avec une marge allant de 1 à 50 décisions par corporation. 307 de ces décisions avaient trait à des charges au sujet de la restriction du commerce, 222 au sujet des lois relatives à la publicité et 196 au sujet d'autres lois. Il ne fait donc aucun doute que les corporations violent les lois sur le commerce à un rythme considérable. Les lois au sujet du « criminel d'habitude », dans certains Etats, imposent des sanctions sévères aux criminels condamnés une troisième ou une quatrième fois. Si ce crime devait être employé ici, 90 pour cent environ des grosses corporations étudiées par Sutherland seraient des « *criminels d'habitude en col blanc* ». Et ces chiffres ne représentent évidemment que les violations découvertes. Le « *chiffre noir* » des violations non découvertes est certainement énorme, étant donné la nature « cachée » de telles violations.

PUBLICITÉ FRAUDULEUSE

La publicité truquée, fausse et trompeuse est souvent considérée, à juste titre, comme de la publicité frauduleuse. La seule protection du public aux Etats-Unis réside dans la Commission fédérale sur le commerce, qui ne peut tou-

8. Rapporté dans R. A. Smith, « The Incredible Electrical Conspiracy » in *The Sociology of Crime and Delinquency*, Wolfgang et al, (eds), (N.Y., Wiley, 1962), pp. 357-372.

9. Sutherland, 1940, *op. cit.*, p. 2.

tefois manifestement pas poursuivre ou même dépister toutes les indications malhonnêtes, injustes, et techniquement illégales faites dans les annonces publicitaires de toute espèce. Non seulement un tel mode de faire trompe le public, mais il contribue à un jeu inégal et injuste de la compétition.

Il est évident que le critère « d'injustices » n'est pas facile à appliquer en pratique. Nombre d'annonces publicitaires fortement exagérées ne sont souvent pas assez évidentes objectivement (quoique très parlantes subjectivement), de sorte qu'elles échappent à l'attention des inspecteurs.

Les manufacturiers de *cigarettes*, par exemple, furent semoncés par un Comité gouvernemental en 1958, pour avoir trompé le public américain au sujet de leur publicité des cigarettes à bout-filtre, en prétendant particulièrement que le bout-filtre contrecarrait les causes du cancer et des maladies du coeur. Des recherches officielles, en effet, avaient prouvé qu'autant, sinon plus, de nicotine et de goudron pénétraient dans les poumons en utilisant le bout-filtre par rapport à son contraire.

L'Association dentaire américaine s'éleva également, en 1958, contre la publicité frauduleuse de fabricants de pâtes dentifrices. La raison en était : le danger couru pour leur santé par des millions de personnes. L'Association déclara que les compagnies annonçaient exclusivement que la pâte dentifrice supprimait les mauvaises haleines, et que cela constituait la même fausse réclame que si un office public de la santé affirmait la nécessité d'employer du parfum alors qu'on aurait besoin d'un bain. L'Association analysa plusieurs des prétendues qualités thérapeutiques de diverses pâtes, pour trouver qu'un grand nombre n'avait aucune valeur de cette nature. L'Association, enfin, dénonça la pratique publicitaire consistant à baser la valeur du produit sur le « motto » pseudo-scientifique du « test après test par des dentistes expérimentés ». En effet, pouvait-elle observer, de telles déclarations étaient fausses, car l'association contrôlait pratiquement tous les dentistes des Etats-Unis et elle n'avait pu trouver un seul dentiste ayant fait un test ou émis une opinion scientifique au sujet d'une marque particulière de pâte dentifrice.

L'analyse des documents de la Commission fédérale sur le commerce montre également chaque année des milliers d'annonces frauduleuses dans les domaines de la *nourriture*, des *médicaments* et des produits *cosmétiques*. De 8 à 15 pour cent de la nourriture consommée aux Etats-Unis, chaque année, est frelatée ou contaminée.

ASSURANCES

Une partie importante des pratiques frauduleuses de « la haute » est accomplie par les compagnies d'assurances. Leur politique assise sur le principe que « les affaires sont les affaires » et que les sentiments doivent être éliminés des affaires, les conduit à régler chaque cas au prix le plus bas possible selon « leurs » critères, et non à un prix raisonnable selon la nature de la perte. Pour y arriver, les agents chargés des réclamations en cas de sinistre, les avocats et les médecins qui travaillent pour la compagnie n'hésitent pas à recourir fréquemment à dénaturer systématiquement les faits et la vérité. Les médecins de la compagnie, par exemple, vont minimiser la gravité des blessures en pensant que les médecins qui représentent l'autre partie vont les exagérer.

DÉTOURNEMENT DE FONDS

Une espèce de crime en col blanc, beaucoup plus répandue qu'il est possible de le croire à première vue, consiste dans les multiples formes des détournements de fonds dans l'exercice d'une profession ou d'une occupation. En 1951, par exemple, selon le rapport du *Federal Deposit Insurance Corporation,* un bureau qui assure plusieurs banques, 608 cas officiels de détournements lui furent signalés. Ces détournements impliquèrent 759 personnes, dont 217 haut placées dans la hiérarchie des banques, 412 employés et 130 autres personnes. L'analyse de ces irrégularités dévoila toute une gamme d'infractions possibles, telles les manipulations de monnaie courante, les manipulations des dépôts, et les manipulations relatives aux prêts. Une enquête publiée dans le *Reader's Digest* en 1941, montrait que 20 pour cent des employés de certaines banques de Chicago avaient pris de l'argent ou s'étaient approprié certains biens matériels appartenant aux banques. Si l'on pense au cas d'un supérieur d'une compagnie d'alimentation pour magasins « à chaîne », par exemple, qui détourna 600 000 dollars en une seule année, un chiffre six fois plus élevé que les pertes totales annuelles subies par les magasins de cette chaîne dues aux cambriolages et aux vols à main armée, le rapport de la gravité de la violation de ce fonctionnaire par rapport aux cambrioleurs et aux voleurs semble accablant. Pourtant, la société est loin de le considérer ainsi. Il est un exemple récent où le même juge, le même jour, jugeant le cas d'un homme reconnu coupable d'un vol de 40 cents au magasin du coin, et celui de quatre auteurs de détournements d'un fonds de compensation d'assurance-chômage pour une somme de 868 dollars, condamna le premier à 90 jours de prison, et mit les autres au bénéfice de la probation.

CORRUPTION ET PATRONAGE

Quotidiennement, des cas de corruption gouvernementale nous sont rapportés. Ils fournissent un éloquent témoignage de ce que C. W. Mills a appelé « l'immoralité structurelle » de nos sociétés démocratiques. Il parlait, toutefois, plus particulièrement de la société américaine. La *corruption* des officiers publics implique deux personnages : celui qui « graisse la patte » comme celui qui est « graissé ». La pression et l'influence exercées sur des personnes individuelles par la machine et l'organisation politiques, grâce à toutes sortes de cadeaux, de « dons » d'argent, ou de services, entrent dans le même genre d'immoralité commise par des gens « respectables ». Dans la plupart des villes et des Etats, la majeure partie du « partage du gâteau en col blanc » se rapporte aux achats d'équipement, à la signature des contrats, à la mise en force de certaines réglementations et ordonnances législatives, etc. La liste est sans fin. Les « pots-de-vin » contribuent à élever le niveau socio-économique de nombre d'officiers publics.

Il ne faudrait pas se leurrer surtout, et croire que la corruption professionnelle n'existe qu'en relation avec les corps publics, car il est évident que cette corruption, sous une forme ou une autre, existe aussi largement dans l'entreprise privée.

« VOLER LE GOUVERNEMENT »

Les dictons tels que « voler ou frauder le gouvernement en ne payant pas complètement ses taxes ou impôts, n'est pas voler, car le gouvernement c'est nous», ou « après tout, tout le monde fait la même chose » sont encore des inspirateurs d'actions malhonnêtes. Les déclarations frauduleuses au sujet de sa fortune et de ses revenus fournies au gouvernement et au département des finances et des taxes, sont monnaie courante. Celui qui avoue faire une déclaration honnête est considéré comme un phénomène rare, car la seule façon, dit-on, de ne pas payer proportionnellement plus d'impôts que son voisin, est d'accepter cette « immoralité universelle » : « tout le monde triche ». Les méthodes de « frauder le gouvernement » sont innombrables dans ce domaine, autant au niveau de la « tricherie » des compagnies, des maisons de commerce, ou autres établissements commerciaux, qu'à celui de la « tricherie individuelle », en même temps qu'elles sont souvent très difficiles à dépister pour le gouvernement. L'art de tricher est devenu un passe-temps national. Un ancien directeur de l'*United States International Office* affirmait au sujet de son pays que « nous devenons une nation de menteurs et de tricheurs ». En 1951, incidemment, un autre directeur de ce bureau était reconnu coupable d'une fraude de taxes se montant à 91 000 dollars et était condamné à cinq ans de prison. Une estimation des pertes que subit ainsi chaque année le Gouvernement américain va dans les 5 billions de dollars, 26,5 billions n'étant pas déclarés par les payeurs de taxes américains.

LA PROFESSION MÉDICALE

Sutherland, dans ses études sur les crimes en col blanc, parle aussi des professions médicales et légales — non directement reliées aux « affaires » — qui tombent sous le coup de sa définition, car les « crimes » qu'il leur attribue sont reliés à l'exercice de leur profession.

La profession médicale peut ainsi contribuer aux ventes illégales d'alcool et de narcotiques, aux cas d'avortement, aux services illégaux rendus aux criminels de la pègre, aux rapports et aux témoignages frauduleux en relation avec des cas d'accidents, aux pratiques abusives où des traitements inutiles sont prescrits et exécutés, aux cas de pseudo-spécialistes, aux restrictions imposées à la concurrence et au « partage d'honoraires » constituent des violations du code civil dans 23 Etats américains, et une violation des conditions d'admission à la pratique de la médecine. Le médecin qui pratique un tel mode de faire s'efforce d'envoyer ses patients à un chirurgien qui lui remettra une partie des frais de l'opération, plutôt qu'à un chirurgien reconnu pour sa qualité en tant que chirurgien. Deux tiers des chirurgiens à New York, selon une enquête, pratiquent ce genre de « division du travail », et la moitié des médecins interviewés dans une ville du centre-ouest américain favorisaient cette pratique. Dans le domaine des pratiques « contraires à l'éthique », un autre exemple est celui des médecins qui ont accepté de l'argent de la part des compagnies de fabrication de cigarettes pour endosser « au nom de la science » les fausses allégations qu'une telle marque n'irritait pas la gorge par rapport à d'autres.

Les pharmaciens ont souvent été trouvés coupables de violations criminelles de prescriptions par le passé [10]. Dans les cas d'avortements, il n'est pas rare de trouver des *pharmaciens* qui fournissent certains médicaments provoquant la mort et l'expulsion du foetus. Des découvertes de cliniques d'avortements tenues par des *infirmières* ont eu lieu aussi à diverses reprises aux Etats-Unis depuis des années.

LA PROFESSION LÉGALE

Le vieux préjugé populaire qui veut que « les avocats sont des voleurs » n'est évidemment vrai qu'en partie, mais cette partie existe, car quelques avocats emploient leur profession pour frauder le public d'une façon ou d'une autre. Le sentiment populaire laisse entendre qu'un avocat ne peut réussir s'il est complètement honnête, et qu'un bureau d'avocats accepte pratiquement tous les cas possibles dans le cadre de sa spécialisation, quel que soit le degré de malhonnêteté nécessaire pour servir les intérêts du client. Une dose d'exagération existe évidemment dans cette croyance populaire, car les fonctions juridiques se sont considérablement « professionnalisées » depuis quelques années. Le barreau a contribué à ce phénomène en organisant un cadre d'éthique plus ferme et vigilant.

Mais une partie de « la déviation professionnelle » dans le domaine des « hommes de loi » existe sans aucun doute [11]. Certains avocats — souvent membres réputés du barreau — se spécialisent dans la loi des associations et corporations et dans la loi constitutionnelle, de telle sorte qu'ils peuvent suggérer ou guider les activités criminelles ou quasi criminelles des corporations et des compagnies que nous avons déjà mentionnées.

---

10. Quinney, E. R., « Occupational Structure and Criminal Behaviour : Prescription Violation in Retail Pharmacists », 11, *Social Problems*, p. 179-187 (1963).

11. Aubert, V., « White Collar Crime and Social Structure », *American Journal of Sociology*, p. 263-271 (1952).

D'autres avocats se spécialisent dans les « demandes fausses et truquées » des assurés qui réclament des indemnités pour des accidents d'automobiles qui ne se sont jamais produits.

Certains avocats, également, sont engagés pour défendre les droits des membres de la pègre. Ces avocats connaissent fort bien ce qui se brasse dans le monde criminel, car leurs relations avec les chefs de ce « petit monde » sont étroites. Ces avocats mènent toutefois une vie « respectable » au sein de leur communauté et de la société.

Enfin, les avocats figurant sur la liste de paie des officiers publics qui participent au « marché de la corruption », se distinguent bien peu des précédents. Des « contacts » leur permettent quelquefois d'accéder à un poste supérieur comme celui de juge. Le juge fédéral de New York, M. T. Manton, fut trouvé coupable d'avoir accepté des pots-de-vin d'une valeur de $ 64 000 en 1940.

CRIMES EN COL BLEU

Certaines enquêtes, portant non plus sur la couche socio-économique supérieure de la société, mais surtout sur la couche des travailleurs (col bleu), mais *toujours en relation avec des violations commises dans l'exercice de leur occupation* ou de leur métier, furent conduites en 1941 par le magazine *Reader's Digest* sur une base nationale, aux Etats-Unis. Les enquêteurs portèrent leur attention sur trois champs d'activités [12] :

1. Les garages d'automobiles :

Les enquêteurs du magazine dévissèrent une petite bobine dans une automobile, un défaut facile à détecter, et allèrent avec cette automobile dans 347 garages, de 48 Etats, en recommençant toujours le même jeu. De ces 347 diagnostics, 129 trouvèrent immédiatement ce qui n'allait pas, et ne demandèrent rien ou très peu de chose pour le travail. Les autres — représentant 63 pour cent des garages — « chargèrent » du supplémentaire, firent de l'ouvrage absolument inutile, portèrent en compte de l'ouvrage non accompli, ou pour des fournitures dont il n'y avait aucun besoin, ou perpétrèrent d'autres fraudes de ce genre.

2. Les ateliers de réparations de radio :

Une radio en excellente condition fut apportée aux ateliers de réparations de radio après que l'on eut dévissé l'un des tubes. Sur 340 ateliers visités, 109 identifièrent le défaut honnêtement, mais la majorité — les deux tiers — trompèrent délibérément la personne qui apportait ainsi sa radio à l'atelier.

3. Les ateliers de réparations de montres :

Les enquêteurs dévissèrent une fois de plus une petite vis qui rattachait le rouage mécanique au boîtier de la montre, et demandèrent à un certain nombre

---

12. Tel que résumé dans H. A. Bloch et G. Geis, *Man, Crime and Society* (N. Y. Random House, 1962), p. 393.

d'ateliers de la réparer. Les horlogers furent relativement plus honnêtes que les deux autres groupes, mais près de la moitié d'entre eux trompèrent le client, en établissant une note pour de l'ouvrage de nettoyage non accompli, et pour des parties qui n'étaient pas nécessaires ou n'avaient tout simplement pas été changées.

Ceci conclut notre description des déviations professionnelles ou « crime en col blanc ». D'autres domaines, comme les violations de prescriptions, en temps de guerre, de plusieurs lois « nécessaires au bien public » (marché noir, par exemple), les violations des divers financiers et agents qui s'occupent de la Bourse, les violations individuelles d'un trust, les faillites frauduleuses, etc., pourraient aussi être mentionnées, et de bonnes études empiriques existent dans ce domaine[13].

UNE THÉORIE EXPLICATIVE

La théorie criminologique la plus souvent employée pour expliquer ces « crimes en col blanc » est celle qui fut développée par Sutherland, sous le nom « *d'association différentielle.* » Cette théorie, strictement *psycho-sociologique*, rejette les explications psychiatriques du comportement criminel ou « déviant » ainsi que les explications qui se fondent sur des données ne couvrant qu'une classe sociale particulière.

L'association différentielle repose sur des postulats d'initiation ou d'apprentissage quant au comportement et à la conduite humaine. La proposition déterministe qui la soutient est la suivante : la conduite criminelle, comme n'importe quel autre comportement, est « *apprise* » au cours de l'*interaction* journalière avec d'autres personnes. Si la conduite criminelle est apprise il ne fait aucun doute, selon Sutherland, qu'elle peut l'être *à tous les niveaux* de la société, et non seulement aux niveaux inférieurs, tel que nous imaginons traditionnellement le phénomène criminel.

L'homme d'affaires apprend à tourner les lois sur les monopoles parce qu'il entre en contact chaque jour avec d'autres personnes qui ont déjà appris le « jeu ». Le crime en col blanc est donc un cercle vicieux dont la société n'est pas prête à se débarrasser, car les maillons de la chaîne ressemblent aux globules rouges du sang. Si l'on en extrait quelques centaines, cela ne contribue que davantage à l'accroissement accéléré des globules qui demeurent.

Et Sutherland de remarquer que s'il n'y a aucune raison de penser que General Motors souffre d'un « complexe d'infériorité », la U.S. Steel du « complexe d'OEdipe » ou les Dupont d'un « désir de mort », lorsqu'ils commettent des

---

13. Clinard, M., « Criminological Theories of Violations of Wartime Regulations », 11, *American Sociological Review*, p. 258-270 (1946) ; aussi son livre *Black Market* (N. Y., Rinehart, 1952) ; également F. Hartung, « White Collar Offenses in the Wholesale Meat Industry in Detroit », 56, *American Journal of Sociology*, p. 25-32 (1950) ; D. R. Cressey, « The Criminal Violation of Financial Trust », 15, *American Sociological* Review, p. 738-743 (1950), et son livre *Other People's Money* (N. Y., Free Press, 1954).

violations à la loi ; s'il est absurde de penser que les directeurs administratifs et les hommes d'affaires qui deviennent des criminels en col blanc souffrent d'une quelconque distorsion pathologique, il est également absurde d'essayer d'expliquer les crimes commis par des gens de la classe ouvrière de cette façon [14]. La majeure partie des crimes sont accomplis par des gens « normaux ».

Sutherland énonce alors sa théorie explicative de la majorité des crimes, quelle que soit la classe sociale de ceux qui les commettent, en neuf points [15].

1° La conduite criminelle est *apprise.*

2° La conduite criminelle est apprise en interaction avec d'autres personnes dans un processus de *communication.*

3° La majeure partie de l'apprentissage de la conduite criminelle s'accomplit au sein de *groupes personnels intimes.*

4° Lorsque la conduite criminelle est apprise, *l'apprentissage* comprend : *a)* les techniques pour commettre le crime, qui sont quelquefois très compliquées d'autres fois très simples ; *b)* la direction spécifique des motifs, des besoins des rationalisations et des attitudes.

5° La *direction spécifique* des motifs et des besoins est apprise selon les définitions des codes légaux comme favorables ou non favorables, ces définitions changeant selon le milieu de vie et de travail.

6° Une personne devient « déviante » lorsqu'un excès *de définitions favorables* aux violations de la loi existe par rapport aux définitions non favorables aux violations de la loi (ceci est le principe direct de l'association différentielle).

7° Les associations différentielles *peuvent varier* en fréquence, en durée, en priorité et en intensité.

8° Le *processus d'apprentissage* de la conduite criminelle par association avec des modèles criminels et anticriminels implique tous les mécanismes reconnus dans l'apprentissage de tout autre comportement.

9° Alors que la conduite criminelle est une expression de *besoins et de valeurs généraux,* elle n'est pas *expliquée* par ces besoins et ces valeurs généraux puisque la conduite non criminelle est également une expression des mêmes besoins et valeurs.

En effet, au regard de ce dernier point, les criminels en col blanc et les criminels de la classe inférieure, de même que les non-criminels vivent dans une même société où une économie compétitive et une philosophie qui « adore le succès » sont centrées exclusivement sur l'argent et la consommation matérielle. *Les besoins et les valeurs sont donc les mêmes* pour les criminels comme pour les non-criminels. L'association différentielle explique cependant le *processus de différenciation* entre les *moyens* que les deux groupes choisissent pour atteindre les mêmes buts et les mêmes fins.

---

14. Sutherland, 1941, *op. cit.,* p. 96.

15. Sutherland, E. H., et D. R. Cressey, *Principles of Criminology* (Philadelphia, Lippincolt, 1960), pp. 77-79.

CONCLUSION

La description des « crimes en col blanc » que nous venons de tracer peut sembler très sombre. Le problème est « aigu », et il ne faut pas se le cacher. L'autruche sociale a déjà fait assez de ravages.

Cependant, il faut reconnaître que, de même qu'une minorité seulement de la couche socio-économique inférieure devient criminelle au sens traditionnel du terme, de même une minorité seulement de la couche « de la haute » devient « déviante » et criminelle. Les crimes en col blanc n'impliquent qu'une partie des classes sociales supérieures. Chaque profession, chaque occupation contribue au tableau de ces crimes, et chacune est responsable de son « mouton noir ».

Le but de cet article a été de signaler au lecteur comment une couche importante de la société, celle qui influence profondément les définitions des lois et du comportement social éthique, est elle-même « criminelle » d'une façon réelle. Cette classe supérieure, « la haute », n'a évidemment jamais défini criminellement ses comportements non éthiques, et nous nous sommes trouvés amenés à juger du phénomène criminel, de ses causes et de la réhabilitation des criminels, en regard d'une seule classe de gens, soit la classe sociale défavorisée.

Notre perspective a été de rétablir la juste proportion des faits. Un pourcentage constant de criminalité existe dans toutes les classes sociales et dans toutes les occupations, quelque minoritaire qu'il soit.

Le devoir des chercheurs est de tenir compte de tous ces facteurs dans la recherche criminologique. Le devoir immédiat des maisons d'éducation, des cours de justice, des législateurs, et du public en général, est d'extirper les racines criminelles et déviantes dans tous les domaines de la vie sociale.

Et si notre description s'est construite à partir du contexte américain, il n'est pas téméraire, à notre avis, de la généraliser un tant soit peu au contexte européen, particulièrement dans cette ère de développement économique rapide qui caractérise aujourd'hui l'Europe. Peut-être même sera-t-elle un utile avertissement.

« Les Déviations en affaire » et les « Crimes en col blanc » par André Normandeau, tiré de Szabo, D. (éd.) Déviance et criminalité — Textes, Coll. U2, no 102, pp. 332-351.

Achevé d'imprimer

sur papier Val-de-Brôme non-apprêté

des papeteries Eddy, Hull,

sur les presses des

Ateliers Jacques Gaudet, Ltée,

Granby,

le dixième jour du mois d'octobre

mil neuf cent soixante-quinze

Imprimé au Canada

Printed in Canada